Читайте романы
примадонны иронического детектива
Дарьи Донцовой

Сериал «Любительница частного сыска Даша Васильева»:

Сериал «Евлампия Романова. Следствие ведет дилетант»:

Сериал «Виола Тараканова. В мире преступных страстей»:

1. Черт из табакерки
2. Три мешка хитростей
3. Чудовище без красавицы
4. Урожай ядовитых ягодок
5. Чудеса в кастрюльке
6. Скелет из пробирки
7. Микстура от косоглазия
8. Филе из Золотого Петушка
9. Главбух и полцарства в придачу
10. Концерт для Колобка с оркестром
11. Фокус—покус от Василисы Ужасной
12. Любимые забавы папы Карло
13. Муха в самолете
14. Кекс в большом городе
15. Билет на ковер—вертолет
16. Монстры из хорошей семьи
17. Каникулы в Простофилино
18. Зимнее лето весны
19. Хеппи—энд для Дездемоны
20. Стриптиз Жар—птицы
21. Муму с аквалангом
22. Горячая любовь снеговика
23. Человек—невидимка в стразах
24. Летучий самозванец
25. Фея с золотыми зубами
26. Приданое лохматой обезьяны
27. Страстная ночь в зоопарке
28. Замок храпящей красавицы
29. Дьявол носит лапти

Сериал «Джентльмен сыска Иван Подушкин»:

1. Букет прекрасных дам
2. Бриллиант мутной воды
3. Инстинкт Бабы—Яги
4. 13 несчастий Геракла
5. Али—Баба и сорок разбойниц
6. Надувная женщина для Казановы
7. Тушканчик в бигудях
8. Рыбка по имени Зайка
9. Две невесты на одно место
10. Сафари на черепашку
11. Яблоко Монте—Кристо
12. Пикник на острове сокровищ
13. Мачо чужой мечты
14. Верхом на «Титанике»
15. Ангел на метле
16. Продюсер козьей морды

Сериал «Татьяна Сергеева. Детектив на диете»:

1. Старуха Кристи – отдыхает!
2. Диета для трех поросят
3. Инь, янь и всякая дрянь
4. Микроб без комплексов
5. Идеальное тело Пятачка
6. Дед Снегур и Морозочка
7. Золотое правило Трехпудовочки
8. Агент 013
9. Рваные валенки мадам Помпадур
10. Дедушка на выданье
11. Шекспир курит в сторонке
12. Версаль под хохлому

Сериал «Любимица фортуны Степанида Козлова»:

1. Развесистая клюква Голливуда
2. Живая вода мертвой царевны
3. Женихи воскресают по пят—ницам

А также:

Кулинарная книга лентяйки
Кулинарная книга лентяйки—2. Вкусное путешествие
Кулинарная книга лентяйки—3. Праздник по жизни
Простые и вкусные рецепты Дарьи Донцовой
Записки безумной оптимистки. Три года спустя.
Автобиография

Дарья Донцова

Шесть соток для Робинзона

роман

ЭКСМО

Москва

2012

УДК 82-3
ББК 84(2Рос-Рус)6-4
Д 67

Оформление серии *В. Щербакова*

Д 67   **Донцова Д. А.**
         Шесть соток для Робинзона : роман / Дарья Дон-
         цова. — М. : Эксмо, 2012. — 352 с. — (Иронический
         детектив).

         ISBN 978-5-699-55148-4

Даша Васильева — по образованию штукатур, частенько сидит
без гроша и питается одной овсянкой! Ни семьи у нее, ни детей:
короче, кроме имени, ничего общего с известной любительницей
частного сыска. Вот только расследование Даше все равно приходится вести — а как иначе, если на семью ее нового шефа напал
натуральный мор! Началось все с того, что жена психолога и аму-
летчика Владимира Сперанского, нанявшего Дашу ассистенткой
и до кучи домработницей, отравилась безобидной минералкой.
Газировочку ей подали в доме олигарха Стебункова, с которым
недавно приключилась похожая история: привез он из Африки
мясо самолично убитого им крокодила, да и угробил угощением
всех своих друзей. А среди них — та самая тезка, великая сыщица
Даша Васильева!

УДК 82-3
ББК 84(2Рос-Рус)6-4

ISBN 978-5-699-55148-4

Глава 1

Чем меньше денег осталось в кошельке, тем больше вероятность, что у тебя возникнут огромные, совершенно непредвиденные расходы.

Я уставилась на груду мелких деталей и пластиковых обломков, оставшихся от моего недавно купленного мобильного телефона. Ну почему симпатичная трубка, упав всего лишь со стола, мгновенно умерла? У некоторых людей сотовые остаются живы, даже если владелец попадает в авиакатастрофу! Хотя, с другой стороны, зачем человеку, спланировавшему с высоты десяти тысяч метров на землю, исправный телефон? Ладно, все, что ни случается, происходит к лучшему.

Я присела на корточки и начала собирать детальки, сама не зная зачем. Был бы аппарат старый, легко утешила бы себя, сказав: «Подумаешь! Все равно он древний, дешевле некуда, фотокамера в нем отвратительная, избавиться от телефона не позволяла жаба. И вот — ура! — он разбился. Сейчас побегу за новым». В моей же ситуации все не так: мобильный новый, фотографировать мне некого, до зарплаты еще неделя, денег в кармане кот наплакал, а моя жаба давно молчит, потому что ее тошнит от ежедневной овсянки на воде, которую мне приходится лопать на завтрак и ужин.

Телевизор на стене мигнул, появилось изображение блондинки со странным хитро-наивным взглядом. Она затараторила без остановки:

— Программа «Вся правда о знаменитостях» вновь возвращается к теме таинственной гибели ближайших друзей бизнесмена Ивана Гавриловича Стебункова. Сегодня ровно сорок дней с того момента, как произошла трагедия...

Я остановилась напротив телика и стала слушать.

В середине апреля Стебунков отпраздновал свой шестидесятилетний юбилей. Но он не стал закатывать пышный банкет дней на семь, собрав весь бомонд, а сделал подарок любителям театра. Меценат и благотворитель, Иван Гаврилович в свой день рождения представил публике новый спектакль, для участия в котором были приглашены артисты из разных стран мира, и не просто артисты, а звезды, чей гонорар исчисляется шестизначными цифрами. Москва замерла в изумлении. И было от чего разинуть рот. Во-первых, все приглашенные актеры исполняли свои роли на русском языке, во-вторых, билеты на уникальное представление не продавались, а раздавались бесплатно, в-третьих, все места в зале были заняты отнюдь не представителями так называемой тусовки. Стебунков сам проконтролировал распределение контрамарок. Поэтому партер не сверкал бриллиантами, а прессу пустили на десять минут уже после окончания спектакля. Такого столица еще не знала. Мировые селебретис разлетелись по домам, а пьеса Игоря Мамонова «Люба, Джулия и

Оливия» отныне включена в репертуар театра, роли в ней получат столичные лицедеи.

Эпатажного, известного не только в России, но и широко за ее пределами драматурга Мамонова и невероятно богатого Стебункова связывала тесная и давняя дружба.

Более тридцати лет назад Иван Гаврилович, тогда аспирант Литературного института, будучи в жюри конкурса «Новое имя», организованного Союзом писателей СССР, обратил внимание на пьесу студента первого курса МАИ Игоря Мамонова и всеми силами стал ратовать за ее победу в творческом соревновании. Однако сочинение начинающего драматурга не имело шансов получить награду по разным причинам, в том числе из-за возраста автора, и первое место тогда присудили некоему Шашкову, о котором нынче никто не помнит, зато отвергнутый Мамонов подружился со Стебунковым. С течением времени Игорь получил диплом МАИ, но работать в области авиации не стал, посвятив себя драматургии. Стебунков защитил кандидатскую диссертацию по творчеству Максима Горького и отправился преподавать русскую советскую литературу в третьесортный институт, где и познакомился с Дарьей Васильевой, молодой женщиной, обучавшей недорослей французскому языку. Чуть позже к компании Стебунков — Мамонов — Васильева примкнул художник Олег Барсуков.

В советские времена никто из них не добился успеха. Странные пьесы Мамонова, среди персонажей которых были, например, говорящая Эйфелева башня и милиционер-самоубийца, прыгнувший с Кремлевской стены из-за неразделенной любви к генералу-начальнику, приводили в оторопь членов художественных советов как столичных, так и провинциальных театров. Игорь работал кочегаром и наотрез отказывался писать пьесы о рабочем классе, которые легко могли быть поставлены на сцене.

Стебунков получал мизерную зарплату и все же постоянно приводил в свой дом гостей, молодых, в основном провинциальных талантливых людей. Таким образом он пытался помочь никому не известным режиссерам-актерам-писателям-художникам, мечтавшим покорить столицу. И не только делился с ними деньгами, кормил их и поил, но и селил у себя в крошечной квартирке.

В самом начале девяностых, когда России были абсолютно не нужны деятели науки и культуры, Иван Гаврилович уволился из института, где ему платили медные гроши, и стал компаньоном Макса Полянского, бывшего супруга Дарьи Васильевой. Скорей всего, именно она и свела их вместе. Тандем оказался на редкость удачлив, но просуществовал недолго, партнеры разбежались, каждый пошел своей дорогой, но оба достигли феерического успеха. Сейчас Полянский со Стебунковым контролируют почти весь рынок торговли продуктами — владеют сетями супермаркетов не только в России и прочно обосновались в первой сотне богачей. Что и понятно: мир сотрясают кризисы и войны, но кушать людям хочется всегда. И Полянский, и Стебунков являются меценатами. Но Макс помогает исключительно людям кино, продюсирует сериалы и полнометражные фильмы. Причем любит сам отбирать красоток на главные женские роли, а потом женится на им самим зажженной звезде, что подчас приводит к неприятностям. Кстати, всякий раз, когда Полянский попадал в беду, ему на помощь приходила бывшая супруга Дарья Васильева, доморощенная сыщица и любовница полицейского начальника Александра Михайловича Дегтярева[1]. Вот уж поистине высокие отношения!

В отличие от Максима его бывший партнер спонсирует множество театральных постановок, материально поддерживает как юных, так и пожилых деятелей сцены. При этом в зону его внимания попадает не только «белая кость», то есть артисты, постановщики, драматурги, но и работники кулис: осветители, гримеры, костюмеры, рабочие сцены, администраторы. Каждый, обратившийся к Стебункову, может рассчитывать на помощь. Но меценат не жалует пьяниц, наркоманов и лентяев, и таким людям не стоит даже близко подходить к благодетелю. Перед тем как расстегнуть кошелек, Иван Гаврилович всегда наводит справки о том, кто жаждет получить от него денежную помощь. И покровитель не гоняется за юбками, образно говоря, дивана в его рабочем кабинете нет. Все помнят эту поговорку[2].

В марте Стебунков отправился отдыхать в Африку. А через две недели, вернувшись в Россию, устроил для своих лучших друзей праздник. Во время сафари Иван Гаврилович подстрелил кро-

---

[1] О неприятностях, которые происходили с Полянским, читайте в книгах Дарьи Донцовой «Жена моего мужа» и «Третий глаз — алмаз», издательство «Эксмо». (*Здесь и далее примечания автора*).

[2] «Путь на экран лежит через диван».

кодила, местные жители особым образом замариновали мясо хищника, и олигарх, приехав на родину, организовал вечеринку в африканском стиле. Во время ужина подали шашлык из крокодилятины, который все гости назвали восхитительным. Когда через сутки стало плохо Игорю Мамонову, его поместили в клинику, но доктора не помогли — драматург ушел из жизни через две недели мучений. На момент его кончины были больны все участники веселого пикника, и все они умирали тоже в муках. Мамонов, Барсуков и Дарья Васильева скончались, несмотря на то что Стебунков вызвал в столицу почти всех лучших докторов мира. В результате мозгового штурма специалисты пришли к выводу: мясо крокодила было заражено неким неизвестным науке вирусом, который и уничтожил друзей Ивана Гавриловича. Поняв, что причиной их смерти послужил убитый олигархом аллигатор, врачи забили тревогу. Но очень скоро стало ясно: вирус не передается воздушно-капельным путем, действует через желудочно-кишечный тракт. Вся прислуга Стебункова, включая представителя турфирмы «Консьерж элитпрофи», сопровождавшего бизнесмена по Черному континенту, абсолютно здорова. Погиб лишь водитель Степан Комолов, который жарил для компании шашлык и тоже им полакомился.

На экране телевизора возникло изображение весело улыбающихся людей, а корреспондентка продолжала вещать теперь уже за кадром:

— В распоряжении нашей программы оказался последний снимок друзей олигарха, сделанный во время той убийственной вечеринки. В центре, с шампуром в высоко поднятой руке, загорелый хозяин дома. Справа от него вы видите хрупкую, коротко стриженную блондинку с собакой на руках. Это Дарья Васильева, бывшая жена Максима Полянского, любовница полковника Дегтярева. Слева, у стола, Игорь Мамонов, а художник Олег Барсуков сидит рядом с Васильевой. Поодаль, возле огромного мангала, колдует водитель Степан. Все радуются, предвкушая необыкновенный ужин. И никто не знает, что смерть уже тихим шагом вошла в дом.

Фотография пропала, и я снова увидела журналистку.

— У нас в студии находится доктор медицинских наук, профессор и академик Литвинов. Евгений Николаевич, как вы можете прокомментировать то, что случилось в доме Стебункова?

Камера отъехала вбок, и на экране возник еще один человек, до сих пор хранивший молчание. Мужчина хмуро посмотрел на хозяйку эфира.

— Для начала хочу заметить, что сам Иван Гаврилович Стебунков жив. Мы со всех сторон, с применением самого современного диагностического оборудования, обследовали бизнесмена и не испытываем ни малейшего опасения за его здоровье.

— И почему так? — перебила его ведущая. — Все его гости покойники, а он...

Литвинов сложил руки на груди.

— Ну, я мог бы сейчас сказать много умных слов об иммунитете. Но, если честно, не знаю. Всю жизнь занимаюсь так называемыми экзотическими болезнями и постепенно прихожу к выводу, что стою на берегу океана, который пытаюсь вычерпать чайной ложкой. Мой совет: поменьше ездите на Черный континент, не пускайтесь в длительные экскурсии по сельве Амазонки, не лезьте в кратер вулкана на каком-нибудь тропическом островке, куда до вас не ступала нога белого человека. Вполне вероятно, что привезете из турпоездки не только удивительные снимки и яркие впечатления, но и некую заразу, от которой в лучшем случае будете лечиться всю оставшуюся жизнь, а в худшем... в худшем получится, как с приятелями Стебункова. Сам он жив, а других убил своей глупостью. Надо же было до такого додуматься — притащить в Москву филе замаринованного бабами-аборигенками аллигатора! Да, африканцы едят водных позвоночных, но еще они употребляют в пищу некоторые растения и представителей фауны, которые ядовиты для европейцев, хотя на коренных жителей континента не оказывают токсического действия. Есть, например, такая маленькая птичка размером со среднего цыпленка, местные называют ее мцани. Из мцани варят суп или запекают ее в глине. Но в крупных городах Африки, куда приезжает много туристов, вы ни в одном ресторане или кафе блюда из мцани не найдете. А дело в том, что у европейцев, азиатов и американцев мясо птахи вызывает неостановимую диарею, от которой ничего не помогает. Почему? Нет ответа, есть совет: не ешьте мцани. Знаете, что интересно? Чернокожие граждане Европы и Америки, кто рожден вне Африки, и даже те, чьи семьи уже несколько поколений не заглядывают на Черный континент, спокойно употребляют мцани. Очевидно, им генетически передается устойчивость к яду.

— Может, у Стебункова была бабка-негритянка? — разинула рот ведущая.

— Очень смешно! — сердито прервал ее ученый.

— Ивану Гавриловичу повезло, — тут же выпалила очередную глупость хозяйка программы.

Академик поморщился.

— Уважаемая Ксения, навряд ли можно назвать везением смерть всех друзей. По мне, так лучше умереть самому, чем наблюдать за мучениями тех, кто тебе дорог, а потом жить с осознанием того, что именно я благодаря собственной безбашенности лишил их жизни. Короче, повторяю: будьте осторожны с экзотической едой. Помните — от большинства болезней Африканского континента, даже известных медикам, прививок нет, а у белого человека напрочь отсутствует к ним иммунитет. И сколько там еще неизученного!

— Время нашей программы истекает, — заученно произнесла ведущая, — спасибо профессору Литвинову за его исчерпывающий комментарий. С вами была Ксения Муркина, до новых встреч.

Пошла реклама, на экране заскакали и запели идиотскую песенку разноцветные конфеты.

Лично мне никогда не захочется съесть драже, активно размахивающее руками-ногами да еще звонко выводящее речитативом: «Самый сладкий ананас, посмотрите, он у нас». Но некоторым нравится. Я нажала на кнопку пульта, телевизор замолчал, зато ожил городской телефон.

— Дарья! — заорали из трубки. — Ты где? А? Какого черта! Не хочешь работать — уволю! Почему сотовый выключила?

— Простите, Нина, — испугалась я, — случайно его разбила, сейчас возьму костюм Вадима и лечу за вами.

— Поторопись! — гаркнули в ухо. — Вот ведь, взяла на службу недотепу, без пяти минут пенсионерку...

Глава 2

Я не принадлежу к женщинам, делающим тайну из своего возраста, и совершенно не ощущаю прожитых лет. Но грубые слова Нины неожиданно задели меня за живое. Ну вот зачем унижать человека, который на тебя работает? Кстати, оклад, который мне платит семья Сперанских, совсем не велик, его хватает исключительно на еду и кое-какие мелочи. Наверное, нужно перезвонить хозяйке и ледяным тоном заявить: «Уважаемая Нина Георгиевна, из-за вашей патологической грубости и пещерного хамства я не желаю более приближаться к вам даже на расстояние километра. Сами забирайте из химчистки костюм мужа, я вам более не помощница!» И хлопнуть трубкой о стол. Но я не позволила своим эмоциям взять верх. Несомненно, швырнув телефон на столешницу, я испытала бы безграничное удовольствие. Но, к сожалению, оно будет кратковременным, затем навалятся проблемы. Какие? Элементарные. На что жить? Где взять деньги на оплату коммунальных услуг? На покупку еды? Овсянка не дорогое удовольствие, но даром ее никто не даст.

Устраиваясь на работу к Нине и Вадиму Сперанским, я кратко изложила свою биографию.

Меня зовут Дарья Васильева, я полная тезка той маленькой, похожей на подростка, блондинки, которая водила дружбу с олигархом Иваном Стебунковым и умерла, поев крокодилятины. Возраст у нас почти совпадает, пара лет разницы не в счет. Но на том сходство заканчивается. В отличие от покойной я шатенка, волосы у меня каштановые с легкой рыжинкой, глаза карие, брови слишком широкие и густые, а кожа смуглая. Вероятно, в моем роду были итальянцы, испанцы, может, мексиканцы, иначе откуда бы у коренной москвички внешность южанки? Вам интересно, почему я не могу спросить у родителей, кем были предки? Отвечаю: дело в том, что я не знакома ни со своим отцом, ни с матерью. Меня воспитали в детдоме, выучили в школе до восьмого класса, отправили в ПТУ получать специальность штукатура, а затем выпустили в свободное плавание.

Мое детство и отрочество пришлись на годы советской власти. Сирот обижали во все времена, и с квартирами, которые полагается выделять воспитанникам приютов, всегда творилась неразбериха. Но мне очень повезло — я получила скромную однушку в тогдашнем московском захолустье, на юго-западе столицы. Ясное дело, поселили меня не на Ленинском или Комсомольском проспекте, дали ордер в барак на крохотной улочке. После детдома, который находился в паре шагов от Садового кольца, этот район показался мне ужасной провинцией. Но, как понимаете, выбора у выпускницы интерната не было.

Не прошло и двух лет, как юго-запад начал активно застраиваться, дощатые халупы сровняли с землей, я перебралась на Ломоносовский проспект, затем снова поменяла квартиру. Переезжала я за свою жизнь не один раз — мне фатально не везло с жилплощадью: едва устроюсь на новом месте, как здание объявляют аварийным и готовят к сносу. На месте последнего, из которого мне пришлось выметаться, собирались возвести гигантский торговый центр. Это случилось пять лет назад, с тех пор я прописана в громадном доме. Чтобы вам стал ясен размер башни, скажу, что у моей квартирки номер 1140.

Это американский проект, рассчитанный на не особенно обеспеченных людей, жилплощадь тут получили те, кого выселили из сносимых пятиэтажек, поэтому мраморных полов, ковров и растений в кадках у нас в подъездах нет. Как, впрочем, не наблюдается и приветливо улыбающейся консьержки. Вероятно, из-за отсутствия дежурной почтовые ящики в парадном покрыты копотью, кодовый замок на входе постоянно сломан, а в лифте невыносимо воняет. Еще мне очень жаль родителей некоей Маргоши, потому что из надписей на стенах подъезда и кабины лифта они узнают много интересного о сексуальных пристрастиях своей дочери. Фразы вроде «Маргоша всем дает» обновляются почти ежедневно. Наверное, у местной гетеры среди жителей дома есть фанат.

Соседей я не знаю и не испытываю желания с ними дружить. Справа от моей квартиры обитает древняя бабка, которой, кажется, лет двести. Слева трехкомнатные апартаменты, их снимает семья то ли китайцев, то ли вьетнамцев, то ли еще каких-то выходцев из Азии. Сколько их ютится на восьмидесяти метрах, не известно никому. По-моему, количество жильцов совпадает с возрастом старушки. Наверху, похоже, поселился шизофреник с манией ремонта. Каждое утро, ровно в семь, невзирая на выходной или праздник, он включает дрель, перфоратор или орудует кувалдой. Первое время после въезда в дом я злилась и пару раз звонила в дверь нахалу, но ее всегда открывал испуганный таджик, который произносил культовую фразу: «Моя твоя не понимай» — и глупо улыбался в ответ на мои справедливые претензии. Теперь я привыкла к шуму и перестала его замечать. Более того, если вдруг в воскресенье наверху бывает тихо, я испытываю беспокойство: жив ли гастарбайтер? В общем, как вы уже поняли, с соседями у меня никаких отношений нет, и если я внезапно умру, никто этого даже не заметит. Впрочем, моя кончина вообще мало кого обеспокоит — у меня нет близких друзей, родственников и сослуживцев (я уже несколько лет не работаю ни в одном трудовом коллективе).

Недавно от скуки я заинтересовалась проблемой влияния имени на судьбу. Мне подумалось, что мое собственное, Дарья, не очень счастливое, а в сочетании с фамилией Васильева и вовсе приносит неприятности. Чтобы проверить свои сомнения, я полезла в Интернет и обнаружила, что в Москве много моих полных тезок. Есть среди них диджей, специалист по мировой экономике, школьница, юрист, несколько студенток и так далее. Впрочем, если набрать в поисковике «Даша Васильева», то почти сразу увидишь рассказ про ту самую Дашу, подругу олигарха Стебункова, прочитаешь про кучу ее бывших мужей, про детей, собак, загородный дом в поселке Ложкино, узнаешь о любовнике — полковнике полиции, больших деньгах и особняке под Парижем. Вероятно, людям интересна информация о таких женщинах, поэтому она постоянно обновляется. В Сети уже успели написать, что Дарья умерла, поев крокодилятины, и сделали вывод: лучше быть бедной и живой, чем богатой и мертвой.

Работала я в разных местах, отличалась трудолюбием, освоила несколько профессий и постепенно обрела относительное материальное благополучие. То есть, конечно, это только на мой взгляд благополучие, состоятельные люди сочли бы меня бесштанной голытьбой. И все же! У меня есть крыша над головой со всем необходимым для существования и даже собственный автомобиль, пусть и скромный, но немецкого производства. Машине очень много лет, она похожа на коробку из-под холодильника, поставленную на колеса, которую зачем-то снабдили окнами-витринами — едешь, как в аквариуме. Но, несмотря на странный вид и преклонный возраст, драндулет исправно бегает. В общем, еще пару лет назад я была вполне довольна жизнью и не тосковала, работая официанткой в кафе. А потом все пошло прахом.

Харчевня, где я бегала с подносом, закрылась, в другие заведения мне пристроиться не удалось, управляющие предпочитали исключительно юных девиц. Я решила сменить род деятельности, но во всех фирмах менеджеры, увидев в паспорте год появления соискательницы на свет, тут же отвечали: «Вакансий нет».

Накопленные средства таяли, сокрушительный апперкот им нанес мой визит к стоматологу. Ни за что бы не отправилась к дантисту, но у меня сломался передний зуб, и выглядеть Бабой Ягой мне не хотелось. Чем я только не занималась, чтобы не умереть с голоду: выгуливала собак, стригла их, убирала чужие квартиры, пыталась работать таксистом, принимала заказы по телефону для предприятия, производящего стеклопакеты. В конце концов от полного отчаяния я решила попробовать себя на ниве продажного секса. Нашла в газете объявление: «Нужны женщины с богатой фантазией и красивым голосом. Оплата достойная. Без интима» — и позвонила по указанному номеру.

Контора с названием «Услуги по телефону» находилась в подвальном помещении. Там, в узких кабинках, похожих на уличные туалеты, сидели бабки, которым, по самым скромным подсчетам, было лет по триста каждой, наверняка они помнили царя-освободителя Александра Второго и радовались отмене крепостного права, будучи в то время цветущими дамами. Однако дряхлые сотрудницы обладали сексуальными голосами с хрипотцой. От произносимого ими в телефонную трубку текста я покрывалась ознобом и начинала нервно чесаться. Уж не знаю, где эти мумии набрались такого опыта, но с клиентами-мужиками, лесбиянками и геями они легко вели ошеломительно откровенные интимные беседы, успевая подбадривать меня словами:

— Не дрейфь, внучка, научишься, какие твои годы!

И все же моя карьера на ниве телефонного секса не задалась. Когда меня после краткого инструктажа допустили к первому клиенту и тот потребовал описать себя, я, самозабвенно наврав о своей внешности (шестой размер бюста, талия пятьдесят сантиметров, блондинка, ноги от ушей), неловко переменила позу и ойкнула.

— Ты стонешь от вожделения? — томно поинтересовался клиент на другом конце провода.

Я пощупала поясницу и, стараясь глубоко не дышать, ответила чистую правду:

— Простите, радикулит прихватил. Наверное, вчера продуло.

В ответ понеслись частые гудки, и меня немедленно выгнали. Правда, добрые старушки кинулись уговаривать начальника:

— Дайте Даше шанс, мы сделаем из нее настоящую шлюху, гордость нашего бизнеса.

Но управляющий был непреклонен.

Я снова купила газету бесплатных объявлений, прошерстила ее и нашла приемлемое предложение: «Частным предпринимателям, семейной паре, нужна секретарь-помощница на своем автомобиле. Оклад по итогам испытательного срока. Только женщина, возраст после тридцати пяти, отсутствие семьи и детей обязательно». Телефона не было, указан только адрес. Я явилась по нему в районе девяти вечера и была огорошена заявлением безвкусно одетой тетки, распахнувшей дверь:

— Объявление? Что за чушь! Мы ничего не давали. А ну покажи газету!

Мое настроение сразу упало до нулевой отметки. Я протянула бабенке издание и почему-то стала оправдываться:

— Извините, вероятно, кто-то решил над вами подшутить. Я не виновата, мне нужна работа.

— И правда объява, — пробормотала хозяйка квартиры. А потом заорала: — Вадик! А ну иди сюда!

В крохотную прихожую втиснулся мужчина лет тридцати, смахивающий на пасхального барашка: мелкие стоящие дыбом белокурые кудряшки, прозрачно-голубые, похожие на обледеневшие незабудки глаза, фарфоровая кожа с нежным румянцем. Парня можно было бы назвать красавцем, если бы не широкий, чуть приплюснутый нос и рот, как у рыбы. В первую секунду я даже подумала, что «барашек» вкачал в губы гель, слегка перебрав с его количеством.

— Нинуша, ты меня звала? — ласково спросил он.

Простой вежливый вопрос отчего-то взбесил Нину. Она сложила руки на груди, выставила вперед ногу и гаркнула:

— Нет, мне просто в кайф повторять на разные лады твое имя! Ты давал объявление о найме помощницы?

— После того как внезапно ушла Майя, нет, — спокойно ответил Вадим. — Она вчера только нас покинула, но я думаю, что нам нужна женщина ей на замену.

Нина сунула Вадиму газету.

— Полюбуйся! Это чьих рук дело?

— Может, Майя позаботилась? — растерянно протянул «барашек». — Она так неожиданно сбежала, вот ей и неудобно. Проходите, пожалуйста. На какую зарплату вы рассчитываете?

Нина молча посторонилась. Вадим провел меня в гостиную, усадил за стол и сказал:

— На испытательный срок оклад будет невелик. Но потом, если мы увидим, что вы успешно справляетесь с обязанностями, прибавим денег. У вас есть машина?

— Не новая, — честно ответила я, — и маленькая.

— Ничего, уместимся, — сказал Вадим. — Бензин за наш счет.

— Поездки только по работе! — заорала Нина, входя в гостиную. — Буду записывать километраж, твои личные разъезды оплачивать я не намерена. Я сейчас позвонила Майке. Действительно, это она, дура офигенная, объявление дала. Сначала подвела нас, бросила без колес, а потом решила помочь найти новую прислугу. Где логика, а? И указала не телефон, а адрес. Совсем с ума съехала! Вадик, тебя ничего не удивило в газете?

Муж заморгал.

— Нет. А должно?

Нина скорчила рожу.

— Без меня ты бы пропал. Я тебе и мать, и супруга, и няня, и еще много чего. Листок вышел сегодня утром, а Майка удрала от нас вчера вечером.

— И что? — не врубился «барашек».

Грубиянка закатила глаза.

— Объяву подают за четыре дня до публикации, нельзя текст принести после ужина, а на следующее утро прочитать в газете. Майя замыслила уйти от нас давно. Она заранее бумажонку в редакцию отправила и смылась накануне выхода объявления. Вот гадина! Ни словом не намекнула! Работала как ни в чем не бывало!

Вадим внимательно оглядел меня, потом вдруг спросил:

— А кто вы по национальности? Еврейка? Хотя не очень похожи.

— Русская, — ответила я. — Вот мой паспорт. Прописка московская, постоянная, отчество Ивановна. — И я кратко изложила свою биографию.

Вадим, не смотря в бордовую книжечку, кивнул:

— Хорошо.

Нина развернулась в мою сторону:

— Слушай внимательно: ты должна не опаздывать и никогда не выключать мобильный. У нас море клиентов, кое-кто может позвонить ночью, и мы обязаны ехать по вызову. Усекла? Не нравятся условия — уматывай. В стране безработица, мы легко найдем другую бабу.

— Вы врачи? — уточнила я. — Акушеры?

Нина изумленно заморгала.

— С чего в твою умную голову такая идея пришла?

— Ну, говорите, надо срочно, даже среди ночи, ехать по звонку, — промямлила я.

Нина издала звук, похожий на всхрапывание, и неожиданно весело, безо всякой агрессии произнесла:

— Пожарные, доставщики пиццы, полицейские, аварийщики — все в темное время суток службу не бросают. Они, по-твоему, сплошь гинекологи?

— Нет, — смутилась я. — Извините.

— Мы психологи-фэншуисты-амулетники-приметчики, — объяснил Вадим.

Я помимо воли разинула рот и спросила:

— Это кто ж такие?

Глава 3

Многим людям по жизни откровенно не везет. Как они ни стараются, деньги и слава достаются другим. Несчастливых обходят стороной семейные радости, родственники у них пьяницы-наркоманы, а дети хулиганы. Что же делать, если в ваш дом не заглядывает удача? Рыдать в подушку? Бесконечно повторять: «Одним все, другим ничего»? Стонать, ныть, жаловаться на злую судьбу? Или попытаться бороться с неудачами, стиснуть зубы, прогнать депрессивные мысли и внушить себе простую истину: жизнь как зебра, будет и на моей улице праздник, главное, не тонуть в собственных соплях, а пытаться хоть что-то сделать. Например, записаться на курсы иностранного языка или компьютерной грамотности, чтобы после них сменить нудную работу. Выгнать мужа-пьяницу, уйти от отца-алкоголика. Куда? В никуда. У человека всегда есть выбор! Не факт, правда, что он вам понравится, но шанс изменить свою судьбу предоставляется каждому. Вот только если останешься сидеть на одном месте, повторяя: «У меня кругом облом», то ничего хорошего с тобой точно не произойдет. Просто встань с дивана и сделай хоть что-нибудь.

Быть счастливым и веселым трудно, намного проще — несчастненьким, вечно недовольным нытиком. Очень многие надеются, что им на жизненном пути встретится золотая рыбка или добрая фея, которая с нежной улыбкой выполнит все их заветные мечты. Лентяям надо уяснить: никто из успешных людей не находил в своем почтовом ящике волшебную палочку. В тени любого достижения всегда скрываются трудолюбие, упорство, сила воли. Но как же хочется найти лампу с джинном, исполняющим все желания!

Бизнес Нины и Вадика основывался именно на этом. Если вас преследуют сплошные неприятности, не стоит биться головой об стену — просто позвоните Сперанским. Семейная пара приедет к вам, проведет обследование ваших квартиры и внешности, а потом при помощи простой перестановки мебели (вот он, фэн-шуй) и смены одежды (тут не обойтись без знания народных примет) легко повернет вашу жизнь к счастью. Для закрепления успеха Вадик сделает вам амулет. Понятно теперь, почему сия парочка именует себя фэншуистами-приметчиками-амулетниками? Но как они оказались до кучи еще и психологами? Ответ прост. Разве Сперанские занимаются математикой-химией-физикой? А нынче все, что не является точными или естественными науками, считается психологией.

От полной безнадеги я нанялась к создателям талисманов и работаю у них уже почти две недели личным извозчиком, домработницей, ассистенткой. Короче, я едина во многих лицах и многорука, как индийская богиня Кали.

К дому хозяев я подкатила через полчаса после звонка Нины — повезло, что на дороге не было пробок. Сперанские, нагруженные сумками, втиснулись в мою колымажку.

— Едем на Остоженку, — сказал Вадим, — у нас очень интересный заказ.

Нина растопырила пальцы.

— Два. Сегодня пара клиентов.

— Мы нарасхват, — улыбнулся Вадим. — Спасибо телевизору! Народ передачи про экстрасенсов смотрит и умнеет, понимает, есть на свете таинственные силы.

— Чего стоим? — накинулась на меня Нина. — Дуй вперед! Сначала надо заехать в супермаркет за травой. Дашка, чешем в «Рай гурмана».

— Там дорого и парковаться разрешается только на платной подземной стоянке за деньги, — напомнила я. — Может, заглянем на рынок?

— У тебя спрашивали совета? — накинулась на меня Нина. Но потом все же пояснила: — У бабок побеги бамбука не купишь!

Я молча завела мотор и порулила к супермаркету.

— Дарья, сними шарфик! — внезапно велел Вадим.

— Почему? — удивилась я. — По-моему, он симпатичный и освежает цвет лица.

— Он зеленый, — заявил хозяин.

— И что? — не поняла я.

— Сегодня вторник, — терпеливо объяснил Вадик, — а в этот день шатенкам средних лет лучше избегать в одежде травянистых оттенков, иначе произойдет цепь мелких, но неприятных событий.

— Слышь, чего умный человек советует? — гаркнула Нина. — Промежду прочим, наша консультация денег стоит, а тебе бесплатно досталась. Скидывай шарф!

Я сделала вид, что поглощена дорогой.

— Народные приметы о том же говорят, — осенней мухой жужжал Сперанский. — Вот, например, такая: «Кто в тепло зеленое надел, в холод наплачется».

Я посильней вцепилась в руль. Мои познания в области народной мудрости невелики. Слышала, что рассыпанная соль — к ссоре, а разбитое зеркало — к несчастью. Что еще помню? Если со стола упадет ложка, то в гости заявится женщина, если свалится нож, жди мужика. На мой сугубо дилетантский, не фэн-шуйский взгляд, в этих приметах есть некоторые неточности. Ложки бывают разные: столовые, десертные, чайные, кофейные. Возраст нежданной гостьи как-то зависит от их размера? А о чем говорит шлепнувшаяся на ковер вилка? Вероятно, она к приходу тещи, которую добрые зятья не причисляют к категории женщин, по их мнению, она ближе к крокодилам, акулам или ядовитым змеям. И кого надо ждать, ежели вы уронили щипчики для улиток, штопор или секатор для разделки курицы? Ну, последний, вероятно, к визиту полиции.

— Зря упираешься, тебе будет фигово, — каркнула Нина, когда я стала заруливать на парковку.

Жена Вадика принадлежит к людям, которым не стоит потакать. Если я сейчас, чтобы прекратить глупый разговор, сниму несчастный шарф, то в следующий раз Нина может приказать мне скинуть блузку, юбку и туфли, так что я в конце концов буду вести машину голой. А это очень неудобно и холодно.

— Эй, ты заснула? — зашипела хозяйка. — Чего стоим?

— Надо взять талончик, — пояснила я. — Интересно, где тут автомат?

— О боже! Как можно быть такой дурой? — взвилась Нина. — Будка, как водится, расположена у шлагбаума!

— Нинуша, обладай Даша твоим умом, тогда бы ты работала на нее, — защитил меня Вадик, — надо быть снисходительной к человеку с неразвитым интеллектом.

— Вон, я вижу железный ящичек на ножках, — язвительно засюсюкала Нина. — Высунь, Дашутка, ручку из окошечка, нажми на кнопочку и вытащи бумажку, кисонька ты наша!

Я подъехала к автомату, опустила стекло в машине, попыталась последовать советам Нины, но потерпела неудачу.

— Что опять не так? — нежно осведомилась работодательница.

— Надо подъехать поближе, я не дотягиваюсь до автомата.

— Давай, гонщик Спиди, рули! — гаркнула Нина. — Время тикает, клиент ждет!

Я включила заднюю скорость, начала выворачивать баранку и услышала вопль охранника:

— Эй, вы, на металлоломе! Стой!

Я высунулась в окно.

— Что?

— Там ограничитель специально поставили, чтобы всякие умные в талонораздатчик не вломились, — пояснил он, — не прижимайся, бочину тачке своей помнешь.

— И как же мне карточку взять? — возмутилась я.

— Да просто на кнопку нажать, — в рифму ответил секьюрити.

— У меня рост маленький, рука не дотягивается, — объяснила я.

— Тогда высунься из окна, — меланхолично сказал сторож.

Я отстегнула ремень, чуть вывесилась из своей колымажки, но все равно не смогла дотянуться до автомата. Сзади загудели.

— Если ты собралась до вечера копаться, то надо было нас предупредить, — не замедлила с комментарием Нина. — Я бы прихватила бутербродов и термос с какао.

— Встань коленями на сиденье, — посоветовал Вадик.

Очередь машин, выстроившихся за моей тарантайкой, принялась бибикать на разный лад. Я занервничала, решила послушаться великого фэншуиста, взгромоздилась на водительское кресло, вылезла из окна почти до талии, вытянула руку как можно дальше...

— Давай, давай! — завопил парень в бейсболке, выглядывая из роскошной иномарки. — Айн, цвай, битте-дритте!

Я почему-то испугалась, вздрогнула, пошатнулась и... вывалилась из машины головой вниз.

— Ой, прикольно! — обрадовался толстый дядька, выходя из джипа. — Дама, вы живы? Башку не проломили?

— Вроде все нормально, — ответила я, изворачиваясь и садясь на грязном асфальте. — Надо же было так навернуться!

Из моего тарантаса донеслось радостное ржание Нины. Затем послышался укоризненный баритон Вадика:

— Предупреждал ведь насчет зеленого шарфика! Сними его, пока не поздно.

— Тетенька, а вы не могли бы еще разок чебурахнуться? — спросила девочка лет десяти, выглядывая из наглухо затонированной легковушки. — Я не успела вас для своего твиттера сфоткать.

— Ну, ты даешь! — восхитился парень из серебристой иномарки. — Цирк дю Солей отдыхает!

Я встала и, чувствуя себя хуже некуда, зачем-то стала оправдываться:

— Автомат поставили не по-человечески — очень далеко, надо иметь лапы, как у гиббона, иначе...

— А ты наружу выйти не пробовала? — перебил меня водитель джипа.

— Нет, — в растерянности ответила я, — как-то не пришло в голову.

— Гингко билоба попей, — посоветовал толстяк, залезая в свой внедорожник. — Это трава такая, ускоритель мозга, идиотам помогает.

Я села за руль и уставилась на полосатую палку, по-прежнему преграждавшую путь. На заднем сиденье противно хихикала Нина.

— Почему стоим? — поинтересовался Вадик.

Я набрала полную грудь воздуха и закричала в открытое окно:

— Пустите в гараж! Откройте шлагбаум!

— Он автоматический, — ответил охранник.

— Так не работает! — рассердилась я.

В окно снаружи влезла рука с картонным прямоугольником — девочка из тонированной машины, юная любительница твиттера, незаметно подошла к моей тарантайке и сказала:

— Вы забыли взять талон. Вот он.

— Спасибо, милая, — пробормотала я. — Упала, и все из головы вылетело.

— Лучше тебе избавиться от шарфа, — снова завел Вадим, — и повесить на шею амулет из сушеной печени лягушки.

Меня передернуло от отвращения.

— Человека насильно к счастью не тащат, — остановила мужа Нина, — один раз предупредили, и хватит.

Глава 4

Дом на Остоженке снаружи выглядел затрапезно, но внутри поражал великолепием. Вестибюль был выложен серо-красным полированным гранитом, под потолком сияли хрустальные люстры, а швейцар носил ярко-красную ливрею с золотыми пуговицами. При виде нас он встал из-за стола и тоном профессора осведомился:

— Кому прикажете о вас доложить?

— Мы к Стебункову, — оповестила Нина, — нас ждут.

Швейцар взял трубку и мерно загудел:

— Беспокоит центральный холл. К Ивану Гавриловичу просится группа из двух женщин и одного мужчины. Есть! Проходите, господа, на третий этаж.

Мы вошли в отделанный панелями красного дерева лифт и торжественно поехали вверх. Увидели чуть приоткрытую дверь единственной на площадке квартиры и без стука вошли внутрь.

— Вы кто? — изумилась стоявшая в коридоре женщина в черном шелковом платье.

— Психологи-фэншуисты Сперанские, — представилась Нина, — прибыли по вызову Ивана Гавриловича. Куда нам пройти?

— Когда он с вами договаривался? — продолжала недоумевать прислуга. — Меня он не предупреждал. Я жду людей из театра, велено у них пакет забрать, думала, это они явились.

— Господин Стебунков звонил нам позавчера, — пояснила Нина, — мы ради него отказали выгодным клиентам, очень уж Иван Гаврилович просил приехать. А вы кто? Вероятно, вас просто не поставили в известность о нашем визите.

— Меня зовут Виктория Николаевна, — церемонно представилась женщина, — я служу у Ивана Гавриловича экономкой не первый год. Полагаю, произошла путаница. Господин Стебунков не обращался к психологам.

Нина достала из сумки мобильный.

— Мы создаем амулеты, обереги. Вот сообщение от вашего хозяина, в нем указаны адрес и время приезда. Он хотел получить защитный талисман.

— Разрешите посмотреть? — осведомилась прислуга.

Как все хамы, Нина вежлива с нужными людьми, поэтому сейчас, лучезарно улыбаясь, отдала свой сотовый экономке. Та, сильно прищурившись, пару раз отвела и приблизила к лицу мобильник. Очевидно, Виктории Николаевне требуются для чтения очки, но при ней их не оказалось. Наконец она изучила послание и вынесла вердикт:

— Номер, с которого отправлена эсэмэска, никогда не принадлежал Ивану Гавриловичу, я впервые вижу его.

— Вы уверены? — начала закипать Нина.

Экономка улыбнулась.

— Абсолютно.

Сперанская и не думала сдаваться.

— Все же спросите у Ивана Гавриловича, он ведь мог воспользоваться чужим аппаратом.

— Зачем ему так поступать? — пожала плечами прислуга.

— Сэкономить решил, — тихо произнесла я. — Некоторые люди просят у коллег мобильники, чтобы сократить ежемесячный платеж.

Виктория Николаевна снова прищурилась, на ее лице на секунду появилась улыбка и тут же погасла.

— Господину Стебункову не свойственны такие хитрости. Извините, это недоразумение.

— Вот ведь незадача, — заныла Нина, — мы ехали через весь город, толкались три часа по пробкам!

Я опустила глаза. Если вычесть время, которое заняли глупое происшествие в паркинге и покупка бамбука в супермаркете, на дорогу ушло всего-то двадцать минут.

— Мы отказали выгодному клиенту, — продолжала стенать Сперанская, — помчались по первому зову, и что? Вы обязаны оплатить наш выезд!

— Но я не просила вас об этой услуге! — воскликнула экономка. — Уверена, что Иван Гаврилович тоже. Не хочется никого обижать, но господин Стебунков никогда не прибегает к помощи психологов, он привык сам справляться с проблемами. И, уж извините, я не могу представить, что хозяин наденет амулет — он не падок на такие штуки. Впрочем, для общего успокоения могу спросить младшую прислугу. Алена!

В холл вышла девушка в форме горничной.

— Слушаю, Виктория Николаевна, — подобострастно произнесла она.

— Ты не знаешь, не звонил ли Иван Гаврилович психологу... э...

— Вадим Иванович Сперанский, — живо представился фэншуист. — Моя супруга и она же правая рука Нина Георгиевна.

Мне оставалось лишь глупо улыбаться — мое имя назвать Вадим не пожелал.

— Кому? — чуть испуганно поинтересовалась прислуга.

— Ему, — с легким раздражением пояснила экономка, — Вадиму Ивановичу Сперанскому, психологу. Алена, проснись! Хозяин при тебе не назначал встречу с человеком, делающим амулеты?

Девушка моргнула, сглотнула слюну и пробормотала:

— Не знаю. Я не подслушиваю никогда. Виктория Николаевна, я стараюсь не мешать господину Стебункову. Я всего лишь горничная, мне ничего серьезного не поручают. Важными делами вы заведуете. Простите, если что не так сказала. — Алена сделала книксен и спросила: — Прикажете подать гостям воды?

— Исчезни! — велела экономка. — Вот уж правду говорят: можно вывезти девушку из деревни, но деревню из девушки не вывести. Учу, учу тебя, а где толк?

Горничная быстро исчезла. Виктория Николаевна с неодобрением посмотрела ей вслед.

— Наняла девчонку по рекомендации нашей прежней служанки, очень хорошей женщины. Подумала, раз Ирина Алену советует, значит, та ей под стать. Ан нет! Молодежь пошла косорукая и ленивая, не найти среди них хорошую прислугу.

Нина поджала губы, а Вадим кивнул.

— Понятно. Мы вычислим глупого шутника и непременно разберемся с ним. Но дорога к вам заняла немало времени, разрешите мне зайти в туалет?

— Пожалуйста, — вежливо сказала экономка. — Вот сюда, налево.

Вадик исчез за черной лакированной дверью, а я испытала глубочайшее удивление: Сперанский пошел в чужой сортир? Невероятно!

И тут в холле вновь возникла Алена с подносом, на котором стояли открытая бутылка с надписью «Горная капля»[1] и большой хрустальный стакан, наполненный до краев. На лице экономки появилось недоумение, затем раздражение. Но она быстро сменила его на приветливую улыбку.

— Пить очень хочется! — обрадовалась Нина и, схватив стакан, живо его опустошила.

Сперанская очень жадная, она из тех, кто выхлебает даже уксус, если его подадут бесплатно. Ясное дело, фэншуистка не упустила возможности выпить даровой минералки.

— Что стоишь? — раздраженно обратилась экономка к подчиненной. — Ступай чистить серебро.

— Может, мужчина тоже водички хочет? — проблеяла Алена. — Она вкусная, полезная.

Виктория Николаевна закатила глаза, но не успела произнести гневную отповедь. Дверь туалета распахнулась, из нее вышел психолог, слишком долго, на мой взгляд, задержавшийся в сортире.

— Не желаете утолить жажду? — ринулась к нему Алена.

— Спасибо, нет, — улыбнулся Вадик.

— Я вам сейчас чистый стаканчик принесу, — пыталась услужить горничная, — за секунду сбегаю. Очень хорошая минералка, желудок лечит, печень чистит, дорого стоит.

— Уйди прочь! — гаркнула экономка.

Алена упорхнула в недра апартаментов.

Сперанский вдруг тяжело вздохнул и заговорил каким-то убитым голосом:

---

[1] Название напитка придумано автором, любые совпадения случайны.

— Очень у вас в доме черно. В воздухе прямо-таки висит боль. Похоже, тут недавно смерть побывала. Необходим сильный амулет-оберег, иначе беда повторится. Хотите, сделаем?

— Эксклюзивно, — быстро добавила Нина, — из особых материалов. Дорого, но крайне эффективно.

— Спасибо, — каменным тоном ответила Виктория Николаевна.

— Вы не верите в силу талисмана? — прокурлыкала Нина.

— Нет, — отрезала экономка, — ступайте подобру-поздорову. Так вот в чем дело! Я-то, дурочка, поверила, что вас разыграли, прислав вам наш адрес... А вы начитались газет и заявились сюда. Совести у людей нет! Нашли, где удочку забрасывать! Про беду он тут завел, черноту почуял, смерть увидел... Все ясно! Разузнали о наших несчастьях и приперлись! А я поначалу за приличных людей вас приняла. Задумали на чужом горе разжиться? Амулет они смастерят задорого...

Вадим покраснел, Нина сложила руки на груди, выставила вперед ногу, но верная помощница хозяина была начеку.

— Михаил! — громко позвала она.

В холл вышел плотный мужчина в черном костюме и белой рубашке. Пола его пиджака с одной стороны выразительно оттопыривалась.

— Звали, Виктория Николаевна?

— Проводи этих прощелыг, — велела экономка и ушла.

Охранник откашлялся и вежливо произнес:

— Попрошу на выход!

Ну и что нам оставалось делать?

Очутившись в машине, Нина зашипела, как разбуженная змея:

— Найду мерзавца, который поиздевался над нами, и заставлю его оплатить выезд. Дашка, гони в Китай-город! Надеюсь, второй заказ не фикция.

Всю дорогу муж с женой ссорились на заднем сиденье.

— Выставлю подонку счет! — бубнила Нина.

— И как ты его отыщешь? — попытался охладить ее пыл Вадик.

— Номер определился, узнаю, на кого он зарегистрирован.

— Так тебе и скажут!

— Скажут, если денег заплачу.

— Где логика — тратить тысячи, чтобы получить копейки за ложный вызов? Забудь!

— И не подумаю! Я его урою! — завопила Нина.

— Агрессия разрушает твою энергетическую защиту, — мирно произнес Вадим, — успокойся.

Но Нина разозлилась не на шутку.

— Вот и береги свою энергию. А о моей нечего заботиться, у меня ее столько, что хватит на пятерых леопардов. Я не позволю себя облапошивать!

Под негодующие вопли Нины мы прибыли к месту и без приключений вошли в квартиру, где нас поджидала тетушка лет пятидесяти, одетая в розовый спортивный костюмчик из плюша.

— Вся надежда на вас! — сразу запричитала она. — У мужа бизнес развалился, дочка в мерзавца влюбилась, у меня болезнь нашли страшную, называется ишиас[1], и до кучи свекровь к нам в

_____

[1] И ш и а с — пояснично-крестцовый радикулит.

гости собралась. За что одному человеку столько несчастий?

— Вы посидите пока с Дашей, — деловито сказала даме Нина, — а мы с главным психологом обойдем квартиру. Похоже, она у вас громадная! Ничего, мы найдем дыру, из которой удачу отсюда уносит.

— Десять комнат тут, — всхлипнула хозяйка.

Брови Нины встали домиком, губы раздвинула довольная улыбка.

Хоть я и недавно работаю со Сперанскими, но уже успела понять, что они за люди.

Вадим абсолютно искренне уверен в своих способностях. Он убежден, что от перестановки мебели в апартаментах освобождается путь для энергии Чи, та начинает свободно циркулировать и приносит с собой счастье и благосостояние. А еще Вадик так же искренне считает созданные им амулеты волшебными. Он в принципе неплохой человек, не мошенник в прямом смысле этого слова, Вадим верит во всякую чепуху и в свои таланты.

А вот Нина другая. Войдя к клиенту, госпожа Сперанская первым делом определит его материальный достаток, подсчитает, какая сумма вложена в интерьер, что за мебель и техника в квартире, изучит одежду хозяев и лишь потом заведет речь об оплате своих услуг. Десятикомнатная квартира в историческом центре Москвы тянет на целое состояние, и мне понятна радость Сперанской.

— Темно у вас, — вздохнул Вадик, — ничего не видно. Свет не зажжете?

Хозяйка щелкнула выключателем, и под потолком вспыхнула голая электрическая лампочка, ввернутая в черный патрон.

— Недавно переехали? — поинтересовалась Нина. — Ремонт еще не делали?

— Всю жизнь здесь, — сообщила хозяйка. — А соседи, пьяницы чертовы, не хотят даже обои переклеить. Девять сволочных семей тут живет! Одна наша приличная!

У Нины заметно вытянулось лицо. Я с сочувствием посмотрела на супругу психолога. Да уж, не задался денек! Сначала ложный вызов, а теперь визит к тетке, с которой много не содрать.

Когда мы через полтора часа вновь очутились в автомобиле, Нина решила найти виноватого и налетела на меня:

— Твой зеленый шарфик удачу у нас отнял! Велели же его снять!

— Нет, — возразил Вадим, — неудачный аксессуар только владельцу вредит, на других свое влияние не распространяет.

Я втянула голову в плечи. Спасибо, конечно, Вадюша, за защиту, но лучше бы тебе не спорить с женушкой. Сейчас в салоне забушует торнадо!

Нина набрала полную грудь воздуха, надула щеки, медленно выдохнула через нос, прищурилась, открыла рот... Я вцепилась в руль и постаралась не шевелиться. Ну, раз-два-три, костер, гори!

Вадим тоже почуял неладное и живо сказал:

— Милая, хочешь попьем кофейку с пирожными?

Несмотря на почти отрицательный вес, у Нины аппетит молодого шакала. Есть она хочет всегда, и лучший способ исправить Сперанской настроение — это предложить ей перекусить. Почему, безостановочно набивая рот жирной, калорийной едой, она остается похожей на ручку от метлы? Спросите что-нибудь полегче, я не знаю. Возможно, у нее глисты. Или благодаря на редкость сварливому характеру у Сперанской ураганный обмен веществ. Но сейчас Нина меня удивила. Вместо того чтобы направиться в ближайшую харчевню, она вдруг буркнула:

— Нет, едем домой, я очень устала.

Я взглянула в зеркальце. Что случилось? Хозяйка отказалась от сладкого и внезапно перестала злиться. Неужто подцепила грипп? Или на нее повлияла перемена погоды? Сейчас внезапно пошел дождь.

— Дашка, вперед, — вяло приказала Сперанская.

Я послушно повернула налево и нажала на педаль газа. Драндулет взвыл и резво покатил по шоссе.

В квартире Сперанских почему-то горел свет в прихожей. Я поставила сумки хозяев на пол у вешалки и снова удивилась. Да что это с Ниной сегодня? На нее не похоже оставить включенной люстру и уехать. Она очень экономна, не любит пускать деньги на ветер.

Вадим подергал носом.

— Чем у нас пахнет?

— Не понимаю, — сказала Нина. — Вроде мятой.

Вадик повернулся ко мне, я отступила к стене.

— Я ничем не душилась, великолепно знаю...

Завершить фразу мне не удалось — из кухни донесся грохот, потом легкий вскрик. Нина поджала губы, Вадик начал тереть ладонью лоб, а я испугалась. Неужели в дом влез вор? Снова раздался шум, и в прихожую вышла... Нина.

Я прижалась спиной к стене. Ну и ну! У хозяйки, оказывается, есть двойняшка!

— Надька! — сердито воскликнула Нина. — Вот уж кстати! Зачем приехала?

— По делам, — забыв поздороваться, ответила сестра.

Тут я поняла, что Нина и Надя не близнецы, просто они очень похожи, да еще у них одинаковые прически, одеты, как под копирку, и губная помада одного ярко-красного оттенка.

— Надолго приперлась? — бесцеремонно спросила Нина.

— Не знаю, — ответила Надя. — Хотя хочу вообще в столицу перебраться.

— Зачем? — быстро отреагировала сестричка. — В Москве грязь, духота, дышать нечем, цены нечеловеческие, и гастарбайтеры тучами роятся. Ей-богу, в твоей Макаровке намного лучше — лес, речка, кислород...

— Надоело две копейки из одного пустого кармана в другой перекладывать, — перебила Надя, — дела совсем в рулет свернулись. Простояла месяц на рынке, никто сборами не интересовался, ни одного пакетика не продала. Аня Вакарская сказала, что в столице мои чаи с руками оторвут — здесь и народа больше, и люди образованные, хотят здоровье в порядке держать. Чего вас перекосило? Я всего на пару месячишек к вам. Дом в Макаровке продам и свою норку в Москве куплю.

Сперанские стояли молча. Первым опомнился Вадим:

— Конечно, Надя, живи сколько хочешь. В тесноте, да не в обиде.

Продемонстрировав гостеприимство, фэншуист удалился, а в Нине проснулась фурия.

— Ага, приобретешь ты в столице жилье, как же! Здесь за скромную однушку надо миллионы отвалить! И чай из сена тут никому не нужен, этого барахла в супермаркетах и аптеках навалом. Лучше не лелей зряшные надежды, возвращайся в поселок, помирись с Семеном и живи счастливо. В Москве ты пропадешь. И учти: мы с Вадькой тебя кормить-поить не станем.

Надежда всхлипнула раз, другой, третий, разрыдалась, бросилась в ванную и заперлась. Сперанская перевела взгляд на меня. Я съежилась в ожидании урагана по имени «Нина», но хозяйка неожиданно мирно пустилась в объяснения:

— Надька меня младше на год и всю жизнь этим пользуется. Чуть что, сразу в истерику ударяется: «Я маленькая, а ты старшая, обязана меня опекать». Сколько мне из-за нее в детстве от матери доставалось! Мама давно умерла, мы стали взрослыми, а у Надюхи привычки прежние. Она гомеопат, собирает травы, корешки, составляет лечебные чаи и торгует ими на рынке, палатка у них там с мужем. Семен ее — предсказатель-колдун.

Я хихикнула и тут же замолчала, а Нина кивнула.

— Вот-вот, мне самой смешно. Мужик работает в паре со своей мамашей, Галиной. Чистый анекдот! Натуральное дурилово, но Сенька неплохо зарабатывает на гадальном печенье.

Мое любопытство зашкалило за все пределы и победило страх перед хозяйкой.

— Простите, о каких сладостях идет речь?

Нина вдруг улыбнулась.

— Наш отец был таборный цыган. Я его никогда не видела, но соседи говорили, что он выглядел умопомрачительно на фоне парней из Макаровки, вот мама и забыла про все на свете. Георгий прожил с ней три года, а после рождения Надьки собрал манатки и исчез. Надоели ему оседлая жизнь и баба с двумя младенцами. Я умом пошла в бабку по материнской линии, а Надька, похоже, удалась в папеньку-балабола. Она без царя в голове. Сенька ее в райцентре у входа на рынок стоит, и мамаша при нем. Держит плошку и кричит:

— Берите, люди, бесплатное печенье с гаданием! Ни копейки не стоит, за так народу услугу оказываем!

В будние дни у них клиентов немного, местные Сеньку хорошо знают и не ведутся, но начиная с четверга, когда москвичи на выходные на фазенду тянутся, народу лом, даже зимой. Сейчас не прежние времена, когда городские свои дощатые будки на шести сотках с наступлением холодов заколачивали, теперь у дачников есть обогреватели, батареи, автономные генераторы.

Нина замолчала, а я, расхрабрившись, снова поинтересовалась:

— Если печенье можно взять бесплатно, то как Семен зарабатывает деньги? И при чем тут вообще печенье?

Сперанская прижала ладони к животу, сдерживая смех.

— В печенюшках лежат скрученные бумажки с текстом. К примеру, таким: «Хром смотрит влево, берегись лохматого, синего, он тебе опасен».

— Белиберда какая-то, — хмыкнула я.

Нина выпрямилась и снова согнулась, уже расхохотавшись.

— Верно, смысл растолковать требуется. Печенье на халяву идет, а вот за объяснение надо отстегивать тыщи. Люди любопытны, всем охота понять, что предсказание значит.

— Ясно, — пробормотала я.

Глава 5

— Даша, — громко сказал Вадим, появляясь в прихожей, — мы сейчас едем за материалом. Нина, собирайся!

Дверь ванной приотворилась, высунулась голова Нади.

— Не пожрамши двинетесь? Язву заработаете. Я куриные котлетки сделала, пюре и салатик из свеклы с чесноком.

— Можно перекусить, — согласился Вадик. — Люблю картошечку!

Нина сдвинула брови.

— Где продукты взяла?

Надя вышла из санузла.

— Ругаешь меня постоянно, воспитываешь, а зря. Вовсе я не дармоедка, на шею к вам с Вадимом садиться не собираюсь. Вот, гостинцев привезла, тащила на себе здоровенные сумки. Курочку у бабы Кати купила, а свеколка, чеснок и картошка из нашего огорода. Спасибо тебе, Вадя!

— За что? — не понял фэншуист.

— Ты, когда у нас в последний раз был, посоветовал яблоню выкопать, — объяснила гостья, — сказал, что из-за нее овощи не родятся хорошие.

На лице Вадима появилось недоумение.

— Не помню.

— А тебе и не надо, — отмахнулась Надя. — Сделал людям добро — и забыл. А мы дерево убрали, и теперь у нас картошка с дыню размером, а свекла слаще меда. Идите, поешьте, я от души готовила.

Нина двинулась в сторону кухни, Вадим пошел за ней.

— Чего стоишь? — обратилась ко мне Надя. — Корни в коврик пустила? Снимай ботинки.

— Подожду хозяев в машине, — ответила я. — Работаю у Сперанских секретарем на все руки, я им не подруга.

— И чего, теперь тебе с голода помирать? — удивилась Надя. И закричала: — Нинка, можно твою помощницу накормить?

— Пусть проходит, — прозвучало в ответ.

— Слышала? Давай, шевелись, не пипканствуй, — подбодрила меня Надя.

— Не пипканствуй? — повторила я. — Это как?

— Пипканом называется человек, который обожает привлекать к себе внимание, притворяясь скромным и незаметным, — объяснила Надя. — Придет в гости, сядет в углу и на все предложения хозяев отвечает: «Ах, ах, не занимайтесь мною, я этого не достоин, съем, что дадите». Ну и так далее. В результате все присутствующие только и заняты пипканом.

— Странное слово, никогда его не слышала.

Надя засмеялась.

— И кто бы тебе его сказал? Я сама его придумала, когда с Галкой, моей свекровью, познакомилась. Хорош языком балабонить, иди поешь!

До сегодняшнего дня Нина никогда не угощала меня даже чаем без сахара. Я привожу Сперанским продукты, которые покупаю по списку, составленному хозяйкой, и отлично знаю: Нина не принадлежит к армии вдохновенных кулинарок. Она предпочитает открыть коробочку, вытащить оттуда фольгированный лоточек и запихнуть его в СВЧ-печку. Оно, конечно, легче, чем готовить самой, но у Нины лень побеждает жадность. Иногда на нее нападает желание покухарничать, и тогда она варит сардельки — до такого состояния, что у них лопается кожица, и они становятся похожи на печенье «хворост». Малоаппетитный вид еды не смущает Ниночку, она вспарывает консервную банку с зеленым горошком, вытряхивает ее содержимое на изуродованные сардельки, и, пожалуйста, праздничный ужин готов. Надя же оказалась умелой поварихой, котлеты и пюре у младшей сестры получились волшебно вкусными. Но больше всего меня поразил ароматный чай с легким привкусом миндаля и шоколада.

— Простите, что это за сорт? — не удержалась я от вопроса, опустошив чашку.

— Сбор от усталости, — пояснила Надя. — Сама его делаю, собираю растения, добавляю всякие наполнители, исключительно экологически чистые. Состав не скажу, это мой секрет.

— Да выключи ты эту хрень! — неожиданно воскликнула Нина, обращаясь к супругу. — Надоело на трупы смотреть!

— Пусть показывает, — уперся Вадим, — с телевизором веселее.

— Откуда вдруг такая страсть к кабельному каналу «КримТВ»? — удивилась Нина. — Раньше ты такими вещами не увлекался.

— А теперь пристрастился, — ответил Вадик, поднимаясь из-за стола. — Спасибо, Надя. Ну, делу время — потехе час. Едем за амулетным материалом.

— Может, завтра? — зевнула Нина. — Меня что-то в сон клонит.

Муж не скрыл удивления.

— Странно слышать от тебя подобное заявление. Сегодня вечер, когда Плутон выходит из третьей тени, это случается раз в семь с половиной месяцев, нам необходимо именно сегодня поймать белую лягушку. Иначе я не смогу сделать амулет для тетки, которая сыну невесту ищет. Надеюсь, ты помнишь, что нам с ней завтра нужно встречаться. Собирайся, дорогая. Поехали, Даша?

Я тоже встала.

— Надя, спасибо за вкусный ужин.

— А у меня изжога открылась, — простонала Нина. — Надька котлеты пережарила, взяла прогорклое масло.

— В шкафчике бутылка стояла, — возмутилась Надя, — мне и в голову не пришло, что ты просроченные продукты хранишь.

— Ой, плохо мне, — захныкала Нина, — желудок болит, глаза слипаются...

— Это грипп, — живо поставила диагноз младшая сестра. — Пусть Нинуша дома останется, а вместо нее я с вами поеду.

Вадик покусал губу.

— Когда у тебя день рождения?

— Десятого декабря, — сообщила Надя.

— Хорошо, — задумчиво протянул Вадим. — Те, кто появился на свет в этот день, обладают удивительной прозорливостью, умеют управлять своими эмоциями, к тому же умны и талантливы. Люди-кошки.

Я уже успела привыкнуть к странным заявлениям Сперанского и не задаю лишних вопросов, а Надя не сдержала удивления.

— Почему они кошки?

Вадик вскинул подбородок.

— Ангусты, великий, ныне исчезнувший народ, обитавший в Африке, делили людей на «кошек» и «собак». Первые умеют, образно говоря, сидя у норы, ждать мышь. Они не истерики, ставят перед собой цель и упорно добиваются ее год, второй, пятый, десятый, не жалуются на судьбу, не выказывают разочарования. «Кошки» внешне кажутся неэмоциональными, холодными, но на самом деле у них в душе горит пламя, они страстны, очень ранимы, могут заплакать из-за пустяка, вот только рыдать будут в одиночестве. «Собаки» иные. Лают по любому поводу. Чувства напоказ, сердце нараспашку. «Собак» считают очень тонкими, сопереживающими людьми. Позвонишь такому человеку с жалобой: «Мне в палец попала заноза» — и услышишь в ответ слова сочувствия, предложение помочь, ну и так далее. «Кошка» же просто фыркнет и посоветует: «Вытащи занозу и смажь ранку йодом». Но вот какая штука! Эмоциональная «собака», повесив трубку, через пять минут забудет о вас, а внешне равнодушная «кошка», спустя месяц, увидев, что вы разжигаете камин, неожиданно скажет: «Не бери поленья голыми руками, вспомни, как недавно загнала занозу под ноготь». Надя, ты — «кошка».

— Так это хорошо или плохо? — не поняла свояченица.

Вадим усмехнулся.

— Я светловолосый, а Даша шатенка. Это хорошо или плохо? Просто факт. Блондинка. Брюнетка. «Собака». «Кошка». Для меня важно другое: ты благодаря дате своего рождения отлично подходишь для ловли белой лягушки.

Я вышла в прихожую. Вспомнилось, как при первой нашей встрече фэншуист сказал:

— Если вы по знаку Зодиака Телец, Близнец или Рак, нам лучше не начинать беседу, я с вами работать не стану.

А я, как назло, именно Близнец. Но, поскольку мне очень-очень-очень нужна была работа, я соврала:

— Принадлежу к Скорпионам.

Вранье могло легко раскрыться, если бы Сперанский заглянул в мой паспорт, но он удовлетворенно кивнул, потом подержал в руке большой медальон, висевший у него на шее, и объявил:

— Вы приняты на службу. Айра доволен. Финансовые вопросы решайте с Ниной.

Помнится, я попыталась показать ему характеристику, полученную от семьи, где служила домработницей, но Вадим отмахнулся:

— Айра уже высказался, бумаги уберите, они не нужны.

Теперь-то я знаю, что здоровенный кулон на золотой цепочке, который всегда висит у Вадика на шее, носит имя Айра. Сперанский постоянно советуется с амулетом и никогда не сделает того, чего тот не советует совершать. Каким образом фэншуист-психолог понимает речь талисмана? С этим вопросом, пожалуйста, не ко мне.

Таинственную белую лягушку предстояло ловить в лесу, который начинался почти сразу за МКАД.

— Ты уверен, что нам сюда? — с сомнением поинтересовалась Надя, когда мы пошли по узкой тропинке.

Вадик кивнул и велел:

— Надо рассредоточиться. Я иду прямо, Даша налево, а Надя направо. Поймаете лягушку, кричите.

— Чем ее ловить? — робко поинтересовалась я.

— Руками, — пожал плечами Вадим.

— И нести к машине в кармане? — спросила я. — Надеюсь, она не выпрыгнет.

— Мертвые не скачут, — хладнокровно ответил Сперанский.

— Нам надо искать дохлую лягушку? — заморгала Надя.

— Нет, живую, — терпеливо объяснил Вадик. — Но как только возьмете ее в руки, сразу убивайте.

— Насмерть? — испугалась я.

— Конечно, — кивнул хозяин. — Нужна свежезабитая тварь, причем исключительно руками того, кому она попалась.

— Ясно! — воскликнула Надя и кинулась направо.

Вадим пошел вперед, а я свернула налево, прошла метров триста и села на пенек.

Простите, но я не способна убить живое существо. Знаю, сейчас кто-нибудь вспомнит про мои ботиночки и спросит: «Раз ты такая жалостливая, почему купила обувь из натуральной кожи?» Ответить мне нечего. Но, согласитесь, приобрести туфельки в магазине и убить лягушку — разные вещи. Так что лучше я тут посижу. Очень надеюсь, что в руки Вадика или Нади не попадет ни одна жабенка. Кстати, жаба и лягушка — разные земноводные, я это знаю. Но никогда не слышала о белых видах тех и других.

Послышалось тихое шуршание, я посмотрела вниз и ахнула. Прямо у моей ступни сидела маленькая квакушечка... белого цвета.

— Немедленно уходи... — зашипела я ей и топнула ногой.

Но попрыгунья не испугалась.

— Брысь! — воскликнула я.

— Нашла? — спросил почти рядом голос Вадима.

— Нет! — заорала я, вскочила и побежала по едва заметной тропке.

Минут через пять лес неожиданно закончился, перед глазами появилась речка, мостки и небольшой магазин с вывеской «Все для вашей рыбалки». Я перевела дух. Надеюсь, глупая лягушка избежала встречи с Вадиком. До меня снова долетел шорох, я глянула вниз и увидела все ту же лягушку. На сей раз она залезла на мой ботинок.

— Вот дура! — возмутилась я. — Иди отсюда, пока жива!

— Надя, Надя... — послышалось слева. — Ау!

— Ау! Мне никто не попался! — проорали в ответ. — А тебе?

— Нет! — завопил Вадим. — Она одна на весь лес, белоляги не живут стаями!

Я присела и осторожно взяла квакушку в руки. Та совершенно не испугалась, сидела на моей ладони, медленно моргала и мерно дышала. Тогда я подошла к мосткам и запихнула доверчивое создание под плохо оструганные доски со словами:

— Лучше иди поплавай.

— Даша! Даша! — завопил Вадик.

— Что? — отозвалась я.

— Как дела? — надрывался фэншуист.

— Плохо! — почти завизжала я, наблюдая, как серое тельце выпрыгивает из укрытия и снова лезет на мой ботинок. — Тут вообще никого нет! Даже мух!

— Ищем полчаса и возвращаемся к машине, — велел Вадик, — луна уходит из нужного положения. Ты где?

Я живо стряхнула квакушку-идиотку на землю и кинулась к магазинчику. В его окне горел свет, значит, там есть люди. Последнее, что я увидела, открыв дверь, была лягушечка, бойко прыгавшая вслед за мной по ступенькам крылечка.

Вне себя от злости на тупое создание, которое словно напрашивалось на скорую смерть, я влетела в тесно заставленную витринами комнатенку, поплотнее захлопнула дверь, привалилась к ней спиной и выдохнула:

— Фу...

Глава 6

Худющий парень, сидевший за прилавком с книгой в руке, отложил томик.

— За вами гонится разъяренный лев?

— Нет, лягушка, — честно ответила я.

На лице продавца не дрогнул ни один мускул.

— Жабища-мутант? — поинтересовался молодой человек. — Сто пять килограммов веса и зубы длиной с метр? Не тревожьтесь, она жрет только юных блондинок.

— Немолодой шатенке можно спокойно разгуливать по лесу? — уточнила я.

Продавец рассмеялся.

— Ага. Даже оборотень из нашего болота ею не заинтересуется. Вы что хотели?

— Но за мной действительно скачет лягушка, — сердито сказала я. — Белая!

Парень засмеялся в голос.

— С Веркой пообщались? Вы вроде похожи на нормального человека. Не верьте чепухе. Белых лягушек, приносящих удачу, не существует. Это сказки. Предание.

— Никогда его не слышала, — удивилась я.

Юноша встал.

— Тысячу лет назад сын царя выстрелил из лука...

— Про Василису Прекрасную знаю, — улыбнулась я. — Кстати, самодержцы на Руси появились значительно позже, отнюдь не десять столетий назад.

Маленькая дверца в углу магазинчика приоткрылась, показалась полная женщина.

— Саша, я пойду домой.

— Ступайте, Вера Сергеевна, — милостиво разрешил продавец. А когда та исчезла из вида, добавил: — Это как раз автор местной легенды. В ее версии жабенка не превращается в красавицу, а служит женщинам — приманивает им суперженихов. Выбирает одну, ту, что понравится, и приводит ей парня, потом опять прячется в нашем лесу. Вот уже пару-тройку столетий так орудует. Наизнанку вывернется, а устроит выбранной бабе личное счастье, будет охранять свою избранницу, сделает ее богатой и так далее, и тому подобное. Жуткая глупость, но я Веру Сергеевну не останавливаю — она своими россказнями народ в мой магазин привлекает. Вот, кстати... — Александр взял с полки белую фигурку лягушки. — Послушают люди Веркину галиматью и покупают игрушку на счастье. В месяц непременно штук двадцать уходит. Такая за вами гналась?

Я подошла к прилавку.

— В природе она более серая. А ваша живая?

Саша кашлянул.

— Это игрушка. Сшита из какой-то ерунды, имитирующей лягушачью шкуру.

— Очень натурально выглядит, — протянула я. — Сколько стоит?

— Сто рублей, — заявил Саша. — Для вас сделаю скидку — девяносто девять пятьдесят.

Я полезла в сумку, которую побоялась оставить в пустой машине на шоссе, достала из кошелька пятисотрублевую купюру и попросила продавца:

— Можете ее убить?

Саша, шедший к кассе за сдачей, замер.

— Кого?

— Ее, — терпеливо пояснила я, показывая на покупку.

— Женщина, — серьезно произнес Александр, — игрушка не живая!

— Понимаю, — кивнула я, — но надо, чтобы она выглядела... как... ну... как труп. У вас это получится?

Саша почесал в затылке, помял муляж и спросил:

— Так сойдет?

— Отлично, — обрадовалась я. — Ну прямо натурально мертвая! Вот только...

— Даша! Даша! — донеслось со двора.

— Живенько сверните ей шею, и я побегу, — попросила я.

Молодой человек вытер ладонью лоб, покрутил голову жабке, потом с опаской поинтересовался:

— Хватит?

— Дарья! — заорала с улицы Надя. — Вадя, где она?

Я схватила испорченный сувенир, выскочила на крыльцо, сбежала по ступенькам, бросилась в лес и сразу налетела на Вадима.

— Я решил, что тебя демоны уволокли, — упрекнул меня работодатель. — Где ты бродила?

Я изобразила смущение, опустила взгляд, увидела на земле все ту же серую, быструю, но до изумления глупую лягушку, живо бросила на нее свою мешкообразную сумку и протянула Вадиму покупку.

— Вот!

Фэншуист по-детски обрадовался:

— Молодец! Думал, мне ее никогда не достать.

Перед тем как сесть в машину, я на всякий случай оглядела пространство перед передними и задними колесами. Лягушки нигде не было.

— Бомбу ищешь? — захихикала Надя.

— Как бы не наехать на кусок стекла или острую железку, — нашлась я.

Едва мы вошли в квартиру, как Вадик стал звать жену, но Нина не соизволила выглянуть из спальни.

— Ну и характер у моей сестрицы, — вздохнула Надя. — Делает только то, что хочет. Вот я всегда сначала о других думаю. Вадюша, как насчет чайку? Предлагаю сбор из гречихи с клюквой. Повышает иммунитет.

— С удовольствием, — согласился фэншуист.

— А ты? — повернулась ко мне Надежда.

— Если не затруднит, я еще раз выпью того, миндального, — попросила я.

— Повкусней сделаю! — азартно пообещала Надя. — У меня с собой разные чаи. А чем это в квартире воняет? Канализацию прорвало?

— Не ощущаю никакого запаха, — ответил Вадик, — пойду, помою руки.

Фэншуист направился в ванную, Надежда исчезла на кухне, а я начала снимать ботинки.

— Сюда! Скорей! Помогите! — вдруг раздался голос хозяина, и я, позабыв про далеко не чистую обувь, стремглав кинулась на зов.

Вадим стоял у раковины, безостановочно повторяя:

— На помощь! На помощь! На помощь!

Около унитаза, привалившись к нему боком, сидела одетая в халат Нина. Глаза ее были закрыты, в ванной отвратительно пахло, а рулон туалетной бумаги валялся почти у входа.

— Ой! Мама! — завизжала Надя, втискиваясь следом за мной. — Что с ней? Фу, слейте воду!

Вадик перестал твердить одно и то же, протянул руку к кнопке на верху унитаза, но я успела остановить фэншуиста.

— Не трогай!

Хозяин, не заметив, что я бесцеремонно обратилась к нему на «ты», возмутился:

— Ты чего?

— Надо вызвать врача, — сказала я, — а он определенно пожелает узнать, что с Ниной.

— Понос у нее, — скривилась Надя. — Эй, сестричка, очнись!

Хозяйка тихо застонала.

— Она жива! — выдохнул Вадик.

— А ты думал, умерла? — пробормотала я, наклоняясь к хозяйке. — Нина, вы можете встать?

— Плохо мне, — прошептала Сперанская, — совсем. Ног не чувствую.

— Звони в «Скорую», — приказала я Наде, — да побыстрей.

— Всего-то расстройство желудка, — не особенно встревожилась Надежда. — Небось слопала что-то несвежее.

— Вадим, отнеси жену в спальню, — велела я. Затем вытолкнула Надю в коридор, вышла за ней и сказала: — У твоей сестры может быть что угодно: инсульт, инфаркт, вирусная инфекция и даже холера, сейчас ее легко можно подцепить от выходцев из Азии или заразиться во время отпуска, проведенного в Индии.

— Да ну, — махнула рукой Надя, — не пори чушь.

— Не могу Нину поднять! — воскликнул Вадик. — Очень тяжелая!

Я вернулась в ванную. Нина, совсем не крупная, даже тощая женщина, но супруг не мог взять ее на руки.

— Как нам ее утащить? — продолжал ныть Вадим.

— Нина сидит на коврике, — сориентировалась я, — буду придерживать ей голову, а ты тяни подстилку. Повезем беднягу, как на санках.

— Я вызвала врача, — заявила Надя, когда мы «довезли» Сперанскую почти до середины коридора, — едет.

— Хорошо, — отдуваясь, одобрила я. — Теперь помоги нам.

Уложить Нину на кровать у нас не получилось, но мы постарались как можно комфортнее устроить несчастную на полу — подсунули ей под затылок подушку, прикрыли одеялом. Я попыталась выяснить, что произошло, но хозяйка не реагировала на вопросы. Похоже, ее состояние ухудшалось.

Врач приехал через полтора часа и оказался совсем молоденьким, на мой взгляд, ему едва ли исполнилось восемнадцать. Из-за юного возраста он старался выглядеть суровым! Он не пошел в ванную, не стал осматривать Сперанскую, а сразу заявил:

— Отравление. Или наркота.

— Нина ведет здоровый образ жизни! — возмутилась я.

— Значит, съела несвежее, — не дрогнул эскулап. — Несите ее в машину.

— Это должны делать мы? — удивился Вадик.

— А кто, я? — саркастически поинтересовался современный Гиппократ. — Позовите соседей, так все поступают. Или договаривайтесь с нашим водителем. Но ему понадобится человек в помощь.

Мне никогда до сих пор не приходило в голову, что перенос в машину лежачего, даже не крупного больного является тяжким испытанием для его родственников.

Вадик пошел звонить соседям и пропал на полчаса. Я кинулась во двор и сумела достичь консенсуса с шофером. Наглый парень решил воспользоваться бедственной ситуацией и потребовал за свои услуги пять тысяч, но после торга согласился на одну. Вадиму в конце концов тоже улыбнулась удача, хотя большинство соседей, услышав, что надо помочь дотащить до «Скорой» носилки, быстро говорили: «Сам болен. Рад бы услужить, но здоровье не позволяет».

Вадим пробежал почти до чердака, прежде чем нашел некоего Серегу, готового за ящик пива на любой подвиг.

— Везем в больницу на улице Янина, — сообщил врач, и микроавтобус, включив сирену, рванул со двора.

Я поспешила к своей таратайке.

— Эй, ты куда? — спросила Надя.

— Садитесь скорей! — не обращая внимания на вопрос, воскликнула я. — Едем в клинику.

— Вы отправляйтесь, а я квартиру уберу, — засуетилась младшая сестрица. — Чего нам троим в приемном покое делать?

Остаток вечера я провела в холодном, мрачном, воняющем хлоркой коридоре. Едва войдя внутрь здания, Вадик сел на колченогий стул и прошептал:

— Здесь висит мрак. Мебель, цвет стен, освещение — все неправильно, все приманивает боль и смерть.

Несмотря на мое критичное отношение к фэн-шуисту-психологу, я была с ним согласна. Мне не хотелось оставлять Вадима одного, но требовалось найти врача.

Дежурный медик явно справил шестидесятилетие, но вопреки пословице про ум и годы, похоже, не приобрел мудрости[1].

— Чего вы так всполошились? — спросил он. — Пищевое отравление. Принимаем меры. Езжайте домой.

— Мы все ели одно и то же — куриные котлеты, пюре и чай, а заболела одна Нина, — сказала я.

— По-разному бывает, — протянул врач, вынул из кармана бейджик и прикрепил его к карману.

Я решила предпринять еще одну попытку встряхнуть эскулапа и заставить действовать, посмотрела на бейджик и сказала:

— Уважаемый Леонид Никитович, цыпленка привезли из деревни. А от пюре какое зло?

Терапевт издал тяжкий вздох.

— Попалась вашей родственнице несвежая часть курчонка. Или молоко стухло, масло несвежее. Ступайте домой, вы тут не нужны.

— Она умрет? — вдруг спросил неслышно подошедший Вадим.

— Мы все когда-нибудь скончаемся, — элегически ответствовал собеседник, — рано или поздно сыграем в ящик. Ну как я могу вам что-то конкретное сказать? Пообещаю сейчас, что она завтра встанет, а ночью — бумс, нет человека. Предупре-

---

[1] «Ум приходит с годами». Не знаю, это пословица или просто народное наблюдение.

жу: готовьтесь к худшему, а она через день в палате лезгинку спляшет. Будем лечить, наблюдать.

— Сделайте анализ крови на вирус, — попросила я. — Мы заплатим!

Леонид Никитович усмехнулся.

— На какой?

— Простите? — не поняла я.

— Какой вирус следует искать? — снисходительно спросил доктор. — Их огромное количество! Гепатит? Краснуха? Полиомиелит? Бешенство? Эпштейна — Барр? Ласса? Эбола? Марбург? Энцефалита Сент-Луис? Или вирусы ньюкаслской болезни, неаполитанской лихорадки, контагиозного моллюска?

— Ищите все! — решительно сказала я. — Мы найдем деньги на обследование.

Леонид Никитович рассмеялся.

— Идите домой, не мешайте работать. Хуже нервных родственников больных — только занедужившие коллеги.

Но я стояла на своем:

— В газетах много писали про какой-то особый вирус, который убил гостей олигарха Стебункова. И сегодня утром по телику о нем же говорили. Он вызывает понос, а затем смерть. Вроде лекарств от него не существует.

— СМИ надо закрыть! — взвился Леонид Никитович. — Останкинскую башню взорвать! Вечно глупости транслируют. И какая вам разница, есть у больной тот вирус или нет? Все равно он, по вашим же словам, не лечится.

— Доктор, — завопили из другого конца, — «парашютиста» привезли! Десятый этаж. Жив.

— Могуч русский народ, — протянул Леонид Никитович. — Небось пьяный сиганул, поэтому и остался жив. Утром вы сможете более подробно узнать о состоянии Сперанской у ее лечащего врача.

Глава 7

— Завтра приезжай к двум, — приказал Вадим, когда мы снова сели в машину. — И не выключай мобильник.

— Он разбился, — вздохнула я, — вдребезги.

— И как теперь с тобой связываться? — забеспокоился хозяин.

— По городскому номеру, — предложила я.

Фэншуист замолчал, и некоторое время мы ехали в тишине. Потом Вадим вдруг крикнул:

— Стой!

От неожиданности я наступила на тормоз и почти боднула лбом руль.

— Не лихачь! — поморщился Вадик. — Пошли, нам сюда.

Дальнейшие события изумили меня до крайности. Работодатель привел меня в небольшой магазин, поставил у витрины и спросил:

— Какой телефон хочешь?

— Самый дешевый! — выпалила я. — Спасибо, верну тебе его стоимость сразу, как только получу зарплату.

— За семьсот пятьдесят пойдет? — деловито осведомился продавец. — Без наворотов, но пашет исправно, народ не жалуется.

— Лучше вон тот, за две тысячи, — принял за меня решение Вадим, — он приличнее смотрится.

Я начала спорить.

— Вон в витрине трубка за пятьсот. Мне такую лучше.

— Она бэушная, — предупредил продавец.

— Ну и что? Сойдет! — воскликнула я.

— Берем за две штуки, — безапелляционно заявил Вадик.

— Моя зарплата невелика, — засопротивлялась я, — не могу позволить себе сорить деньгами.

— Это подарок, — коротко проронил хозяин.

Я чуть не рухнула на пол от изумления.

— Ты мне покупаешь сотовый?

— Почему нет? — спросил фэншуист.

— Нина рассердится, — испугалась я. — Сам знаешь, как она относится к деньгам.

Вадим потрогал свой амулет.

— Подарок. Айра уверен, что...

Хозяин осекся и посмотрел на торговца.

— Оформляйте приобретение.

— Спасибо, — прошептала я, не понимая, по какой причине Вадим внезапно перестал бояться гнева властной хамоватой женушки.

Больше всего на свете Нина любит деньги, расстаться с лишней копейкой для нее — мука мученическая, просто нож в печень. У Вадима в кошельке водится не много купюр, семейной кассой распоряжается жена, а она прижимиста до изумления и всегда готова громко, не стесняясь посторонних людей, отчитать муженька, мол, он самозабвенный мот. Фэншуист не спорит со вздорной бабой. Когда над головой Сперанского гремит гром, он втягивает голову в плечи и старается молча пережить бурю. Со стороны его поведение может показаться смешным, про таких, как Вадик, сложены анекдоты. Ну, вроде такого.

Сидит мужик под столом, спрятался под скатертью, а неподалеку стоит его дражайшая половина, колотит скалкой по столешнице и орет:

— Выходи немедленно!

— Не выйду, — бормочет муж, — ни за что. Не буду тебе подчиняться, покажу, кто в доме хозяин.

Я за недолгий срок общения с работодателями успела понять: Вадим предпочитает не связываться с Ниной, не хочет создавать лишнего повода для ее гнева. И вдруг он купил мне сотовый?! Изумление было столь глубоким, что я, очутившись снова за рулем, молчала до самого дома Сперанских.

— Чай ждет! — захлопотала Надя, когда мы с Вадимом вошли в квартиру.

Я пошла мыть руки и обнаружила, что Надюша тщательно отдраила санузел, а заодно, похоже, еще и пропылесосила коридор. Нину нельзя назвать самой аккуратной хозяйкой, а вот ее сестра оказалась чистюлей.

— Здесь мята, чабрец, — застрекотала Надюша, подавая на стол фарфоровые чайнички, — в синем я заварила вишню с курагой, в красном сбор «десять трав».

Вадик открыл шкафчик, достал с полки здоровенную кружку, потом взял с подоконника небольшой фреш-пресс с остатками заварки, плеснул из него немного в емкость, сделал глоток и скривился:

— Какая горечь! А Нина пила и нахваливала...

Надя, стоявшая спиной к нему, обернулась, приблизилась, выхватила у него кувшин и кружку, вылила их содержимое в раковину и сердито сказала:

— Никогда не употребляй заварку, которая простояла больше часа. Китайцы говорят: «Утренний улун[1] — лекарство. Днем он — укус змеи». Когда я приготовила Нине напиток, он имел аромат чернослива, а сейчас потерял свои вкусовые качества.

— Ну не сердись, — вдруг улыбнулся Вадик. — Я больше не буду.

— Тебе постелить? — спросила Надя. — Устал, поди!

Фэншуист, который именно в ту секунду потянулся к корзиночке с хлебом, замер и пробормотал:

— Спасибо, сам справлюсь.

Надя подошла к нему сзади и положила руки на его плечи.

— Мы с тобой близкие родственники и могли бы, между прочим, быть еще ближе. Нина заболела, мой долг помочь тебе. Мужчине одному не справиться с хозяйством — потребуется белье стирать, еду готовить, в клинику передачи носить...

— Ну... да, — пробормотал Вадим, ощупывая свой амулет.

— А клиенты? — вкрадчиво вещала свояченица. — Вы же вдвоем ходите по заказам.

— Одному работать не фэншуйно, — признал Сперанский, — но мне поможет Даша. Я ей зарплату прибавлю. Еще плюс пять тысяч к окладу.

Я подавилась на редкость ароматным напитком. Ну и ну! Вадик сейчас ведет себя, как школь-

---

[1] Улун — сорт зеленого чая.

ник, родители которого уехали отдыхать, оставив его одного в квартире, — подросток, забыв обо всех запретах, пляшет, курит и выпивает с приятелями. А Вадик, оставшись без надзора жены, начал тратить деньги.

— В доме тоже она хозяйничать будет? — надулась Надя. — Дарья, ты хорошо готовишь?

— Плохо, — честно призналась я, — не люблю кулинарничать.

— Не замужем? — деловито осведомилась Надежда.

Мне не понравился алчный блеск в глазах сестры Сперанской, поэтому без задержки я соврала:

— Официально не расписана, но живу не первый год в гражданском браке.

Надя заметно повеселела.

— Мужики заботу любят. Купи книг с рецептами, а то, не ровен час, усвистит твой красавец к той, что от кастрюль не отходит.

— Пойду, лягу, — еле слышно сказал Вадим, — голова заболела.

Как только он покинул кухню, я решила расставить все точки над i и быстро сказала:

— Надежда, в мои планы не входит отбивать Вадима у Нины. У меня есть любимый человек, нам хорошо вместе. А вот с деньгами не очень везет, поэтому я заинтересована в работе. Возраст уже не юный, устроиться в офис для меня практически невозможно. Мне повезло со Сперанскими, поэтому, пожалуйста, не наговори Нине глупостей. Ну, подумай: я старше Вадима, не особенно хороша собой... Зачем ему такая любовница? Мы отлично ладим по служебным вопросам, и только.

Надя села к столу и подперла щеку кулаком.

— Ничего я такого не думала. Просто...

Из прихожей долетел громкий длинный звонок. Похоже, с той стороны двери находился совсем не стеснительный человек, он нажал пальцем на кнопку и не собирался отрывать его до тех пор, пока хозяева не откроют ему.

— Кого это принесло? — искренне поразилась Наденька и поспешила в коридор.

Вскоре я услышала шум и недовольный возглас свояченицы Вадима:

— За каким чертом вы приперлись? Отваливайте назад!

— Не шуми, — ответил красиво окрашенный бас, — ты тут не хозяйка. Зови Нинку!

— Нехорошо встречаешь, — пропищал тоненький голосок, — нам остановиться в столице негде.

— Здесь не гостиница, — зашипела Надя.

— А не тебе решать! — гаркнул бас. — Кликни сестру, она к родичам хорошо относится.

— Лучше вам уехать, — настаивала Надежда. — Ой, ты чего! Больно!

Я решила прийти ей на помощь. Быстро вышла из кухни, на ходу спросив:

— Надя, все в порядке?

— Да, — ответила она, — люди адресом ошиблись.

— Нинуша, — закричал бас, — не слушай, Надька врет! Это мы, Сеня и Галя. Привет тебе из родных краев. Гостинчики привезли — яблочное повидло. Вкусное.

Я вошла в прихожую и увидела крупного мужчину и девочку лет тринадцати, одетую в нелепое серо-синее платье, жакетку из меха невинно убиенных мышей и беретку, надвинутую до бровей.

— Да ты не Нинка! — гаркнул бас, и я с удивлением поняла, что он принадлежит вовсе не великану в мятом пиджаке, а его спутнице-подростку.

— Здравствуйте, меня зовут Даша, — представилась я.

— Сеня, — пропищал в ответ мужчина. — А мамулю кличут Галей.

Я посмотрела на закрытую входную дверь. И где старушка? Вижу лишь отца с дочерью.

Подросток быстрым движением стянул с головы беретку. Под ней, как выяснилось, скрывались коротко стриженные, выкрашенные в цвет взбесившегося апельсина волосы и лоб в морщинах. Девочка оказалась бабушкой!

— Если ты родным людям не рада, — пробасила она, глядя на Надю, — то разреши хоть Петяшу оставить. Мы с Семеном не избалованы, под кустом переночуем, а Петяша простудливый, подцепит воспаление легких, и нет его. Как мы без Петяши жить будем? Чем заработаем на еду?

— Я не в своем доме, — решительно сказала Надя, — не могу тут распоряжаться, потому что не хозяйка. Вадим спит, Нина заболела, без вас хлопот выше макушки.

Я не люблю находиться в центре скандала, роль постороннего наблюдателя ссоры никогда меня не прельщала, поэтому я быстро обула туфли и, пробормотав: «До завтра, Надя, приеду к двум», — вышла на лестницу.

— Кто она? — спросила бабка.

— Нинкина домработница, — не замедлила с ответом Надежда, — домой поехала. И вы проваливайте.

Я спустилась во двор и увидела, что позади моей машины стоит странный ящик на одной высокой ноге, сбоку из него торчит изогнутая ручка. Пару секунд я рассматривала конструкцию, не понимая, для чего она предназначена. Складной прилавок? Уж очень высокий. Для обеденного стола ножка тоже слишком длинная. Вероятно, это часть от какой-то старой, ненужной мебели, ее не доперли до помойки, пристроили около моего драндулета. Ну, и как отъехать? Надо сначала перенести хлам...

Я обошла странную вещь кругом, обнаружила, что с другого бока с нее свисает потертый кожаный ремень, попыталась приподнять конструкцию, но она оказалась слишком тяжелой для моих слабых рук, и я приуныла. Время позднее, сколько мне придется ждать, когда во дворе появится сильный мужчина, готовый оказать бесплатно услугу незнакомой женщине?

Дверь подъезда грохнула, с крыльца сошли Галя и Сеня. Я бросилась к ним.

— Пожалуйста, помогите!

— Денег нет, — пробасила Галина, — с утра голодные, желудок слипся, ноги отморозили.

— Скоро лето, — удивилась я, — минусовой температуры давно нет. И мне не нужны деньги. Давайте вместе отодвинем эту бандуру, а то я уехать не могу.

Сеня подошел к сооружению, легко приподнял его и отошел в сторону.

— Машину имеешь... — прогудела Галина. — Эхма, а мы даже чаю не попили!

Было не очень понятно, как моя еле живая от дряхлости таратайка связана с не выпитым парочкой чаем, но я почему-то смутилась и принялась оправдываться:

— Машина досталась мне не новая, она дешевая, страшненькая.

— Ну так тебе за нее замуж не выходить, — вздохнула Галя. — Зато в тепле катаешься, сама себе хозяйка, мы же пехом чешем. А ноги-то болят, гудят, отваливаются, в животе пусто, в голове туман... Нам бы кипяточку глотнуть, даже сахарку не надо, но в Москве цены кусачие, за стакан воды тыщи ломят. Пойдем, Сеня, ляжем на лавочке, авось не сгонят.

— Петяша заболеет! — пропищал сынок.

— Ох, и правда простудится, и каюк ему, — плаксиво запричитала Галя. — А его похоронить где? Но мы понимаем, бедным всегда плохо, надо нести свой крест, не жалуясь. Затяни, Сеня, поясок потуже, и голод утихнет. Вы куда едете?

— Домой, — пробормотала я. И, продолжая испытывать неловкость, добавила: — Квартира у меня крохотная, однушка.

— Зато своя, — затянула Галя, — все не на улице под небом спишь. Тепло, не дует... Небось кровать есть?

— Раскладной диван, — уточнила я.

— Диван... — мечтательно повторила Галина. — Слышь, сына, у нее есть софа!

— Здорово, — ответил Сеня. — С подушками?

Я кивнула.

— И ковер на полу лежит, — с восторгом пропела старушка. — Бывают же на свете богатые, счастливые люди.

— Я живу на небольшую зарплату, — пояснила я, — со счастьем у меня порядок, а вот богатства нет. Имейся у меня накопления, не пошла бы работать помощницей к Вадиму и Нине.

— Это с какой стороны посмотреть, — возразила Галина. — Если сравнивать тебя с президентом, то у тебя пустые карманы, а ежели с нами, так... ну... Как его, Сеня?

— Синдбад-мореход, — выпалил он.

— Нет, — скривилась матушка, — другой мужик.

— Старик Хоттабыч? — предположил Семен.

— Память подводит, — пригорюнилась Галина, — от голода и холода ее отшибло. У тебя в доме подъезд есть?

— Конечно, — удивилась я нелепости вопроса.

— Отвези нас туда, — взмолилась она. И зашмыгала носом: — Пересидим ночку на подоконнике в тепле. В Москве народ стал недоверчивым, двери на замки запирает, не попасть в уютное место. Тебя сам Господь нам на радость послал. Помоги, Христа ради, не оставь в беде! Сумка тяжелая, да еще эта бандура.

— Во! — потряс ящиком Сеня. — Нелегкая штука!

— Наш подъезд не запирается, туда может войти любой, — пояснила я. — А зачем вам ящик?

— Работа, — загадочно ответил Семен, — бизнес.

Галина молитвенно сложила вместе крохотные ладошки и всхлипнула.

— Дашенька! Может, кто когда и твоей мамочке поможет!

— Никогда не видела своих родителей, — сказала я, — воспитывалась в детдоме.

Старушка потупила взгляд.

— Вот Нинке с Надькой повезло, им я досталась. Помогала, одевала, кормила, поила, а теперь на улице дрожу.

Я помимо воли предложила:

— Садитесь в машину.

Всю дорогу до дома Галя безостановочно нахваливала мою доброту, красоту и замечательный характер. Оставив парочку в подъезде, я зашла в квартиру, сунула усталые ноги в уютные тапочки, прошла на кухню, полюбовалась на недорогой, но милый абажур, нависающий над столом, покрытым бело-красной скатертью, потом открыла холодильник, посмотрела на коробочку плавленого сыра, початую пачку масла, бутылку кефира и кастрюлю с овсянкой. Захлопнула дверцу и вышла на площадку к лифту.

Галя и Сеня не остались на первом этаже — поднялись туда, где живу я, и сейчас, словно попугайчики-неразлучники, сидели, прижавшись друг к другу, на подоконнике.

— Поужинала и хочешь мусор вынести? — грустно спросила старушка. — Приятных тебе снов. Спасибо, что нас на улице в холод и стужу не оставила, впустила в подъезд. Добрая у тебя, Дашенька, душа!

Я тяжело вздохнула.

— Идите в квартиру, как-нибудь устроимся.

Глава 8

Утром меня разбудило тихое прикосновение. Я открыла глаза и чуть не заорала от неожиданности — на моей груди сидела белая лягушка. Ее выпученные глаза смотрели на меня с явным интересом.

— Ты как сюда попала? — пробормотала я и тут же поняла, что произошло.

Желая спрятать от Вадима глупую квакушку, я бросила на нее свою сумку в форме мешка: она не застегивается, горловина стягивается при помощи шнура. Очевидно, он развязался, и лягушка залезла внутрь. А потом я сама принесла ее домой. И что теперь с ней делать?

Я взяла абсолютно не испугавшуюся лягушечку в руки, пошла на кухню, переступила порог — и на сей раз не смогла удержаться от вопля:

— Мама!

Если вы полагаете, что я забыла про парочку, ночующую в квартире, и решила, будто ко мне влезли воры, то ошибаетесь. Память у меня пока не отшибло. Сеня, лежавший на полу, зашевелился, сел и, не открывая глаз, спросил:

— Горим?

Галя, свернувшаяся клубочком на маленьком диванчике, пробасила:

— Кого бьют?

— Ой! — еле удерживая дрожь, взвизгнула я, указывая пальцем на ярко-зеленое лохматое существо, сидящее на обеденном столе.

Странному созданию явно не понравилась моя реакция — оно сгорбилось и как-то осуждающе наклонило голову. Я увидела, что на морде не пойми кого очки в ярко-красной оправе, и совсем лишилась дара речи.

— Петяши испугалась? — засмеялась Галина.

— Он кто? — с ужасом прошептала я.

— Петяша, — прозвучало в ответ.

— В смысле породы, — уточнила я.

— Марсианский предсказатель, — объявил Сеня, вставая с пола. — Зеленый собак. Прилетел на астероиде из другой галактики.

— Нам бы чайку, — вкрадчиво попросила Галя, — кипяточку без сахара.

Я подошла к столу, разглядела «пришельца» и поняла, что передо мной моська неизвестного происхождения, скорей всего плод мимолетной страсти болонки и терьера. Шавку покрасили, наверное, зеленкой, а очки — это просто аккуратно нарисованные круги вокруг глаз. Я протянула руку и потрогала «оправу». На пальцах остался след. Похоже, тут не обошлось без губной помады.

Посадив лягушку в большую стеклянную кастрюлю, я сердито сказала:

— Снимите зеленого со́бака со стола.

— Он кушать хочет, — заныла Галина. — Ему подойдет любая хавка, хоть скорлупа от орехов.

Я молча включила чайник, достала из шкафчика заварку, поставила на стол плавленый сыр, положила на доску батон.

— Поджарь тостики, а? — попросила навязчивая гостья. — Я не ем свежий хлеб, это для здоровья вредно. И лучше бы мне кофейку. Со сливочками.

— Мне к двум на работу, — твердо сказала я после того, как гости наелись.

— И нам на службу надо, — кивнула Галя. Поймала мой недоумевающий взгляд и пояснила: — Мы приехали денег насобирать. В Макаровке клиентов мало, вот и подались в Москву. Думали, Надька с Нинкой по старой дружбе помогут, а бывшая невестка, злобина, вытурила нас!

— Надя не жена Семена? — уточнила я.

— Не-а, — пропищал Сеня, — четыре месяца, как разбежались.

Галя оперлась грудью о стол.

— Ты вообще что о сестричках знаешь?

— Ничего! — честно ответила я. — Нанялась к Нине и Вадиму по объявлению. О том, что у хозяйки есть родная сестра, выяснила только вчера, когда та неожиданно явилась к Сперанским в дом.

— Ай-ай-ай, неосторожно так на службу устраиваться, — укорила меня Галина, — мало ли куда попадешь. Неразумно ты поступила. Ну да ничего, сейчас расскажу тебе правду про их стыдные биографии.

Я покосилась на часы, потом посмотрела за окно на улицу, где хлестал дождь, решила, что в такую погоду лучше посидеть до отъезда на работу дома, и сказала:

— Слушаю вас внимательно.

...Семья Сперанских считалась в Макаровке нищей, а Валентина, родившая от цыгана двух девочек, слыла полной дурой. Георгий, отец Нины и Нади, выглядел красавцем, но к внешности не прилагалось ни порядочности, ни трудолюбия. Зарабатывал он непонятно чем, скорей всего ездил в Москву воровать и там же прогуливал «гонорар». Валентина кормилась огородом, девочки бегали оборванками, но сожителю Вали было наплевать и на нее, и на детей. А потом он однажды уехал и более в Макаровку не возвращался. Нина с Надей кое-как закончили школу и стали искать работу. Но кому нужны деревенские девочки, не имеющие хорошего образования и не отмеченные печатью таланта? Валентина умерла, когда старшей дочке еще не исполнилось девятнадцати, сестрам досталась от матери большая изба. Нина и Надя никогда не дружили, поэтому перегородили дом стеной, прорубили второй вход и попытались жить автономно.

Но вот что интересно — не желая встречаться друг с другом, девицы постоянно сталкивались нос к носу — мистическим образом они пытались заниматься одним и тем же делом. Нина бегала по электричкам коробейницей и в одном поезде налетела на Надю, которая тоже предлагала народу шариковые ручки, мелки от тараканов и семена гигантской клубники. Спустя некоторое время Нина сменила ассортимент товаров, теперь предлагала пассажирам книги-газеты. Глядь, а по вагону с другого конца марширует Надежда, выкрикивая во все горло:

— Лучшие кроссворды! Брошюра «Как вылечить алкоголизм в домашних условиях»!

Встала Нина за прилавок с мороженым. Но кто это там, на платформе напротив, предлагает вафельные стаканчики? Все та же родимая сестрица.

И ведь не сговаривались, не советовались друг с другом, а сталкивались на узкой тропинке. Даже сотовые телефоны они решили купить у одного оператора. Надюша оформляла сим-карту, когда в лавчонку вплыла Нина со словами: «Мне нужен номер. У вас тариф «Триста звонков» есть?»

Но потом вдруг пути сестер разошлись в диаметрально противоположных направлениях. Надя не поняла знака, который подала ей судьба, а Нинка моментально ухватилась за упущенную той возможность. Что же произошло?

Как-то раз Надежда шла домой с электрички в самом дурном расположении духа. Мало того, что она не продала товара на нужную сумму и получила от хозяина лишь половину дневной оплаты, так еще в вагоне неожиданно оказался контролер, и ей пришлось галопом бежать от него по всему составу.

Злая, как осенняя муха, девушка шагала по тропинке к Макаровке и вдруг за спиной услышала голос:

— Подождите, пожалуйста.

Надя обернулась и увидела тощего, плохо одетого парня с корзинкой в руке.

— Чего надо? — гаркнула она.

— Меня зовут Вадим, — представился грибник.

— Круто, — протянула Надя. — А мне к чему твое имя?

— Я видел вас в поезде, — смутился молодой человек. — Не хотите в кино сходить?

У Надюши тогда горел роман с женатым красавцем Егором, она была уверена, что сумеет увести его от законной супруги и детей. Двухметровый Гоша, регулярно посещавший качалку, был настолько привлекательнее несуразного Вадима, что Надя даже не стала хамить неожиданному кавалеру, а просто сказала:

— У меня есть жених, поищи себе другую.

Но Вадик не отставал:

— Тот мужчина — не твоя судьба, я знаю. Не хочешь в кино, пошли в кафе. Встреча в день белого тигра, в час уходящего кентавра в лесу обещает нам долгую совместную жизнь!

Надя закатила глаза. Ну и денек! Только идиота до кучи не хватало.

— Отстань, — буркнула она.

— Пожалуйста, дай мне номер своего телефона! — взмолился парень. — Ты моя, а я твоя судьба, так амулет подсказывает, и приметы это подтверждают. Видишь крупную птицу на ели?

Надя поморщилась, а Вадим продолжил:

— Сойка — сваха, нас поженить хочет.

Тут до Надюши наконец дошло: парень не идиот, он настоящий псих, а с сумасшедшими спорить опасно. Мало ли что взбредет ему в больную голову? В особенности надо быть осторожной, находясь с придурковатым в лесу, где больше нет ни души.

— Дать телефон? — улыбнулась Надя и продиктовала номер.

Цифры она назвала правильно все, кроме последней, вместо «семь» сказала «восемь». Зачем? Ну не сообщать же умалишенному свой правильный номер! А что, если он проследит за ней, узнает, где она живет, поймает на улице и заорет: «Обманула!» Тогда девушка ему ответит: «Ну-ка, назови номерок... Да ты сам виноват, неверно его расслышал!»

Надюша пару раз уже пользовалась этой уловкой, отсекая нахалов, и никогда не имела неприятностей.

— Спасибо, — обрадовался Вадим. — Непременно позвоню тебе в ближайшее время.

— Конечно, — кивнула Надя и убежала, радуясь тому, что псих за ней не последовал.

Она сразу забыла о приставучем грибнике. А спустя три месяца сестра Нина объявила, что выходит замуж. Надюша чуть не скончалась от зависти, когда услышала от нее о женихе: москвич, имеет в столице квартиру; психолог, много получает, не пьет, не курит, сирота. Человек вежливый, никогда не распускает рук, дарит цветы и конфеты, прописывает Нину на своей жилплощади, оплачивает свадьбу. И вот кольцо!

Торжествующая Нинка сунула руку почти под нос Наде. Та ахнула:

— С камнем...

— Бриллиант! — гордо заявила Нина.

— Нет, — запротестовала Надюша сдавленным от еле сдерживаемых рыданий голосом, — это фианит.

— Много ты понимаешь! — фыркнула свежеиспеченная невеста. — Впрочем, думай, что хочешь, брюлик от твоих мыслей в кирпич не превратится.

Можете себе представить состояние Нади, когда она, приехав в загс, увидела жениха сестры. Перед ней, на сей раз одетый в хороший костюм, при галстуке и пахнущий приятным одеколоном, стоял тот самый грибник. Надежде стоило большого труда не измениться в лице. У нее-то в личной жизни все пошло прахом — Егор разорвал отношения с Надей. Его супруга забеременела, и расчет Надюши развести их не оправдался.

Нина, внимательно наблюдавшая за реакцией сестры, расхохоталась.

— Что, локти кусаешь? И правильно! Упустила свой шанс, Вадик мне достался!

— Где вы познакомились? — только и смогла спросить Надя.

Счастливая невеста заулыбалась. Вид у нее был, как у полакомившейся сметаной кошки.

— Ты же тем, кого отшить хочешь, неправильный телефон диктуешь, с восьмеркой на конце. Поняла?

— Н-нет, — протянула сестра.

— Ой, дура... — покачала головой Нина. — Это ж мой номер! Мы с тобой симки приобрели в одно время в одной точке, попали на акцию «Триста звонков», поэтому номера у нас одинаковые, только последняя цифра другая. Ты чего, и правда не поняла, что мой телефон диктовала?

— Я твоего номера не знаю, — пролепетала Надя, — просто так «восемь» назвала.

— А я думала, что мне нагадить хотела, — весело прощебетала Нина. — И я никогда не встречалась с теми, кто тебя искал. Но когда Вадик позвонил, в груди торкнуло, что-то подсказало: это мой шанс. В общем, упустила ты свое счастье, теперь он мой.

Старшая сестра стала москвичкой, обеспеченной женщиной, а Надя осталась в Макаровке. От тоски она вышла без любви замуж за Семена — хотела показать Нинке, что тоже счастлива...

Галина примолкла.

— Откуда вам известны такие подробности? — удивилась я.

— Так Надька сама рассказала, — подал голос Сеня. — Через неделю после свадьбы придираться к нам с мамой начала, вот от злости все и выдала.

— Обзывалась по-всякому, — зашипела Галя, — говорила, что мы ее обманули, прикидывались богатыми, а у самих в карманах пусто.

— Попрекала, что жилья не имеем, — добавил Семен, — у нее поселились. И денег я мало приношу, и некультурный, и курю. На маму кричала.

Но мы терпели, потому что хотели семью настоящую.

— Как же! — скривилась Галя. — Хороша невестка получилась. Постоянно талдычила: «Мое счастье Нинка захапала, обвела меня вокруг пальца, получила от судьбы подарок, а я в пролете».

— Это мы-то с мамой — пролет! — запоздало возмутился Сеня. — Здорово звучит!

— Невестка ныла, ныла... — вздохнула его мать. — А Нинка та еще стерва — ей нравилось младшую сестру дразнить. Вроде как стала с Надькой дружить, прикатывала на праздники в Макаровку, разодетая — зимой в шубе, летом в стразах. И Вадим всегда при ней, послушный, тихий. Ничего плохого о парне сказать не могу. Странный, конечно, немного, но хорошо зарабатывает. И Нинке во всем подчинялся, что она велит, то и делает.

— Не по-мужски это, баба место знать должна! — визгливо произнес Семен. — И ни к чему ее подарками баловать. Один раз принесешь чего, а дуре еще больше охота. Зачем сапоги? Носи ботинки! Куда две зимние пары? У нее что, четыре ноги? Отвалит Нинка со своим психологом домой, Надька бешеной делается. Кинется к комоду, заначку вытрясет — и на базар. Куртку купила кожаную, меня не спросила, все накопленное спустила.

— А после того как Надюха к Нине в Москву погостить ездила, совсем безумная возвращалась, — запричитала Галя. — Сядет у окна и давай злобиться на весь свет. У сестры, мол, и СВЧ-печь, и электродуховка, занавески бархатные... Прямо на мыло от зависти исходила! Потом вовсе сбрендила, развелась с Сеней. И вот уехала из Макаровки — явно решила у сестры мужа отбить.

Я вспомнила, как Надя вчера вечером, нежно обняв Вадима за плечи, обронила сладким голосом фразу: «Мы с тобой близкие люди, а могли быть еще ближе», — и поверила Галине. С недобрыми намерениями приехала младшая сестра в гости, и Нина это учуяла сразу — не очень-то обрадовалась ее визиту. Если б не неожиданное отравление...

Я замерла.

Глава 9

— Ты с ней поосторожней будь, — посоветовала Галина, словно поняв ход моих мыслей, — не ешь у Сперанских в доме и не пей.

— Надька травами увлекается, — перебил Семен, — насушит веников и торгует чаем. Может гадость заварить — вроде вкусно, а потом понос прошибет или голова заболит. Небось она Нинку в больницу и отправила, решила, пока та на койке валяется, Вадима к рукам прибрать.

Я вспомнила, как Надежда быстро отобрала у мужа сестры френч-пресс и чашку, куда тот вылил остатки заварки, которую после обеда выпила заболевшая Нина, и снова поверила своим гостям.

— Держись от гадины подальше, — повторила совет Галя. — А еще лучше, найди себе другую работу.

Я стряхнула оцепенение.

— А вы зачем приехали в Москву к женщине, которую терпеть не можете?

— Мать так решила, — снял с себя ответственность Сеня.

Галина сложила руки на груди.

— У нас работа творческая, мы зависим от людей. Раньше в соседнем селе, в Богатикове, ярмарки по выходным устраивали, народ за дешевыми продуктами из столицы ехал. А в прошлом месяце ее закрыли. И куда нам деваться? По-цыгански от деревни к деревне бродить? Вот мы и надумали в Москву податься. Денег решили насшибать и вернуться в Макаровку. Живем там в сараюшке. Надька-то из своего дома нас выгнала, надо теперь на новую избу капитал насобирать.

— Неужели вы надеялись, что бывшая невестка, поселившись в квартире старшей сестры, уговорит ее вас приютить? — продолжала я удивляться.

Галина пожала плечами, а Семен ляпнул:

— Так мы не знали, что Нина заболела! Мать думала ей правду про Надькины планы открыть, рассказать, что змеей в дом к Вадиму она вползти намерена, прикидывается доброй, а за пазухой кирпич прячет. Не зря она дурманиху на огороде растила! Ее в ноябре собирают, после первого морозца.

— Трава эта особая, — пояснила Галя, — человек от нее собой не владеет. Орать начинает, плакать, истерики закатывать. Настойка долго готовится, полгода ей надо в подполе в темноте стоять.

— Приготовила и рванула, — подхватил Сеня. — Ну точно собралась Нинке в еду дурманиху капать. Примется сестрица буянить, на мужа кидаться, а кому вздорная жена нужна? Нина бесится, а Надя рядом стоит, нежная вся, слаще карамельки. И к кому Вадик перебежит?

— Сомнений нет! — рубанула воздух рукой Галя. — Хотела я Нине посоветовать: «Залезь в сумку к сестре, найдешь там пузырек из темного стекла. А потом осторожно проследи за ней. Непременно увидишь, как Надюха тебе в кашу или суп дурманиху подливает!»

— Нина тогда Надьку вон выгнала бы, а нас в благодарность приголубила, — окончательно открыл весь хитрый семейный план Семен.

— Из вашего рассказа можно сделать вывод, что сестры не получили высшего образования, еле-еле закончили школу, торговали вразнос ерундой. Откуда же Надя так хорошо знает травы? — удивилась я.

— Дачниц она к себе пустила, — объяснила Галина, — две бабы у нее жили, молодая и пожилая. Обе эти... ну, как их...

— Гомопатки, — подсказал Сеня. — Бегали по округе, листья срезали, корешки выкапывали. Говорили, в Макаровке особая зона, много чего растет. Надька за ними собачонкой ходила, а потом сама по всей бане веников понавесила и принялась чаи составлять.

— Я человек справедливый, — продолжала Галя, — всегда говорю правду. И сейчас честно скажу: вкусные у Надьки напитки получались, а некоторые и полезные. У бабушки Соломатиной, например, спина ныть перестала.

Интересную беседу прервал звонок телефона, из трубки прозвучал голос Вадима:

— Даша, ты где?

— Дома, — ответила я, — к двум непременно приеду.

— Можешь подъехать пораньше? — попросил психолог-фэншуист.

— Сейчас соберусь, — пообещала я и, встав со стула, пошла в коридор.

— Новая трагедия в доме бизнесмена Стебункова! — раздался за спиной громкий голос.

Я обернулась. Галина успела включить телевизор и уселась перед ним, собираясь насладиться программой «Вся правда о знаменитостях».

— Сегодня утром экономка Ивана Гавриловича была найдена в критическом состоянии! — радостно частила с экрана большеглазая блондинка. — Специально для вас мы подготовили эксклюзивный репортаж...

Изображение ведущей пропало, на экране появился мужчина. Я сразу узнала охранника, который выпроводил нас со Сперанскими из апартаментов Стебункова.

— Михаил, расскажите, что случилось, — потребовал женский голос за кадром.

Секьюрити замялся.

— Ну... в общем... я спал. Виктория Николаевна тоже рано легла. Она с вечера на головную боль жаловалась...

— Экономка живет в квартире хозяина? — уточнила невидимая корреспондентка.

— Если Иван Гаврилович надолго уезжает, нам велено апартаменты не покидать, — подтвердил Михаил.

— Вам — это охране и Виктории Николаевне? — спросила журналистка.

— Раньше Степан, шофер, оставался. Виктория и Алена не умеют машину водить, а мало ли чего может случиться, надо, например, поехать куда, — разоткровенничался охранник. — Но Степан умер.

— Кто такая Алена? — спросила интервьюер.

— Горничная, — объяснил Михаил, — она в квартире убирает. Виктория готовила и за всем следила. Алена работает недавно, а экономка много лет. Я подробностей не знаю, меня наняли после смерти Степана, я новенький.

— Ладно, расскажите про сегодняшнее утро! — велела теледама.

— Встал я в шесть утра, вышел в коридор, гляжу — Виктория Николаевна на полу лежит. Разбудил Алену. Вызвали «Скорую». Позвонили хозяину, он сейчас за границей. Иван Гаврилович сам к телефону не подошел, ответил какой-то Андрей Валентинович. Алена сказала — это адвокат. Все, — в телеграфном стиле отрапортовал секьюрити.

Экран снова сменил картинку, появилась лучезарно улыбающаяся ведущая.

— Напоминаю, что не так давно в доме Стебункова случилась трагедия. Ближайшие друзья олигарха Игорь Мамонов, Олег Барсуков, Дарья Васильева и водитель Степан Комолов угостились шашлыком из мяса крокодила. Его Иван Гаврилович привез со своего африканского сафари. Предположительно экзотический деликатес был заражен вирусом, который, попав в желудочно-кишечный тракт человека, неминуемо приводит к мучительной гибели. Какая зараза сгубила компанию, установить не удалось. Не ясно, почему не погиб сам хозяин дома. Вероятно, он обладает сильным иммунитетом...

— Молодые еще, — вздохнула Галина, рассматривая на экране фотографию с печально за-

кончившегося пикника, которую снова демонстрировали. — Женщина симпатичная. Кто это у нее
на руках? Обезьянка?

— Собака, — пояснила я, — мопс.

— А ты откуда знаешь? — удивился Сеня. —
Бывала с ними в одной компании?

— Конечно, нет, — вздохнула я. — Там сплошь
богатые и известные люди, у меня таких друзей не
наблюдается. Просто мы с умершей полные тез-
ки — обе Даши Васильевы, вот я и заинтересовалась ее биографией, почитала в Интернете. Она
любила собак, мопса зовут Хуч. Мы с ней совсем
не похожи, ни внешне, ни по судьбе.

— Ну, так радуйся, — усмехнулась старушка, —
богачка в гробу, а ты на кухне телик смотришь. Не
помогли ей деньги! Лучше быть бедной и живой,
чем с миллионами, но на кладбище.

— Трудно с вами спорить, — тихо откликнулась я.

— А сегодня в тяжелом состоянии в клинику
доставили экономку, — продолжала с экрана ведущая. — Симптомы болезни те же: диарея, сла-
бость, низкое давление, сильные головные боли,
ломота в суставах. Мы не дадим скрыть от народа
правду! Поэтому задаем вопросы. Если таинствен-
ный смертельный вирус передается исключительно через мясо крокодила, то почему стало плохо
Виктории Николаевне? Неужели экономка, несмотря на случившееся в доме несчастье, сохранила толику крокодилятины и вопреки здравому
смыслу решила ее съесть? А если нет, значит, инфекция распространяется, как грипп, по воздуху,
и в зоне риска находятся все, кто побывал в квартире Стебункова после его возвращения из Афри-

ки. Мы призываем эпидемиологическую службу не оставлять без внимания происходящее. Зараза может расползтись по столице! Город в опасности!

На экране снова появилось растерянное лицо охранника.

— Михаил! — почти крикнула за кадром корреспондентка. — Что сказал адвокат олигарха? Можете воспроизвести его слова?

— «Работайте спокойно, вам заплатят двойной оклад», — процитировал секьюрити.

— И вам не страшно находиться в помещении, где витает ужасный африканский микроб? — взвыла репортерша. — Не испытываете желания поскорей убежать прочь?

— Боязно, конечно, — поежился мужик. — Я не трус, готов встретиться с любым бандитом лицом к лицу. Но против болезни что сделаешь? Ну ее, зарплату! Я ушел со службы. Уволился с сегодняшнего числа.

— Простые люди напуганы, — завела ведущая, глядя в камеру, — они теряют работу, лишаются заработка. Куда смотрит правительство?

Я повернулась к двери. Ну вот, опять виновато руководство страны... Хорошо, когда под рукой есть тот, на кого можно свалить ответственность. Теперь вот журналисты ради рейтинга раздувают пожар из крошечной искорки. Бедную Викторию Николаевну увезли в больницу рано утром. Вероятно, у нее инфаркт или гипертонический криз. Зачем до того, как врачи объявят диагноз, пугать зрителей? Если олигарх привез в Москву из Африки таинственную заразу, она бы уже давно пошла гулять по столице. Я не очень хорошо училась в школе, большая часть предметов вызывала у меня зевоту, но биологию нам преподавала замечательный педагог Таисия Максимовна. Удивительная энтузиастка, она рассказывала массу сведений, не относящихся к программе, и я хорошо запомнила: микробы и вирусы — совсем не одно и то же. А ведущая и журналистка смешали их в одну кучу.

— Сейчас новости о певице Артюше, — сменила тему блондинка на экране.

Я вздохнула и отправилась в прихожую. Уже одевшись, крикнула:

— Вы готовы?

— К чему? — спросила Галя, высовываясь в коридор.

— На выход, — коротко пояснила я. — Вроде работать хотели.

— Оставь запасной ключ, — попросила старушка, — мы еще не оделись.

Я повесила связку на крючок и поспешила к лифту. Но что-то не давало мне покоя с самого начала беседы, хотя я забыла, что именно.

Глава 10

— Едем на Лесную, — приказал Вадим, усаживаясь на заднем сиденье.

Я повернула ключ в замке зажигания.

— Стой! — велел хозяин. — Надо подождать Наденьку.

Я отметила уменьшительно-ласкательное окончание имени Нининой сестры и спросила:

— Она с нами?

Вадим откинулся на спинку сиденья.

— Нина в коме, а мне нужен помощник.

— Как в коме? — испугалась я.

— Звонили из больницы, — пояснил фэншуист. — Жена не приходит в себя, ее подключили к аппаратам. Я не разбираюсь в медицине, поэтому подробностей не повторю. Врач сказал: «Либо очнется, либо нет».

— Вот беда! — прошептала я. — От чего с человеком это случается?

— Отравление, — на удивление спокойно объяснил психолог. — Кровь, насыщенная токсинами, добралась до мозга и нанесла ему урон. Во всяком случае, я так понял.

— Наверное, надо отменить работу и мчаться в больницу к Нине, — предложила я работодателю.

— Зачем? Она не реагирует на внешние раздражители, не разговаривает, дышит через трубку, — перечислил Вадим. — Да и в реанимацию не пустят. Надо зарабатывать деньги — никто ведь не станет ухаживать за Ниной бесплатно.

— А вот и я! — объявила Надя, влезая в салон. — Вадюша, я прихватила для тебя бутербродики с домашним паштетом и термос с какао.

— Спасибо. А откуда у нас паштет? — удивился тот.

— Из дома, — ухмыльнулась Надя. — Пока ты спал, я сгоняла на рынок, купила телячьей печенки и быстренько сгоношила паштет. Еще сделала сырнички — из фермерского творога. Не люблю покупное, невкусно. Правда, Даша?

— М-м-м, — неопределенно промычала я.

— И тебе сэндвич достанется, — проворковала Наденька. — Я считаю, что человека, который тебе помогает, надо уважать, он служащий, а не раб.

— Ой, — прошептала я, — извините, пожалуйста. Можно мне на секундочку подняться в вашу квартиру?

— Зачем? — опешил Вадим.

Я изобразила смущение:

— Э... э... Воды попить! Жажда мучает!

— По дороге в ларьке купим бутылку, поехали, — распорядился он.

— Мне очень надо, — забубнила я, — ну прямо очень-очень. Только на минуточку!

— Раньше ты никогда не капризничала, — недовольно сказал фэншуист. — Глупости какие-то...

Надежда его перебила и сказала мне:

— Беги скорей, вот ключи. Это в ванной, в шкафчике слева, вчера туда положила.

— Спасибо, Наденька, — выдохнула я.

— А что ей требуется? — забеспокоился Вадим.

— Милый, с девушками могут внезапно произойти некие неприятности, — захихикала Надя. — Вернее, радости, но почувствовать их вот так, на улице, не совсем удобно. Ведь в этом случае может кое-что понадобиться. Это кое-что, как правило, хранят дома про запас. Или держат при себе в сумочке. Но как этим воспользоваться прилюдно?

— А-а-а... — протянул Вадим.

Я не стала слушать продолжение беседы, а заторопилась к подъезду.

Некоторых людей именуют манипуляторами за то, что они умеют добиваться от окружающих всего, чего хотят. На самом деле это совсем нетрудно, надо просто знать характер того, с кем общаешься. Сейчас мне необходимо очутиться одной в квартире Сперанских. Ну и как это осуществить? А теперь вспомним, что Надя из кожи лезет вон, чтобы продемонстрировать Вадиму свою мягкость, интеллигентность и показать ему, насколько она лучше его грубой, хамоватой жены. Наденька надеется, что пока та лежит в больнице, ей удастся вытеснить Нину из сердца Вадима и покорить его. Поэтому она не говорит, а сладко поет, бегает на рассвете за свежими продуктами на базар, варит ему какао и всячески подчеркивает: я кардинально отличаюсь от Нинки, я просто замечательная. Так может ли добрая девушка зло бросить в лицо служащей: «Нечего по чужим квартирам шастать, еще сопрешь серебряные ложки»? Конечно, нет! Добрая девушка проявит понимание и не пойдет с наемной работницей в дом. Почему? Воспитанные женщины не подозрительны, наоборот, они очень доверчивы. Надя молодец, не выходит за рамки своей роли. Ведь хорошо известно: мы подозреваем людей лишь в том, на что способны сами. Прошипишь про воровство, Вадик может подумать, что и Надюша не прочь стырить плохо лежащую вещичку.

Я открыла дверь и, посмотрев на часы, стоящие на полочке, скомандовала себе: Даша, у тебя от силы пять минут, сгреби в кучку весь свой ум и сообразительность.

Прямо в уличной обуви я помчалась в комнату, где поселилась Надя. Там бросилась к большой спортивной сумке, и, конечно же, нашла темно-зеленый флакончик. На этикетке значилось «Настойка валерьяны».

Крохотная бутылочка была заполнена под горлышко, содержимое не издавало характерного запаха известного лекарства. А когда я опустила в нее прихваченную с собой из дома пипетку и откапала малость в заранее приготовленный пузырек, стало ясно — цвет настоя не коричневый, а чуть розоватый.

Чтобы, не дай бог, не потерять свой трофей, я сунула бутылочку в карман ветровки, закрыла его на «молнию» и понеслась назад, нахваливая себя на все лады. Молодец, Даша, справилась за четыре минуты! Интересно, кто из моих знакомых смог бы проделать все так же ловко? Хотя некоторые люди обожают заниматься частными расследованиями и тратят на свое хобби немалые деньги, да еще постоянно просят помощи у друзей, которые служат в полиции.

Когда я завела мотор таратайки, Вадим доедал сырники.

— Хочешь творожничек? — спросила Надя, трогая меня за плечо.

— Спасибо, аппетита нет, — ответила я. — И ехать пора, я и так всех задержала.

— Очень вкусно, — с набитым ртом произнес Вадик. — Не представлял, что такую прелесть можно соорудить из обычного творога. До сих пор он мне не нравился, мы его просто из пачки ели. Всегда было кисло.

— Дорогой, жевать сырую картошку тоже невкусно, — вставила словечко Надя, — а вот если приготовить пом де фром... М-м-м, объедение!

— Пом де фром? — повторил Вадик. — Никогда не слышал.

В разговоре возникла пауза. Наконец, Надя с выражением бескрайнего удивления воскликнула:

— Ты никогда его не ел?

— Даже не слышал о таком блюде, — ответил фэншуист.

— Невероятно! — ахнула Надя. — Не верю своим ушам! Ниночка не запекала тебе пом де фром?

— Нет, — подтвердил Вадим.

— Наверное, она предпочитает кок о вен, — засмеялась Надя. — Знаешь, хозяйки делятся на две категории. Одни — специалистки по пом, другие обожают кок. Я, правда, готовлю и то и другое, но нас таких мало. Это как фанатство. Например, Киркоров или Басков. Оба хорошо поют, но поклонницы готовы за своего кумира глаза выцарапать. И как тебе кок? Нина берет для него сухое или полусладкое вино? Я считаю, что брют подходит больше.

— Не знаю, — протянул Вадим, — жена ничего подобного не готовила.

— Что же вы едите? На завтрак, обед, ужин, — зачастила Надежда, — и на полдник? Извини за любопытство, я собираю рецепты блюд, и если у Ниночки не пом, не кок, то, вероятно, она нарыла некие эксклюзивные варианты.

— Мы едим сосиски, — тоскливо сообщил Вадик. И добавил после паузы: — С горошком.

— Отлично! — захлопала в ладоши Наденька. — Неужели ей не лень возиться? Я делаю домашние сардельки, их набивать легче. Беру курятину с индюшатиной в равных пропорциях, добавляю немного...

— Нина их просто варит, — буркнул фэншуист. — Бросает в воду — и на плиту.

В машине снова стало тихо.

— По-го-ди... — протянула свояченица. — А горошек откуда? Сицилийский или кубинский? Я раньше покупала тот, что растет в Венгрии, но он долго варится.

— Из банки, — еле слышно признался Вадим, — консервной.

— Молодец, Ниночка! — похвалила сестру Надя. — Домашние заготовки крайне важны. Я закатываю на зиму по пятьсот баллонов со всякой вкуснятиной. Интересно, что Нинуша делает с баклажанами?

— Жена предпочитает брать готовое, — вздохнул Вадим, — сделанное на заводе. Она покупает сосиски и котлеты.

— Ой, шутник! — засмеялась Наденька. — Никогда не поверю. Ни одна уважающая себя женщина, любящая мужа, не даст ему еду из магазина. Знаешь, по какой причине? Это — жрачка! Еда, пища — это то, что готовится своими руками...

Я мысленно зааплодировала Надюше. Молодец! Начни она ругать его супругу, Вадим мог и возмутиться. Она же говорит о сестре исключительно хорошие слова, но ухитрилась выставить ту в самом невыгодном свете.

— Дом шесть, — подал голос хозяин, — нам сюда. Надюша, я очень рад твоему присутствию. Пока Нина в больнице, будешь помогать мне, но сегодня у тебя учебный день. Молча следи за нами с Дашей и ничего не говори, каждое не вовремя сказанное слово может испортить создание амулета. Дарья, бери сумки — и вперед.

Едва наша дружная компания переступила порог не очень богатой квартиры, как полная, смахивающая на колобок, хозяйка зачастила без передышки:

— Сын Витя никак не женится. Мальчик хороший, послушный, а девушки нет. Я на все готова, чтобы найти для него замечательную жену!

Вадим прищурился. Я поняла, в чем дело, и шепнула ему на ухо: «Ольга Тимофеевна».

— Ольга Тимофеевна, — проникновенно повторил фэншуист, — давайте сядем спокойно и все обсудим. Для начала скажите, какая невеста кажется вам подходящей для сына? По телефону мы с вами уже беседовали, но я хочу еще раз услышать ваши пожелания, глядя вам в глаза.

Мамаша всплеснула руками.

— У Вити покладистый характер, он с любой прекрасно будет жить. Посидим на кухне? У нас двушка, гостиной нет.

— Прекрасно, — одобрил Вадим, — место, где готовят пищу, наполнено положительной энергией созидания и любви.

— Если только жрачку не притаскивают из супермаркета, — почти не разжимая губ, еле слышно обронила Надя.

— Мне нужна обыкновенная невестка. Богатая, молодая, сирота, немая, имеющая дом в Подмосковье, — начала перечислять Ольга Тимофеевна, едва мы устроились на жестких табуретках. — А также особняк на море, все равно где, но в Европе — Франция, Италия, Испания. До Америки далеко лететь, а мне доктор не рекомендует более четырех часов находиться без движения. Счет в швейцарском банке. Уважение к матери мужа, следование ее советам. Да, я буду всегда жить вместе с сыном. Жена его должна родить двоих детей.

Мальчика и девочку. Остальное мелочи. Ну и, конечно, брачный контракт. Если по глупости жены брак с таким идеальным мужем, как Витя, распадется, мой мальчик должен получить три четверти всех ее денег и имущества.

— Внешность? — спросил Вадим.

— Я без особых претензий, — заулыбалась Ольга Тимофеевна. — Впрочем, есть одно условие. У Витюши рост метр шестьдесят пять, так пусть у жены будет немного меньше. И она должна трудиться полный рабочий день плюс командировки. Насмотрелась я на своих подруг, чьи сыновья женились на лентяйках! Те сидят днем дома, а когда муж из офиса прикатывает, требуют развлечений: кино, клуб, танцульки. Мне такое счастье без надобности. Пусть девочка строит карьеру, добивается успеха, я не против. Но по вечерам молодым лучше дома сидеть, у телевизора, незачем им под музыку скакать. Ах, да, еще вес! Не хочется, чтобы по квартире ходил скелет. Витюшина жена должна иметь приятные формы. Как у меня.

Я покосилась на шарообразную хозяйку и поинтересовалась:

— Где работает ваш сын?

— Он пятый помощник менеджера по выкладке товаров в сети супермаркетов элитной категории «Продукты за десять копеек», — гордо сообщила Ольга Тимофеевна. — Много лет служит на одном месте, начинал ассистентом оператора по открыванию шлагбаума парковки и сделал прекрасную карьеру. Не пьет. Не курит. Не пользуется Интернетом. После окончания смены сразу домой. Занимается спортом — два раза в неделю мы с ним вместе ходим в спортклуб на внутреннее дыхание. Это китайская гимнастика, полезная для профилактики старения. Ложитесь на коврик, расслабляетесь и — раз-два-три, вдох, четыре-пять, выдох. Затем согревающий чай и беседа на интеллектуальную тему. В последний раз обсуждали телешоу «Треп». Получилась содержательная дискуссия: нужно ли оно нам? Смотреть или нет? Какие темы более интересны? Хорошо ли одет ведущий? Витюша — правильно воспитанный юноша с твердым моральным стержнем. Вот только никак я ему пару не найду.

Вадим побарабанил пальцами по столу.

— Сколько лет вашему мальчику?

— Сорок один годок, — расцвела Ольга Тимофеевна. — Родила я его рано. Мои родители мной не занимались, разрешали все, и вот результат — младенец в тринадцать лет. Разве это хорошо, так неправильно воспитать дочь? Что я понимала в жизни? Но я учла их ошибки. Витя глупостей не совершает.

— Времени у него на них нет, после выкладки товаров он бежит правильно дышать, — язвительно заметила Надюша. — Когда ему с невестой познакомиться?

Вадим предостерегающе кашлянул и проговорил:

— Хорошо, проблема понятна. Готов сделать вам амулет для приманки нужной невесты. Дарья, подай волшебную основу.

Я вытащила из сумки коробку. Вадик поднял крышку и достал приобретенную мною вчера игрушку.

— Фу, — скривилась Ольга Тимофеевна, глянув на помятую лягушку. — Ну и гадость!

Фэншуист приложил палец к губам.

— Тсс. Иначе она обидится.

— Так вроде жаба дохлая, — чуть сбавила тон хозяйка.

— Обездушенная, — поправил Вадик. — Ну, начнем! Ольга Тимофеевна, берите скальпель и режьте тушку.

— Никогда! — взвизгнула тетка. — Боюсь!

— Кого? — не понял Вадим.

— Ее! — показала на игрушку будущая свекровь немой сироты со счетом в швейцарском банке.

— Иного выхода нет, — пожал плечами психолог-амулетчик. И напомнил: — Вы же невестку ищете?

— Пусть она поможет, — потребовала заказчица, дергая меня за рукав.

— Ну... ладно, — после колебания согласился Вадим. — Хотя есть некоторые сомнения, но можно попробовать. Действуй, Дарья!

В отличие от перепуганной дамы я знала, что лягушка ненастоящая, поэтому смело выполнила приказ.

— Теперь разгладим кожу особым утюжком... — запел Сперанский, подавая толстухе нечто, похожее на толкушку для приготовления картошки в пюре.

— Фу! — снова скривилась хозяйка. И ткнула в меня пальцем-сарделькой: — Пусть она и продолжает.

— Ольга Тимофеевна, вы должны приложить свою руку, — менторски заявил Вадик. — Иначе будущая невестка встретит Дашу и останется с ней.

— Нет, нет, — быстро возразила я, — спасибо. Мне лучше...

Вовремя вспомнив, что вчера наврала про наличие гражданского мужа, я осеклась и проглотила готовые сорваться с языка слова: «...познакомиться с человеком, которого смогу полюбить». Ну да, у меня нет никаких материальных пожеланий, жених может быть бездомным, безлошадным, не очень красивым, но обязательно умным и добрым.

— Что тебе лучше? — неожиданно разозлилась Ольга Тимофеевна.

— Мне лучше вам ассистировать, — выкрутилась я и протянула даме толкушку. — Прошу, начинайте!

Глава 11

— Надо зажечь свечи, — спохватился фэншуист. — Дарья, расстели розовую скатерть. А вы, Ольга, принимайтесь за дело.

Дама зажмурилась, постучала по разрезанной игрушке деревяшкой, открыла глаза и воскликнула:

— Там какие-то буквы!

Я прищурилась и увидела, что внутреннюю сторону кожи лягушки украшает надпись «Made in China». В душе возникла паника. И как объяснить сие? Сомневаюсь, что даже волшебная жабка может быть импортирована из славного Китая.

— Руны, — спокойно поправил Вадик, не глядя на останки фигурки. — Все правильно, выступили особые знаки. Начнем. Символ богатства!

Фэншуист открыл другую коробочку, достал оттуда монетку достоинством в один рубль и поместил ее на будущий амулет.

— Теперь сиротство! — провозгласил он. — Ольга Тимофеевна, нарисуйте вот на этой бумажке две символические фигурки родителей и перечеркните их, затем сверните листы и положите к денежке.

— Секундочку! — напряглась тетка. — Мне нужна обеспеченная девушка, а вы кинули мелочь!

— Целковый сработает как миллион, — с готовностью пояснил Вадим.

— Ага! — воскликнула Ольга Тимофеевна. — Вы бы так в автосалоне объяснили, покупая иномарку. Дали дилеру рублик, сказав, что это на самом деле «лимон», и забрали тачку. Надо засунуть в амулет достойную сумму.

— Сколько хотите? — конкретно поинтересовался фэншуист.

— Десять миллионов долларов! — азартно воскликнула будущая свекровь. — Нет, евро. Стойте, лучше в английских фунтах!

— Сейчас юань на взлете, — продемонстрировала знание валютного рынка Надя.

Ольга Тимофеевна нахмурилась.

— Ну уж нет! Купила намедни тарелку, на ней было написано: «Сделано в Китае». Положила на нее яблоки, а она — брык и развалилась. Не хочу юани. Давай деньги английской королевы.

— Через пару лет уши себе от досады изжуете, — не сдалась Надя, — у Китая великое будущее.

— Грызут локти, до ушных раковин мне не достать, — резонно возразила хозяйка дома. — Фунты, и точка.

— Близок локоток, да не укусишь! Меня поправляете, а сами глупость сморозили. Из крепкой валюты еще есть швейцарский франк и японская иена, — парировала Надя. — Давайте сделаем так: пара миллиончиков американских, штуки три европейских, ну и азиатских до кучи.

— Мы изготовляем талисман на любовь или на деньги? — Вадим попытался вернуть двух баб к нужной теме.

— Какие ж чувства без кошелька? — подбоченилась Ольга Тимофеевна. — Поступайте, как она советует. Сразу видно, очень умная девушка. Но мне такую в семью не надо, лучше поглупее. Не люблю, когда спорят и на своем настаивают. Мое мнение всегда самое правильное, а других переубеждать мне неохота. Давайте невестку не очень сообразительную. Ну, чего тормозите? Работайте!

— Нарисуйте на листочке мозг, перечеркните его и положите к уже уничтоженным родителям, — вздохнул Вадик. — Потом изобразите, сколько хотите разной валюты, и присовокупите к амулету.

Ольга Тимофеевна принялась старательно заполнять бумажки. С изображением мозга будущей невестки потенциальная свекровь справилась на раз-два, а вот составление денежного списка заняло куда больше времени. Но в конце концов она справилась со сложной задачей: в швейцарском банке у будущей жены Вити должны храниться, кроме уже названных долларов, евро, индийские рупии, новый израильский шекель и южнокорейская вона. Юани были напрочь ею отвергнуты, о рублях даже речь не заходила.

Лягушечку зашили, прикрепили к цепочке и торжественно отдали заказчице.

— Теперь слушайте внимательно, — торжественно завел фэншуист-приметчик. — Вам надо повесить амулет на шею сына и проследить, чтобы Витя не снимал его до дня свадьбы. Это самая трудная часть задачи. И вам придется осуществить ее лично — наше присутствие при вручении талисмана повредит его силе.

— Ничего, — засмеялась тетка, — нашли проблему. Накину сыночку цепочку на шею и по-матерински строго, но ласково скажу: «Снимешь — я тебя урою!»

— Нет, нет! — всполошился Вадим. — Дослушайте до конца. В момент передачи амулета нельзя находиться дома. Только — вне квартиры, в хорошо освещенном помещении, в шумной компании веселых людей. Вы должны быть одеты в розовое, яркое, можно с перьями, стразами, золотом. Но никакого серебра! Черный, серый, фиолетовый цвета исключаются. Даже лак такого колера на ногтях может все загубить. Отлично сработает декольте. Вообще, чем больше обнаженного тела, тем лучше. И обязательно должен присутствовать торт. Он символизирует деньги, вызывает их.

Ольга Тимофеевна скосила глаза к носу.

— Чем меньше бисквит, тем хуже с казной, а чем больше он, тем толще кошелек?

— Вы молодец, — похвалил тетку Вадик, — уловили суть. Да, именно так! Богатство приманивают красивое, обнаженное, но не совсем голое тело, розовый цвет, блеск, мишура и торт. В составе последнего должны преобладать взбитые сливки, безе, шоколадный крем. Никакого варенья! Оно кислит, и материальное благополучие может забродить.

Я изо всех сил старалась сохранить серьезный вид. Вадик-то верит в эту чушь про забродившее материальное благополучие. Но кем надо быть, обращаясь к такому специалисту? Человеком без мозга?

Ольга же Тимофеевна внимала речам психолога-амулетчика в благоговейном молчании. Потом схватила блокнот и тщательно законспектировала «лекцию».

— Главное, удивить Витю, — втолковывал ей фэншуист, — ошеломить его. От изумления он должен произнести непечатное слово.

— Витюша мата не знает, — вздохнула мамаша, — я уберегла сыночка от тлетворного влияния улицы.

— Напишите несколько выражений, пусть выучит, — посоветовала Надя.

— Включите ему телевизор, — предложил Вадик, — передачу для подростков или дебаты политиков. Он живо освоит нужную лексику. Но если Витя не выругается, амулет все равно сработает, просто не сразу, а с течением времени. Когда ваш сын придет в изумление, быстро накидывайте ему на шею цепочку — и готово, ждите заказанную невестку. Запомнили? Розовое, блестящее, голое, поразительное и сладкое-сладкое. И желательно упоминание интимных частей человеческого тела или женщины, ведущей разнузданный образ жизни. Тогда получите подходящую жену для Вити. Есть вопросы?

Ольга Тимофеевна сделала отрицательный жест рукой.

— Появятся вопросы, звоните без стеснения, контакт у вас есть, — устало произнес Вадим.

Я доставила хозяина и Надю домой, поднялась вместе с ними в квартиру и не смогла отказаться от любезно предложенного ею чая. На сей раз меня угостили сбором из облепихи с грушей. Поверьте, напиток оказался неземного вкуса.

В тот момент, когда я попросила вторую чашечку, в дверь позвонили. Надя поспешила в прихожую, поговорила с кем-то и вернулась на кухню с большой бутылкой минеральной воды под названием «Горная капля».

— Вот, — весело сказала она, водружая ее на стол, — бесплатно дали! Вернее, за автограф.

Мы с Вадимом непонимающе переглянулись, а сестра Нины затараторила:

— Приходила студентка. Она собирает подписи для выдвижения кандидатов на пост президента. В обмен на автограф дает бесплатно минералку.

— Скоро на должность главы государства будут претендовать дети, — скривился Вадим. — Я путаю или сейчас есть возрастной ценз? Вроде, если тебе меньше сорока, то нечего и думать о президентстве.

— Кажется, в законе речь идет о тридцати пяти годах, — без особой уверенности поправила его я.

— Не важно, — отмахнулся Вадим. — Ясно, что столь юной девушке не сидеть в Кремле.

— Она не для себя старается, — пояснила Надя, откручивая пробку, — ее наняли на эту работу. В теплое кресло хочет попасть владелец заводов газированных напитков, поэтому и бутылочка на халяву. А ничего у него водичка... Вадик, попробуешь?

— Давай, — согласился фэншуист. Осушил стакан и икнул. — Слишком много углекислого газа.

Надя вспомнила обо мне.

— Дашенция, хочешь глоточек?

Вадик продолжал икать.

— Спасибо, — поблагодарила я, — не люблю газировку, у меня от нее желудок болит. Лучше выпью еще твоего восхитительного чая.

На лице Надежды расцвела настоящая, не приклеенная улыбка.

— Нравится?

— Очень! — совершенно искренне ответила я. — Думаю, у тебя скоро не будет отбоя от клиентов.

Вадик, икая без остановки, вышел в коридор. Надя протянула мне жестяную банку.

— Возьми, тут облепиховая заварка. Дарю. Денег не надо. Езжай домой, угости своего мужика. Он тебя потом в постели порадует.

Я поняла, что Надя хочет остаться с Вадимом наедине, встала и поспешила в прихожую.

— Завтра не опаздывай, — крикнул из спальни Сперанский.

Я вышла в крохотный дворик и направилась к своей машине, припаркованной почти впритык к мусорному баку.

Многие жалуются на безденежье и дороговизну продуктов. Но посмотрите на пакеты с отбросами, которые не влезли в контейнер! Люди бросили прямо на землю, наружу высыпались пустые консервные банки из-под красной икры, стаканчики от импортного йогурта, обертки от шоколада, мороженого, косточки авокадо, розовая шелуха от креветок, шкурки с батонов сырокопченой колбасы. Смятых пачек из-под российского геркулеса не видно, зато есть их «родственники» из Финляндии. И кожура картофеля идеально чистая — народ не хочет тащить домой грязные клубни, покупает мытые, а ведь те стоят намного дороже, чем их чумазые братья. Да уж, судя по отходам, жители этих домов не экономят на харчах.

А завтра тут будет полно пластиковых бутылок из-под полученной бесплатно минералки — думаю, мало кто отказался поставить свою подпись в обмен на халявную газировку. Я сама такая — если покупаю печенье, всегда стараюсь взять пачку, на которой написано «+25% бесплатно», или упаковки по акции: «Приобретаете две, третья в подарок». Знаю же, что это обман, ни один производитель не станет раздавать свой товар за красивые глазки, но не могу удержаться.

Как правило, уезжая от Вадима, я поворачиваю налево, попадаю на узкую улочку и огородами-огородами пытаюсь пробраться к своему дому. Крупные магистрали, как правило, забиты пробками, поэтому я давно научилась пользоваться переулками и проездными дворами. Увы, последних становится все меньше — жители перегораживают их шлагбаумами. Но сегодня тихий внутренний голос неожиданно посоветовал: «Езжай-ка, дорогая, по шоссе». Сама не зная, почему, я послушалась, выехала на широкий проспект и потащилась со скоростью беременного ленивца. Оставалось лишь удивляться собственной глупости.

Через пятнадцать минут езды (если, конечно, это можно было назвать ездой) я увидела вывеску «Лаборатория».

Крайне обрадованная, я припарковалась около офиса, вошла внутрь и наткнулась на охранника, который уткнулся в газету «Желтуха».

— Где тут сдают анализы? — спросила я.

Секьюрити отложил бульварное издание, но ответить не успел — из коридора выскочили две бочонкообразные собачки разного цвета и бросились ко мне. Я пришла в восторг, села на корточки и принялась гладить песиков. Они сопели, фыркали, чихали, улыбались, моргали выпученными глазами, в общем, всячески демонстрировали радость от встречи с незнакомкой.

— Любите собак? — спросил мужской голос.

Я подняла голову и увидела невысокого, крепко сложенного мужчину с русыми, коротко постриженными волосами.

— Конечно. А мопсы особенно очаровательны.

Незнакомец вынул из кармана халата очки, водрузил их на нос и спросил:

— У вас есть мопс?

— Нет, — грустно ответила я. — Квартира маленькая, работаю весь день, совесть не позволяет оставить живое существо тосковать с утра до вечера в одиночестве. Поэтому я просто мечтаю о собственной собаке.

— Вы первая, кто правильно определил породу Розы и Кисы, — улыбнулся мужчина, — обычно Розу называют бульдожкой, а Киса вообще ввергает людей в изумление.

— Я читаю журнал «Друг» и знаю, что собаки этой породы бывают черными, — сказала я. — Можно подержать ее на руках?

— Попробуйте, — радушно разрешил владелец.

Я осторожно взяла Кису поперек широкой спинки, подставила под ее задние лапки ладонь и подняла вверх. Мопсиха повернула морду и азартно чихнула мне в лицо. Я рассмеялась, а Киса, словно извиняясь за свое плохое воспитание, вывесила из пасти длинный язык и попыталась слизнуть с моих губ помаду.

— Ну нет, дорогая, косметика не для тебя! — воскликнула я, возвращая мопса на пол. — Налижешься всяких средств красоты и проснешься на следующий день со здоровенным прыщом под глазом.

Мужчина погладил подбежавшую к нему Розу, а я спросила:

— Вы делаете анализы? Вывеска «Лаборатория» относится к вашему офису или я ошиблась дверью?

Хозяин собачек выпрямился.

— Лаборатория? Но кровь обычно берут натощак, а сейчас день уже клонится к вечеру.

Я вынула из сумки пузырек.

— У меня другое дело. Вот настойка из трав, я хочу узнать ее состав.

— Да? — удивился лаборант. — Интересно.

— Знаете растение дурманиха? — спросила я.

— Впервые от вас название слышу, — ответил сотрудник лаборатории.

Охранник вдруг начал издавать странные звуки, то ли кашель, то ли хрюканье.

— Сергей Петрович, не мешайте нам беседовать. Если в горле першит, налейте воды из кулера и попейте, — велел мой собеседник.

— Сейчас, Феликс Жанович, — прокряхтел секьюрити, поднимаясь со стула.

— Пройдемте в кабинет, — предложил мне лаборант, — там и поговорим в спокойной обстановке.

Глава 12

В сопровождении собак мы вошли в небольшую комнату, сели в кресла, и лаборант сказал:

— Давайте познакомимся. Я профессор Маневин Феликс Жанович. А вы?

— Даша Васильева, — пробормотала я, — научных званий не имею.

— Наверное, они вам не нужны, — улыбнулся ученый. — Так о каком анализе идет речь?

— Возникло подозрение, что этой настойкой отравили женщину, — произнесла я.

— Насмерть? — деловито поинтересовался Феликс Жанович.

— Нет, она пока жива, но находится в тяжелом состоянии, в коме, — пояснила я.

— Почему бы вам не обратиться в полицию? — спросил Маневин.

Я смутилась.

— Работаю у некого Вадима Ивановича Сперанского помощницей. Хорошую службу женщине без высшего образования найти трудно, да и возраст у меня отнюдь не юный. В попытке отравить жену хозяина я подозреваю ее сестру, но, возможно, ошибаюсь. Поэтому решила осторожно отлить немного настойки и сдать на анализ. Если в ней нет ядовитых веществ, значит, дальше я буду жить спокойно.

— У нанимателя есть супруга, которую, по вашему мнению, уложила на больничную койку сестра? — уточнил Феликс Жанович.

— Вы верно поняли, — кивнула я. — Один человек утверждает, что Надежда, предполагаемая преступница, увлекается траволечением, и она накапала Нине в чай настойку растения дурманиха.

— Вы увидели вывеску «Лаборатория» и вошли сюда?

— Честно говоря, я не знаю, где можно сделать такое исследование, — призналась я. — Если у вас этим не занимаются, может быть, подскажете нужный адрес?

Феликс Жанович протянул руку.

— Давайте пузырек.

— Отлично! — возликовала я. — Сколько с меня?

— Оплата по факту, — объявил профессор. — Вообще-то мы здесь решаем иные проблемы, но ради любительницы мопсов я готов сделать исключение. Оставьте для связи свой телефон. И вот еще что. Поскольку подобные исследования не являются нашей специализацией, возможна задержка с вердиктом. Чтобы вы зря не ездили по пробкам, поступим так: как только я получу нужные сведения, сразу вам позвоню.

— Вы так любезны, — пробормотала я, отдавая Маневину листок с номером своего сотового. — Мне даже неудобно!

— Ваши интересы пролоббировала Киса, — засмеялся Феликс Жанович.

Я погладила собаку и восхитилась:

— У нее такая шелковая шубка!

— Не сочтете меня сумасшедшим, если я признаюсь, что шампунь для псов я привожу из Фран-

ции? — прищурился Маневин. — У меня с этой
страной особая, генетическая связь. Вы, наверное,
по моему отчеству уже поняли, что мой отец иностранец? Правда я никогда его не видел, я — дитя
фестиваля.

— Кто? — не поняла я.

— В 1957 году в Москве проходил шестой Все-
мирный фестиваль молодежи и студентов, — пояснил профессор. — Моя мать, тогда студентка,
была прикреплена переводчицей к французской
делегации. Далее все просто — короткий роман с
представителем, как тогда говорили, «мира капи-
тализма» и беременность. Мама понимала, что
француз не знает о появлении на свет сына, никогда к ней не вернется, давно забыл о фестивальной
интрижке, но не вышла замуж за другого мужчину
и дала мне отчество Жанович.

— Смелый поступок! — восхитилась я. — В советские годы связи с иностранцами не приветст-
вовались.

— Да уж, — вздохнул лаборант. — С моим именем вообще веселая история. Бабушка, отчаянная
коммунистка, соглашалась уйти с работы и сидеть
с внуком, только если дочь назовет отпрыска в
честь Дзержинского, а мама уперлась из-за отчества. И вот вам смешение режимов: Феликс Жанович.

У меня в сумке ожил телефон.

— Извините, придется ответить, — сказала я и
вытащила трубку.

— Даша, Даша! — закричал Вадим. — Скорей,
плохо! «Скорую»! Быстро.

— С кем беда? — испугалась я.

— Надя! Она... она... — Хозяин зарыдал.

Связь оборвалась. Я вскочила и бросилась к двери, забыв попрощаться с милым профессором.

До квартиры Вадима я добралась неожиданно быстро, плотная пробка рассосалась без следа. Дверь оказалась незапертой, я влетела в прихожую и позвала:

— Вадим!

Бледный до синевы фэншуист высунулся из спальни.

— Слава богу, ты приехала!

— Что случилось? — выдохнула я.

— Надя... Ей очень плохо... — задергался Вадим.

— Говорила ведь, не звони Даше, — простонала Надежда, выползая в коридор, — меня всего-навсего вырвало.

— Тебя тошнит? — насторожилась я.

— Ерунда, — более бодрым голосом ответила она и приложила ладони к животу, — просто революция в потрохах. Что-то несвежее съела.

Я опустилась на стул, стоявший около вешалки.

— Можешь вспомнить весь свой сегодняшний рацион?

Надежда закатила глаза.

— Творожник, чай. Вчера на ужин телятина с овощами. Все! Вадик ел то же самое.

— Я здоров, — заявил фэншуист. — Но меня бережет Айра!

— Ничего не упустила? Может, купила в ларьке конфеты или пакет с чипсами? — обратилась я к Наде.

— Не употребляю такую дрянь, — отрубила та.

— Вода! — подпрыгнула я. — «Горная капля» от сборщицы подписей! Ты ее пила на моих глазах.

— И чего в ней плохого? — заморгала Надя. — Кстати, Вадюша допил то, что осталось в бутылке, больше стакана.

— А потом начал без удержу икать, — отметила я.

— Меня не мутило, — вклинился в беседу фэншуист, — просто напиток слишком сильно газирован.

— Не стоит делать проблему из ерунды, — устало произнесла Надя, — я живее всех живых.

— А вот Нина в коме, — не к месту вспомнила я, — ей тоже внезапно стало плохо.

— У Нинки случился понос, в бессознанку она впала непонятно от чего. Может, ее сглазили? — предположила Надя. — Вадик, такое бывает?

— Существование порчи доказанный факт, — заявил тот. — Порча — отрицательное энергетическое воздействие на организм человека, не обеспеченного надежной защитой.

— Тебе следовало сделать жене оберег вроде того, что носишь сам, — воскликнула я.

— Нина отказалась от своего Айры, — недовольно ответил психолог. — Она вообще не верит в мои амулеты. Вечно смеялась, говорила: «Давай-давай, делай побольше талисманов для дураков, нам надо вкусно кушать».

— Стерва! — всплеснула руками Надя. — Прости, Вадюша, но подло говорить такое в лицо мужу.

— При клиентах жена нахваливает то, что я делаю, а когда наедине останемся, принимается язвить, хохмить, — тоном обиженного ребенка пожаловался фэншуист. — Я ей объяснял: обереги имеют мощную силу, но Нина только хохотала. Предложила мне мышей покупать в зоомагазине! Нет, вы представляете?

Мы с Надей одновременно вздрогнули, Вадим прислонился к стене.

— Каждому талисманщику известно: правильно работает лишь грызун, пойманный собственноручно в поле или в лесу. А Нине не нравилось ездить за город, она твердила: «Какая разница, где мыши жили?» Очень даже большая! Дикая полевка и лабораторная белая мышь — это ж как... как...

Не подобрав сравнения, Вадим замолк. Надя приблизилась к нему и обняла за плечи.

— Теперь я с тобой, забудь все испытания. Я твой лучший друг, и мне нужен амулет. Я никогда не предложу тебе идти в магазин за его составляющими. Давай завтра прямо с утра двинем за мышками? Я тебе сто штук голыми руками поймаю. Я верю в твой талант! Я, и только я нужна тебе!

Завершив страстную речь, Надежда посмотрела прямо мне в лицо. Я правильно поняла ее взгляд и, пробормотав: «Завтра приеду в указанное время», — схватилась за ручку двери.

Когда я вернулась домой, Галина и Семен уже спали — из кухни доносились раскатистый храп пожилой женщины и мерное сопение здоровяка-мужчины. Услышав мои шаги, их зеленая собачка тихонечко гавкнула и едва слышно взрыкнула.

— Тише, милый, — прошептала я, приближаясь на цыпочках к плите. — Вообще-то, неприлично гостю рычать на владелицу квартиры.

Петяша начал вертеть хвостом. Потом подошел к холодильнику, поставил передние лапки на дверь и выжидательно взглянул на меня.

— А ты, оказывается, попрошайка... — покачала я головой. — Зря стараешься, ничего вкусного там нет, один кефир.

Послышалось шуршание. Я наклонилась над кастрюлькой, где сидела серая лягушка, и, накрошив ей хлеба, сказала:

— Прости, дорогая, завтра куплю тебе вкусный корм, а в свободный день отвезу назад в лес, вернешься в родные пенаты.

Квакушка застыла. Я прикрыла кастрюлю полотенцем и отправилась спать.

Утром меня разбудил звонок домашнего телефона. Я схватила трубку и прохрипела:

— Алло...

— Профессор Маневин, — прозвучало в ответ.

— М-м-м... — простонала я.

— Разбудил вас? — испугался Феликс Жанович. — Простите великодушно, позвоню позднее!

Я бросила трубку, зевнула, перевернулась на другой бок и закрыла глаза. Но сон уже пропал. Пришлось вставать и идти в ванную. Примерно через час Сеня и Галина, посадив Петяшу в сумку и взяв с собой странный ящик на длинной шлее и с ремнем, отправились куда-то по делам. А я, налив лягушке в блюдечко свежей воды и угостив ее геркулесовой кашей, поехала к Вадиму, прихватив с собой небольшой пакет с отбросами.

Дом, в котором я живу, несмотря на гигантские размеры, не имеет мусоропровода. С одной стороны, это плюс, потому что из железной вонючей трубы по квартирам разбегаются веселые тараканы. Но с другой... Как же лень тащиться к бачкам, в особенности если на улице дождь, снег, ветер! Хорошо хоть сейчас конец весны, и с неба не сыплется ледяная крупа.

Я открыла машину и бросила пакет на заднее сиденье. Вам мой поступок кажется странным? Но вы же не в курсе, что в нашем дворе затеяли строительство детской площадки. Поэтому вместо мусорных бачков стоит щит с объявлением: «Временный выброс пищевых отходов находится в доме десять, первый подъезд». Не стоит думать, что очистки, объедки и прочую красоту надо складировать в парадном! Конечно, нет. Просто у наших коммунальщиков нелады с русским языком. Естественно, в соседнем дворе возле указанного подъезда стоят контейнеры. Вот только идти к ним довольно далеко, лучше доехать.

Сегодня на шоссе не оказалось пробок, я быстро докатила до дома Вадима. Хотела взять сумку, обернулась и разозлилась — я забыла притормозить и выбросить пакет с мусором! Может, мне купить витамины и регулярно их принимать? Наверное, надо пристраивать мешок на переднем пассажирском сиденье, чтобы он находился в поле зрения. Ладно, не буду себя ругать...

Я бодрой рысцой дотрусила до помойки, которой пользуются местные жители. Огромный бак был переполнен, а около него на асфальте громоздилась куча разноцветных разодранных пакетов, из которых высыпались смятые коробки, яичная скорлупа, обертки от конфет. Что-то показалось мне странным, но я не стала додумывать мелькнувшую мысль, быстренько швырнула свою ношу на самый верх мусорного «эвереста» и пошла к подъезду.

Дверь мне открыл Вадим.

— Сделай одолжение, вынеси отходы, — попросил он, показывая на туго набитый мешок, из которого высовывалась пустая бутылка с этикеткой «Горная капля». — Я пока соберусь.

И мне пришлось опять топать на помойку. На сей раз одновременно со мной к горе мусора приблизилась женщина лет сорока.

— Ну, народ, — недовольно забурчала она. — Натуральные свиньи!

— Бак сегодня не опустошали, — вздохнула я.

— И что? — продолжала возмущаться незнакомка. — Неужели трудно аккуратно положить свой пакет? Так нет, швыряют и уносятся, а мешок с размаха шмякается о землю, лопается, все из него наружу лезет. Бутылки часто раскалываются. Вон одна аж к подъезду откатилась, из-под вредной колы. А вот вы, смотрю, правильную, минеральную воду употребляете.

— Минеральная вода... — эхом повторила я, тут же поняв, что удивило меня при первом визите к бачку: здесь не было пустых бутылок от воды, подаренной владельцем завода, желающим стать президентом.

— Ну и как «Горная капля» на вкус? — спросила женщина. — Ни разу такую не покупала. Дорогая?

— Я не пью газированные напитки, — ответила я, — у меня от них сразу желудок болеть начинает. Насчет цены не знаю. А разве вам вчера не подарила «Горную каплю» девушка, собиравшая подписи?

— Кто? — удивилась собеседница.

Я рассказала ей про студентку, и женщина расстроилась.

— Не досталось мне ничего, а ведь я целый день дома сидела. Может, в дверь позвонили, когда я к Лариным заглянула? Хотя нет, мы соседи, а к ней тоже не приходили. Вы на каком этаже живете?

— На четвертом, — ответила я.

— Мы внизу, в первой квартире, и ничего не получили. — Тетка вздохнула.

— Вероятно, сборщица подписей шла сверху, и вода у нее закончилась, — пробормотала я.

— Что ей, мало бутылок выдали? — спросила незнакомка и удалилась с сердитым видом.

Я еще раз оглядела «клондайк» отходов, вернулась в подъезд, поднялась на последний этаж и позвонила в дверь, отделанную пластиковой панелью.

— Кто там? — спросил хриплый голос.

— Простите, пожалуйста. Мы вчера здесь собирали подписи для будущего президента, подарили вам бутыль минералки, — заныла я. — Оцените, пожалуйста, качество напитка, ответьте на нашу анкету.

Створка приоткрылась, высунулась девушка. У нее на шее, несмотря на теплую погоду, был намотан толстый шерстяной шарф.

— Что надо? — прохрипела она. — Какой президент?

Я терпеливо повторила и услышала в ответ:

— Ко мне никто не заглядывал, минералку я не получала.

— Вы уверены? — спросила я. — Сборщице подписей было строго приказано угостить водой каждого, кто распишется в ведомости.

— Сижу дома третий день безвылазно, — простонала девушка, — ангина у меня. Я бы не отказалась от подарка, мне доктор велел пить побольше. Но никто не звонил в квартиру.

Глава 13

Следующие четверть часа я, рискуя вызвать гнев Вадима, бегала по этажам и звонила в двери. Кое-где никого не было, но в большинстве квартир хозяева с недоумением твердили одно и то же:

— Подписи? Вода? Впервые слышим.

К Вадиму я вошла, пребывая в полнейшей растерянности. Получалось, что сборщица заглянула исключительно сюда, проигнорировав остальное население дома. Почему она так странно поступила? Я бы еще поняла, живи Вадик на нижнем этаже, — студентка могла начать обход оттуда, потом ее что-то отвлекло, и девчонка убежала, наплевав на задание. Но она поднялась на четвертый!

Из кухни донеслось звяканье, я заглянула туда, увидела Надю у плиты и сказала:

— Привет! Ты как?

Она повернулась, и я тихонечко ойкнула. Все лицо Нади покрывали неровные красные пятна.

— Красиво? — скривилась она. — Аллергия у меня, уж не знаю на что. Морда горит, чешется, насморк начался, кашель, и до кучи в желудке буря.

— Прими лекарство, — посоветовала я. — Хочешь, сбегаю в аптеку?

— Да уж наглоталась по полной программе, — вздохнула Надя. — Но пока лучше не стало. Что за черт, пятое яйцо разбиваю, и опять тухлое!

Я повела носом.

— Ничем вроде не пахнет.

— Воняет отвратительно! — воскликнула Надя и, зажав рот рукой, кинулась в туалет.

— Похоже, Надюша подцепила грипп, — заявил Вадим, появляясь на кухне. — Даша, съезди за продуктами, вот список и деньги, мы сегодня дома останемся.

— А как же клиенты? — напомнила я. — Нас ждут в двух местах.

— Перенесу визиты на другой день, — легкомысленно отмахнулся Вадик, — не хочу Наденьку одну оставлять.

Не успела я сесть в машину, как мобильный издал истерический визг — звонок у нового телефона оказался очень пронзительным. Зато голос, раздавшийся из трубки, был спокоен.

— Здравствуйте, Дарья, вас беспокоит Феликс Жанович. Извините за то, что рано разбудил. Хотел побыстрей отдать вам результат исследования.

— Анализ готов? — обрадовалась я, забыв поприветствовать профессора.

— Верно. — Маневин кашлянул. — Нужно обсудить результаты.

Я посмотрела на длиннющий список продуктов, среди которых были такие, как «охлажденный, ни в коем случае не замороженный тунец», «белая спаржа из Франции», «какао нормальное, не быстрорастворимое», и сказала:

— Могу приехать прямо сейчас.

— Но я не в офисе, — предупредил Феликс Жанович. — И лучше нам пошушукаться в каком-нибудь нейтральном месте. Как насчет кафе «Библиотека»?

Я обрадовалась.

— Отличная идея! Мне езды до него минут десять.

Договорившись с Маневиным, я перезвонила Вадиму и сказала:

— Надежда заказала непростые продукты. Их можно приобрести только в «Рае гурмана».

— Так поезжай туда, — ответил фэншуист.

— Супермаркет далеко, он огромный, я потрачу часа три, не меньше, — заныла я. — Пока доберусь до места, найду рыбу, выберу спаржу...

— Мы никуда не торопимся, — покладисто сказал знаток народных примет, — так что времени у тебя вагон. Наденька запланировала какой-то особый ужин, но она еще в ванной, душ принимает. Думаю, готовить начнет нескоро.

Я засунула телефон в карман. У этих двоих дело уже дошло до романтической трапезы, вот почему в списке есть строчка: «Четыре белых свечи, бутылка французского шампанского». Скаредную Нину затрясло бы от ярости при одной мысли о вине, которым собрались насладиться ее супруг и сестра. А Вадик, похоже, совершенно не обеспокоен состоянием здоровья жены. Нина в коме? Ну и пусть отдыхает...

— Быстро доехали! — воскликнул Феликс, когда я вошла в полутемное помещение, стилизованное под старинный читальный зал, и села за круглый столик. — Что закажете? Рыбу? Мясо?

— Завтракать поздно, обедать рано, лучше кофе, — попросила я. — Со специями — кардамон, гвоздика, перец. Он варится в турке на песке.

Когда официант, приняв заказ, отошел, Феликс Жанович завел светскую беседу:

— Вам нравится «Библиотека»?

— Я впервые тут, — ответила я. — Очень редко посещаю рестораны, максимум, что могу себе позволить, — поход в «Быстроцыпу». Интерьер здесь мрачноват, не находите?

— Согласен, — кивнул Маневин. — Лично я предпочитаю «Кармен-холл», там светло и окна огромные.

— В «Кармен» узкие бойницы! Прямо щели! — возразила я.

— Вечно путаюсь в названиях, — вздохнул профессор, — я имел в виду «Тореадор».

— Что с анализом? — я решила закончить пустой треп и приступить к главному.

Профессор вынул из одного кармана листок, из другого очки и торжественно произнес:

— Исследуемая жидкость является настойкой дурмана. Это растение семейства пасленовых, очень ядовито, особенно опасны его семена. Оказывает спазмолитическое действие на гладкую мускулатуру, вызывает хрипоту, головную боль, жажду, частый пульс, тошноту, понос, галлюцинации, вспышки немотивированной злобности, истерику. В последующем развивается коматозное состояние.

— Очень ядовит... Тошнота, понос, галлюцинации... — повторила я. — Сколько с меня за исследование?

Маневин объявил цену.

Я порылась в кошельке, набрала нужную сумму и смутилась.

— Простите, купюры мелкие.

— Но от этого они не перестали быть деньгами, — улыбнулся Феликс Жанович. — Похоже, ваши подозрения оправдались. Этой настойкой легко отравить человека. Попробуйте пирожные, они свежайшие.

Минут пятнадцать мы болтали о разных пустяках. Вдруг Феликс Жанович, постоянно жестикулировавший, сделал резкое движение рукой и уронил тарелку. Упав на пол, она рассыпалась на мелкие осколки.

— Вот косорукий медведь... — отругал себя Маневин. — Официант! Включите посуду в счет.

Я встала.

— Мне пора, спасибо за кофе и сделанный анализ.

Феликс тоже поднялся.

— Ерунда, пустяковая задачка. Это я должен вас благодарить за приятно проведенное время. Вы любите воду?

— В смысле? — не поняла я.

— Вроде погода наладилась, — улыбнулся он, — давайте поедем в парк. Можно взять лодку, поплавать по пруду.

— Мне надо вернуться на работу, — покачала я головой.

— Тогда после нее вечером встретимся. Покатаемся при луне, — не сдавался Маневин.

— Завтра мне опять на работу, — я подыскивала вежливые причины для отказа. — Вставать рано. Вадим Иванович живет в седьмом доме на улице Бубнова, движение там одностороннее, чтобы доехать, приходится кружить. Я всегда по утрам попадаю в пробку. Как-нибудь в другой раз. Спасибо за приглашение.

— Давайте провожу вас, — засуетился Маневин.

— Не надо, — возразила я. — Не люблю, когда меня с церемониями доставляют к автомобилю.

Чтобы не дать Феликсу Жановичу возможности настаивать, я быстро отошла от столика. Распахнула дубовую дверь, вошла в холл, захлопнула дверь и — очутилась в кромешной темноте. Растерялась, сделала шаг и стукнулась обо что-то лбом. В ту же секунду моего лба коснулось нечто вроде барабанной палочки, причем это нечто было мягким и раскачивалось, а затем до лица дотронулась пушистая шкурка. Я в недоумении подняла руку, нащупала морду, оскаленные зубы и закричала:

— Помогите!

Сзади послышался скрип. Потом тихий смех и голос Феликса:

— Дашенька, что вас напугало?

Я выскочила назад в зал, увидела официанта, профессора и сердито произнесла:

— Дизайнер «Библиотеки» перестарался, воссоздавая интерьер старинного книгохранилища! Почему в холле не горит свет? И на меня там накинулась кошка! Представляете, я хотела выйти, а она подскочила до уровня моего лица, чем-то стукнула по лбу и...

— Дашенька, похоже, вы и сейчас держите сию кисоньку мертвой хваткой, — сдавленно произнес Феликс Жанович.

Тут только я сообразила, что на самом деле сжимаю рукой хвост зверька, а он мирно висит вниз головой, не демонстрируя ни малейших признаков агрессии.

— Простите, господа, но это не кошка, а лиса, — сказал официант.

Я вздрогнула.

— В кафе живет хищница? Без клетки?

— Мадам, у вас в руках горжетка, — уточнил сотрудник «Библиотеки». — Вчера приходила госпожа Краснова, наша постоянная посетительница, и забыла ее здесь. Она смахивает на живую лису с головой, зубами, лапами. Но мумия не кусается.

— Чучело! — обрадовался Феликс Жанович. — Никогда не мог понять любовь дам к изделиям из шкур невинно убиенных представителей фауны.

— Женщины! — закатил глаза официант. — У них свои причуды.

Ко мне вернулся дар речи.

— И в чью умную голову пришла идея повесить горжетку в центре холла? Кстати, когда я пришла в кафе, там ничего подобного не было. Вы разыгрываете посетителей? Человек хочет выйти на улицу из весьма тускло освещенного зала, но все же снабженного источником света, и попадает в предбанник, где напрочь отсутствуют бра-торшеры, касается лицом трупа лисы... Все смеются, всем весело? Позвольте напомнить: первое апреля давно миновало, и мне сей прикол не показался забавным.

— Но, мадам, — смиренно сказал официант, — вы попали не в холл...

— А в цирк? — обозлилась я. — В зоопарк? Или, может, в уголок дедушки Дурова? Не разобрала в темноте!

— Вы, простите, попали в шкаф, — закончил фразу лакей.

— Что?! — оторопела я.

Феликс Жанович покраснел.

— Скоро лето, поэтому гардероб, куда посетители сдают пальто и куртки, закрыт, — пояснил официант. — Но некоторые дамы не расстаются с мехами, и мы их помещаем в этот шкаф. В смысле, шубки вешаем в шкаф, клиентки сидят в зале. Сейчас модно и в теплое время вечером накинуть на платье жилет из норки или...

Профессор закашлялся, потом не выдержал и расхохотался. Служитель же «Библиотеки» продолжал:

— Или шарф соболиный. Вы перепутали двери, вошли в шкаф, а там висела вешалка с горжеткой. Прошу, вам сюда!

Навесив на лицо сладкую улыбку, парень толкнул другую, тоже деревянную резную дверь, и я увидела хорошо освещенное помещение холла с полом, выложенным плиткой. Смутилась и бросила на ходу:

— Спасибо.

И поспешила на выход.

— Простите, мадам, — крикнул мне в спину официант, — вы бы не могли оставить горжетку? За ней скоро приедут!

Я сделала судорожный вдох. Ну, Даша, ну, молодец! Мало того, что влезла в гардероб, налетела лицом на вешалку с горжеткой, перепугалась, переполошила всех, так еще несешься на улицу, держа в руках останки бедняжки лисы. Главное, не оглядываться, потому что мои щеки, похоже, полыхают огнем.

Я бросила горжетку в кресло у большого зеркала, кинулась вперед, стукнулась лбом о стекло, попятилась, увидела серебряную ручку, нажала на нее и наконец-то очутилась на улице, чувствуя себя стопроцентной идиоткой.

Глава 14

— Тише, — шикнула Надя, когда я втащила на кухню тяжелые пакеты, — Вадик работает! Он создает уникальный талисман. Что так долго?

— Тунца искала, — соврала я.

— Нашла? — прищурилась Надя и поморщилась.

— До сих пор плохо? — заботливо осведомилась я, проигнорировав ее вопрос. — Тошнит? Пятна на лице у тебя стали ярче. Может, к врачу сходишь? Давай, отвезу тебя в больницу, где лежит Нина, заодно и сестре поможешь.

— Вадик разговаривал по телефону с врачом, она до сих пор без сознания. Зачем мне к ней? Какой Нине от меня толк? Чем я ей помогу?

Я без приглашения села к столу.

— Если врачи будут знать, чем отравился человек, то им легче лечить его. Тебе надо рассказать про дурман. Прямо сейчас.

Кусок рыбы, который Надя собиралась сунуть под воду, шлепнулся на пол.

— Дурман? — изобразила удивление травница из Макаровки. — Где дурман? Ты его купила? В списке не было никакого дурмана. Никогда про такую приправу не слышала.

— Дурман обыкновенный, растение семейства пасленовых, очень ядовитое, вызывает галлюцинации, тошноту, рвоту, смертельно опасно, — спокойно сказала я. — В твоей сумке лежит пузырек с настоем из него. Я взяла оттуда малую толику, отдала на анализ. Хочешь посмотреть результат?

Надя открыла рот, захлопнула его, сделала шаг, наступила на уроненного тунца, взвизгнула, пошатнулась и села на пол со словами:

— Это не моя склянка! Враки! Мне ее подсунули!

Я опустилась около нее на корточки.

— На стекле хорошо сохраняются отпечатки пальцев. Я очень люблю детективные телесериалы, готова часами их смотреть, вот и получила кое-какие начальные знания по криминалистике. А еще я в курсе, как Нина познакомилась с Вадимом. Галина рассказала мне историю про лес, грибника и номер телефона. Надюша, ты решила избавиться от сестры? Хочешь занять ее место рядом с Вадимом?

— Нет, нет, — зашептала Надя, бледнея так, что пятна на ее лице из розовых превратились в алые, — ничего плохого я не замышляла.

— А зачем дурман? — спросила я.

Надежда опустила голову.

— Думаешь, я буду молчать? — пригрозила я. — Ты отравила Нину!

— Нет, нет, честное слово, нет, — захныкала Надя.

— Наш разговор становится похож на бег по кругу, — вздохнула я. — Придется задать все тот же, изрядно уже надоевший вопрос: зачем тебе дурман?

— Там слабенькая концентрация, — всхлипнула Надя, — я хотела... думала... ну...

— Ну? — повторила я. — Что «ну»?

Надя оперлась ладонью о пол, встала, вымыла руки, села на табуретку и зашептала:

— Ты меня не поймешь.

— Попробую, если попытаешься объяснить, — парировала я.

— Разве это честно, что Нинке мой жених достался? — прохныкала Надя.

— Ты сама парню неверный телефон дала, — напомнила я.

Надя шмыгнула носом.

— Глупо получилось. Вадик выглядел при первой встрече нищим — одежда изношенная, корзинка старая. Вот я и подумала: пусть катится подальше...

Я молча слушала алчную Надюшу. Сказки — ложь, да в них намек, добрым людям всем урок! Ведь наверняка Надя читала в детстве про девушек, которые, встретив в лесу убогую бабушку или дедушку-оборванца, не отворачивались с презрением от стариков, а делились с ними куском хлеба. Потом — опля! — старики оборачивались волшебниками и одаривали добрую девушку и богатством, и женихом-царевичем. Зло наказуемо, а добро вознаграждается — вот основная мысль большинства народных сказаний. Да только не все люди усваивают простую истину.

Надюша отвергла убого одетого парня, а тот оказался психологом-фэншуистом, москвичом с хорошей квартирой и достался ее сестре. Измучившись от жизни с Семеном и Галей, Надя решила восстановить справедливость, приготовила настойку дурман-травы и поехала в Москву. Но убивать Нину она не собиралась.

— Я ж не дура! — канючила сейчас Надя. — Вдруг полиция что-то заподозрит, меня поймают, посадят в тюрьму? У меня был совсем другой план.

В небольших дозах дурман приводит к вспышкам немотивированной злости. Надя отлично знала, что у Нины взрывной темперамент, она кричит по любому поводу и даже может распустить руки. Изредка наезжая в столицу, она видела: сестра явно полагает, что тихий, интеллигентный, совершенно лишенный агрессивности Вадик полностью ею порабощен. Нина совершила классическую ошибку замужних женщин — вскоре после свадьбы перестала заботиться о супруге, постоянно повышала на него голос, требовала больше зарабатывать, сама распоряжалась семейной кассой и считала Вадима мямлей, не способным на решительные перемены в жизни, мол, никуда муженек от женушки-рабовладелицы не денется.

А внимательная Надя замечала, как порой кривятся губы Вадима, ловила в его взгляде недовольство и поняла: если около Вадима появится ласковая, понимающая, заботливая женщина, то вполне возможна рокировка цариц в замке Сперанского. А потому надумала выпихнуть сестрицу из насиженного гнездышка. Но Вадик оказался крайне порядочным человеком, продолжал терпеть хамство Нины. Наде стало ясно, что сестричка еще не довела мужа до крайней точки, а значит, нужно ускорить этот процесс. Если капать Ниночке в еду настойку дурмана, та начнет себя вести более агрессивно, буйствовать, говорить супругу гадости. В такой ситуации даже у буддистского монаха иссяк бы запас терпения. И кто подставит Вадиму в трудный момент плечо? Кто его поддержит, похвалит, утешит? Кто защитит от вконец распоясавшейся хулиганки? Ответ очевиден: Надюша.

— Мне и в голову не могло прийти лишить жизни родную сестру, — причитала Надя, — просто я хотела вернуть все на свои места. Мне Вадика — Нинке развод. Дурман был нужен, чтобы спровоцировать у нее жуткие истерики. И я настойку ни разу не использовала. Если ты отливала из пузырька, должна была видеть — тот наполнен под горлышко. Кстати, знаешь, убить врага неинтересно. Мне было бы намного приятнее, если бы подлая Нинка увидела, как нам с Вадиком хорошо, измучилась от ревности, мебель стала бы грызть от злости, поняв, чего по своей хамской глупости лишилась. Вот это был бы кайф — пройти мимо нее под руку с Вадюшей и знать, что сестру натурально крючит, печень у нее в пыль от разлившейся желчи рассыпается. А если она в гроб ляжет, ни малейшего удовольствия я не получу: ведь покойница ничего не узнает, не обзавидуется, не порыдает. И Вадим ее жалеть будет, про умерших же всегда хорошо говорят, со временем Нинка для него в святую превратится. Ну уж нет, пусть жила бы долго, лет до ста. Но одинокая. И глядела на меня. Я в шубе — она в лохмотьях... У меня Вадик — у нее никого...

— Что же остановило тебя от осуществления этого плана? — мрачно поинтересовалась я.

Надя схватила меня за руку.

— Когда я могла успеть? В день приезда я этого делать не хотела, думала с утра ей в чай накапать, а Нинке к ночи уже плохо стало. Поверь, я тут ни при чем! И, пожалуйста, не говори ничего Вадику! Нинка вот-вот умрет, и мы спокойно поженимся.

— И тебе не жалко сестру? — воскликнула я.

Надя пожала плечами:

— Получилось, конечно, не так, как мне хотелось, но главное — Вадим теперь мой.

— У Нины есть шанс поправиться, — перебила я ее.

— Нет! — зашептала злоумышленница. — Я слышала разговор Вадюши с врачом. Тот сказал: «Ваша жена овощ, отравление убило мозг, она будет жить на аппаратуре. Больница потребует очень больших средств, вам придется на содержание полутрупа работать». Вадику надо какие-то бумаги подписать, и — кислород отключат. Зачем бедняжку мучить? Разве она живет? Ничего не понимает, не чувствует. На том свете Нинке будет лучше.

Похоже, Надежда со мной откровенна. Пузырек, из которого я набрала пипетку, действительно был наполнен доверху. Надя хотела не просто разрушить семью сестры, а еще и насладиться моральными мучениями Нины, потерявшей мужа. Но если дурман не применяли, чем отравилась Сперанская?

— Слушай... — вкрадчиво зашептала Надюша. — Нинка за копейку зубами держалась, вечно скандалила, злилась. Я другая — спокойная, тихая, не жадная. Попрошу Вадика тебе зарплату прибавить, мы с тобой подружимся. Хочешь, опять заварю миндально-шоколадный чай?

Я кивнула.

Гостья из Макаровки, резко повеселев, встала на ноги.

— Договорились? Не расскажешь Вадику про дурман? А я смолчу про то, как ты в моей сумке шарила. Я на тебя не в обиде, знаю, кто всю кашу заварил — Галя и Сеня. Обожают они людей грязью мазать. Сволочи! Не хочешь себе зла, не делай людям добра. Небось хитрованы у тебя поселились?

Я снова кивнула.

— Гони их вон! — повысила голос Надя. — Не повторяй моих ошибок! Пожалела я когда-то Сеньку — и получила результат. Дармоедничал вместе со своей мамашей на моей шее не один месяц. И ни разу «спасибо» мне не сказали! Фу, аж голова при воспоминании о бывшем муже и свекрови-лапочке закружилась...

Надя плюхнулась на табуретку, схватила с подоконника газету и стала ею обмахиваться.

— А как выглядела студентка, которая собирала вчера подписи? — перевела я разговор на другую тему.

— Не помню, — равнодушно ответила Надежда. — Молодая.

— А ты встречала пожилых людей, обучающихся в институте? — съязвила я. — Попробуй описать девицу.

Надя пожала плечами.

— Волосы вроде короткие... Или она их в хвост собрала?

— Блондинка? — уточнила я.

Собеседница начала грызть ногти.

— Фиг ее знает. Вроде челка была. А может, нет.

Я решила не сдаваться.

— Цвет глаз?

— Серый... зеленый... карий... — задумчиво перечисляла Надя. — Вроде не такие темные, как твои. Слушай, а ты почему брови не выщипываешь? Они ж на клюшки похожи и здорово тебя старят. Покрась волосы в соломенный цвет, перестань бегать в солярий и будешь выглядеть на пятнадцать лет моложе.

— Зачем столько усилий? — хмыкнула я. — Каким родился, таким и пригодился. Я от природы смуглая, и ширина бровей меня полностью устраивает. А ты, похоже, внимательная... Может, все-таки вспомнишь внешность той студентки?

Надя чихнула — и упала на пол. В первую секунду я растерялась. Потом увидела, что она не шевелится, бросилась к ней и закричала:

— Вадим! Сюда!

Дальнейшие события напоминали дурной, уже один раз виденный фильм. Только вместо молодого парня-врача на «Скорой» приехала усталая женщина лет пятидесяти. Она тоже сразу заявила:

— Идите по соседям, я носилки не потащу. Или попробуйте договориться с нашим водителем. Он добрый, авось согласится помочь.

«Добрый» шофер спрятал в кошелек полученную от Вадима купюру, и минут через пятнадцать мини-вэн с красным крестом потащился по пробкам, надсадно воя сиреной. Надо отдать должное водителям — большинство из них, увидав спецмашину, подавало в сторону, и мы сначала быстро продвигались вперед. Но вскоре встали намертво.

— Что случилось? — занервничал Вадим.

— Дорогу перекрыли, — зевнул шофер. — Наверняка какой-то хрен с горы сейчас к любовнице покатит.

— Может, человек по государственным делам спешит, — сказала я.

Водитель неожиданно разозлился.

— У нас война сейчас? Немцы на Москву наступают, и главнокомандующий спешит на фронт?

Домой он прет. Или к бабе. Времени, посмотри, сколько — рабочий день заканчивается. Из-за одного гаденыша половину МКАД перекрыли. Евгения Михайловна, помните, как у нас в машине мужик чуть не умер?

— Неприятный разговор, Леня, — процедила врач, — лучше помолчим.

— Во-во! — загудел Леонид. — Те, кто с моргалками, все себе позволяют, потому что народ язык прикусил. Нет бы ему властям революцией пригрозить.

— Хватит с нас переворотов, — вздохнула я, — хочется пожить спокойно.

Шофер обернулся.

— Женщина, а чего скажете, если ваша родственница из-за того, что мы тут застряли, ласты склеит?

— Леня! — предостерегающе произнесла врач. — Больная в тяжелом, но стабильном состоянии. Господа родственники, не паникуйте.

Владик схватил меня за руку, я погладила его по спине, успокаивая.

— Ладно, эта больная ничего. А тот мужик? — не унимался Леонид. — Чудом ведь выжил! Аппаратуры нет, машина старая... Я помню, как вы его реанимировали, сами едва не померли, пока ему искусственное дыхание делали. Депутаты на бронированных «мерсах» раскатывают, а «Скорые» дряхлые. И врачей не хватает. Кто пойдет на маленькую зарплату за большой геморрой? И кислорода у нас нет, и...

— Все у нас есть, — попыталась охладить гнев шофера Евгения Михайловна. — Если вызов по кардиологии, то приедет хорошо оборудованная машина.

— А в нашей — пшик! — стоял на своем Леня. — Мне Серега, мой сменщик, рассказывал, что у него вообще дядька помер. Взяли они жертву ДТП. Отец и дочь на автомобиле по дороге ехали. Папаша за рулем сидел, она сзади. Ну и вломился в них кто-то. У девушки пара царапин, а отцу плохо. Погнал Серега и — упс! Перекрыли дорогу. Куда деться? Не вертолетом ведь управляем, не взлетишь. Короче, умер мужик-то. И на чьей совести его смерть? Кто виноват? А доставили бы его вовремя, и ушел бы потом домой на своих ногах. Серега точно уверен: выжил бы тот раненый.

— Сергей не врач, чтобы делать подобные заявления, — рассердилась Евгения Михайловна.

— Кирилл Борисович так сказал, — заявил Леонид, — а он отличный доктор. Серега рассказывал, девушка у него в машине чуть с ума не сошла, когда поняла, что отца больше нет. А потом на дорогу выскочила и замерла. Сергей испугался, за ней бросился, начал в «Скорую» затаскивать, а она ему говорит: «Отвали! Хочу заснять мерзавца, ради которого движение перекрыли. Жизнь положу, но выясню, кто он, и отомщу». Не успела сказать, как по левой полосе мчится машина ДПС, люстрой сверкает, а за ней на черном «Майбахе» с мигалкой этот хрен катит. Не президента пропускали, не министра обороны, не фээсбэшника главного — эти-то, может, и правда по делам рулят, — а какого-то богатого козла. Гаишники его сопровождали, как всегда, за бабло продались.

— Твой Серега экстрасенс? — сердито спросила врач. — Как он понял, кто в машине сидит?

Леонид стукнул рукой по баранке.

— Ну вы ваще! Чиновники на «Майбахах» не ездят, хоть крошечный стыд, да имеют. Или жадно им колеса за миллион баксов покупать. Не, там олигарх сидел, который народ обворовал. И ехал он, судя по всему, во Внуково, спешил на частный рейс, там есть терминал, откуда за нереальные деньги улетают.

— Все-то ты знаешь, — неодобрительно покачала головой врач.

— Этта точно, у меня ума в избытке! — воскликнул Леонид. — А все почему? Книги читаю, газеты...

В моей сумке затрезвонил мобильный. Я взяла трубку и услышала голос Феликса Жановича:

— Дашенька, как ваши дела?

— Извините, я занята, — тихо ответила я.

— Помогаете создателю амулетов? — не отставал Маневин. — А когда он вас отпустит?

— Не знаю, может, часа через три-четыре, — еле слышно прошептала я и отсоединилась.

— Некоторые обожают компьютер, — продолжал вещать водитель, — а я в Интернет не ходок, злобы мне от соседей и завгара хватает. Но вот Серега вечно в Сети шарится, и он мне через пару недель говорит: «Девчонка, отец которой у меня в «Скорой» помер, молодец оказалась. Такой бенц устроила! Всех блогеров переполошила, фотку «Майбаха» с мигалкой выложила, а у того номерной знак хорошо видно. Просила откликнуться того, кто знает, чьи колеса. А теперь призывает бойкотировать перекрытие шоссе. Пишет: «Полиция тормозит, а вы езжайте дальше, наплюйте на них. Что они со всеми сделают? Одного накажут, а перед тысячей спасуют!» Прав был Емельян Пугачев. И Степан Разин...

Лента машин дрогнула и двинулась вперед.

— Хватит болтать! — осадила Леонида врач. — Крути рулем, атаман ты наш, борец за справедливость.

Глава 15

Надю, как и Нину, отвезли в реанимацию. Несмотря на то что больница была другая, а лечащим врачом оказалась женщина по имени Маргарита Львовна, ситуация с младшей сестрой развивалась точно так же, как со старшей.

— Езжайте домой, — сказала доктор, — нет смысла торчать в коридоре.

— Что с ней? — попытался выяснить Вадим.

— Диагноз пока не поставлен, — увильнула от прямого ответа Маргарита Львовна.

— Она поправится? — наседал фэншуист.

— Сделаем все возможное, — отделалась стандартным заявлением врач.

Я решила сообщить ей полезную информацию:

— Старшую сестру Нади тоже положили в клинику. Сейчас она в коме. Первоначальные симптомы у родственниц одинаковые.

— И какие? — снисходительно поинтересовалась Маргарита Львовна.

Я перечислила:

— Неполадки с пищеварением. Нину мы нашли без сознания в ванной, у нее был понос. А Надю вдруг затошнило. Внезапно, безо всякой причины. Еще у нее на лице появились красные пятна, вроде как дерматит, и галлюцинации, связанные с запахами. Она хотела приготовить омлет, разбивала яйца и выбрасывала их, говоря: «Тухлые, жутко воняют!» Но на самом деле они ничем не пахли.

— Человеку, далекому от медицины, все описанные вами симптомы могут показаться похожими, — по-прежнему снисходительно заявила доктор. — Но согласитесь, тошнота и понос — разные явления.

— Нет, родственные, — уперлась я, — они свидетельствуют о нарушении пищеварения. Может, вам объединить эти случаи?

Врач сделала шаг назад.

— Как?

— Когда полицейские понимают, что в разных делах просматривается общий почерк, они объединяют расследования в одно. Может, если положить сестер в одну палату, будет легче найти метод их лечения?

— Спасибо за бдительность, — процедила врач. — До свидания!

Но я даже не пошевелилась.

— За несколько часов до болезни Нина заходила в дом, где ранее умерло от загадочного вируса несколько человек.

В глазах Маргариты появилось тоскливое выражение, а я продолжала:

— Вероятно, вы читали в прессе или видели по телевидению репортаж о трагедии бизнесмена Стебункова. Он угостил своих близких друзей шашлыком из мяса крокодила, и все умерли. Мы втроем приехали в квартиру олигарха по вызову...

— Я делаю амулеты-талисманы-обереги, — влез в разговор Вадим.

— Говорите по сути! — раздраженно прервала его врач.

Вадим обиделся, а я повысила голос:

— Вечером после визита Нина впала в кому. Почти одновременно с ней заболела и скончалась экономка Стебункова, а сегодня стало плохо Наде. Вам не кажется, что все это похоже на эпидемию? Вероятно, женщин подкосил один и тот же вирус.

— Вы тоже посещали нехорошую квартиру? — тяжело вздохнув, спросила Маргарита Львовна. И, не дожидаясь ответа, усмехнулась: — Прекрасно выглядите. Но ваши сообщения настораживают. Поезжайте домой, мы примем меры.

— Сделаете анализ на неизвестных возмутителей болезней? — обрадовалась я.

— Непременно, — пообещала врач. — Больная в надежных руках, ей окажут необходимую помощь в полном объеме.

Сидевшая неподалеку за столом медсестра захихикала. Врач сердито взглянула на девушку, та стала серьезной. А я поняла: Маргарита Львовна не станет проводить никаких исследований, она просто хочет избавиться от назойливых родственников больной, поэтому готова пообещать мне абсолютно все.

И что оставалось делать? Только отправиться к лифту.

— Пожалуйста, не оставляй меня! — взмолился Вадим, когда мы вышли на улицу. — Можешь посидеть на кухне, пока я доделаю талисман для одного заказчика? Что-то мне тревожно.

— Конечно, не волнуйся, — успокоила я его. — Такси поймаем или спустимся в подземку?

— На метро быстрее добраться, — еле слышно произнес фэншуист.

Я взяла его под руку, и мы направились туда, где над толпой возвышалась буква «М». Несмотря на вечерний час, стояла духота.

— Хочешь мороженого? — спросила я у Вадима.

— Нет, — поморщился тот, — здесь его не стоит покупать.

— Но теперь мороженое завернуто, — возразила я, — продавщица прикасается только к упаковке. Вот бутерброды или булочки брать не надо, на них оседает уличная грязь.

Вадим обвел рукой площадь.

— Обрати внимание, все торговые точки окрашены в желтый цвет, поэтому на пятачке создается эффект раскаленной ярости. Никогда не покупай еду, если в интерьере магазина или в одежде продавщиц преобладает интенсивно-желтый — получишь сильный удар по своему энергетическому полю. Этот цвет приманивает болезни.

— Постоишь секунду один? — спросила я. — Если я сейчас не слопаю пломбир, умру от голода.

— Предупредил же тебя! — возмутился фэншуист. — Люди платят большие деньги за мои консультации, а тебе совет достался бесплатно. Повторяю: желтый цвет...

— Он лимонный, — вздохнула я.

Вадим осекся.

— Что?

— Палатки цвета кислого цитруса, — пояснила я, — к нелюбимому тобой охряному цвету добавили немного зеленого. Согласна, выглядит не очень привлекательно.

— Они истошно-желтые! — начал спорить амулетчик. Но тут же умолк.

— Заметил? — улыбнулась я. — Солнце зашло за тучку, и в желтизне проявилась зелень, не так ли? Очень многое зависит от освещения.

— Зависит от освещения... — попугаем повторил Вадим.

— Тебе такая мысль ранее не приходила в голову? — удивилась я. — Неужели фэн-шуй не учитывает лампы, фонари и прочее?

— М-м-м... — лишь протянул Сперанский. И буркнул через секунду: — Ладно, ступай за мороженым.

Я купила самый дешевый фруктовый лед и, грызя каменно-твердый конус, вернулась к тому месту, где оставила Вадика. Но его там не оказалось. Однако я не забеспокоилась, спокойно лакомилась мороженым, решив, что он пошел в туалет.

Когда у меня в руках осталась одна палочка, появился Вадик — вышел из павильончика с надписью «Товары для дома», держа в одной руке небольшой пакет, а в другой открытую бутылку с лимонадом.

— Что купил? — полюбопытствовала я.

— Энергосберегающую лампочку, — ответил он и отпил из бутыли. — Если сейчас так жарко, что будет летом?

— В июле — августе в Москве, как правило, идет снег, — усмехнулась я, — зато в декабре тепло и сухо. И если пять дней подряд в столице сохранялась солнечная погода, а на шестой-седьмой приключились ливень, град, ураган и прочие передряги, значит, наступили выходные. Природа словно чует приход субботы с воскресеньем. Вот такая примета. Могу еще про одну рассказать. Дождь начинается всегда, когда я помою машину. Исключений не бывает!

— Вода притягивает воду, — с умным видом заявил Вадик и снова приложился к бутылке.

— Значит, скоро польет как из ведра — почти все идут с бутылками, — хмыкнула я. — Зачем ты купил лимонад? Он слишком сладкий, только сильнее пить захочешь.

— Мне его дала представитель фирмы, — похвастался психолог. — Я пошел за лампочкой и наткнулся на девушку. Ну, знаешь, такую, в футболке и бейсболке, их называют мерчендайзерами. Она спросила: «Молодой человек, какие напитки вы предпочитаете?» А потом предложила: «Попробуйте наш товар бесплатно».

Я выхватила у Вадика «сувенир» и швырнула в урну, весьма кстати стоявшую неподалеку.

— Что с тобой? — удивился фэншуист. — Ситро, кстати, вкусное, мне понравилось.

Я потащила его в сторону метро.

— Надя попила воды, которую ей предложили за подпись в поддержку какого-то мужика, рвущегося в президенты, и довольно скоро заболела. Интересный факт: похоже, студентка, работавшая на кандидата, явилась исключительно к вам в квартиру, остальные жильцы о ней не слышали. Думаю, отрава попала в желудок Нади вместе с «Горной каплей». А теперь тебе бесплатно предложили лимонад. Ох, не нравится мне вся эта история!

— У тебя мания преследования, — усмехнулся психолог, когда мы вошли в вагон. — Девушка на площади всем подряд питье раздавала. Весь народ отравить решила? А Надя съела что-то испорченное, минералка ни при чем.

— Что, например? — рассердилась я. — В доме были только свежие продукты!

— Может, она, как и ты, купила на улице мороженое, — пожал плечами Вадим. — Еще до прихода к нам съела на вокзале брикет, а тот пару раз заморозили-разморозили, вот в нем и завелись микробы.

Я резко повернулась к Вадиму.

— Нет, думаю, кто-то нарочно отравил сестер. И ты тоже в зоне риска.

— Весь шум из-за воды? — иронично поинтересовался фэншуист. — Но я ее тоже пил.

— Действительно, ты пробовал «Горную каплю», принесенную в квартиру фальшивой собирательницей подписей... — пробормотала я.

— Ага, — подтвердил Вадим, — выхлебал за ужином больше, чем Надя, и, как видишь, распрекрасно себя чувствую, нигде ничего не болит. Дело не в воде, а...

Вадим замолчал.

— А в чем? — жадно спросила я.

— Сестры съели что-то несвежее, — как-то слишком уверенно произнес мой работодатель.

Я хотела опять заспорить, но внезапно поняла: у него появилась своя версия случившегося. Правда, Вадим явно не собирается поделиться ею со мной.

Надо отдать ему должное — он моментально почувствовал, что я насторожилась, и стал болтать без умолку:

— Нина очень жадная, извини за откровенность. Жена предпочитала покупать продукты со скидкой, у которых почти закончился срок употребления, старательно выискивала на полках магазина такие йогурты, творог, колбасу и преспокойно несла харчи в дом. Я пытался ее вразумить: «Нинуша, лучше заплатить дороже и купить свежий кефир, а не хватать тот, который завтра надо отправить на помойку». Но она злилась, орала: «Надо откладывать деньги, а не транжирить на ерунду. Подумаешь, ничего с нами не случится, сейчас в еде столько консервантов, что она вообще не портится, и производители перестраховываются, ставят дату, мол, йогурт годен до первого марта, а на самом деле он к середине апреля еще свеженький». У Нины натуральная фобия — копить деньги, пополнять счет. Если она за месяц ничего не отнесла в банк, у нее истерика начиналась: «Мы умрем под забором». Не знаю, откуда у нее это.

— Нищее детство часто делает человека скаредным, — вздохнула я.

— В моем тоже материального достатка не было, но жрать испорченное я не привык, — огрызнулся Вадим. — Правда, я ссориться с Ниной не хотел. У меня старомодные понятия о браке: если уж женился, то живи с супругой, приспосабливайся к ней, только смерть разлучит нас.

— У твоих родителей была крепкая семья? — сменила я тему разговора.

Вадим медленно втянул носом воздух, потом резко выдохнул.

— Нет. Отца я не помню, он маму из дома выгнал, когда я еще говорить не научился. Подонок. А мамочка...

Создатель амулетов сгорбился.

— Она была странной. Внешне — красавица. Большие голубые глаза, белокурые волосы кольцами, фарфоровая кожа, румянец, фигура — глаз не оторвать. Мужчины вокруг нее роями вились. Я очень хотел, чтобы она замуж вышла.

— Обычно мальчики ревнуют матерей к посторонним мужчинам, — осторожно произнесла я.

Пару минут мы молчали. Наконец Вадик снова заговорил:

— Мама родила меня очень рано, ей едва девятнадцать исполнилось. Мужем ее стал человек много старше. Только не подумай, что она рассчитывала на обеспеченную жизнь. Вот уж чего мама никогда не умела, так это выгадывать. Просто влюбилась, вот и вышла замуж. А потом чем-то не угодила муженьку, и тот ее выпер, как кошку, вон. Вместе с ребенком. Алименты папаша никогда не платил, мы жили трудно...

Похоже, Вадим испытал сегодня сильнейший стресс, потому что вдруг придвинулся ко мне и совершенно неожиданно стал рассказывать на ухо о своей юности и отношениях с матерью.

Глава 16

Ксения Мирославская не успела получить профессию — вышла замуж, будучи студенткой первого курса, забросила учебу, посвятила себя супругу и новорожденному сыну. Представляете растерянность юной матери, когда после развода она очутилась с маленьким ребенком в крохотной квартирке на окраине Москвы? Комната пятнадцать квадратных метров, кухня три, совмещенный санузел, балкона и лифта нет, специальности и денег тоже. Что произошло между матерью и отцом, Вадим не знал — она не рассказывала, а с папой он более никогда не виделся.

Родители Ксюши умерли, близких родственников у нее не было, поэтому Вадик отправился в ясли-сад. Мама забирала сына из группы последним под укоризненные замечания воспитательницы, типа:

— Думала, уважаемая Ксения Ростиславовна, вы уже сегодня не придете.

Ксюша принималась извиняться и оправдываться:

— Простите, пожалуйста, с работы не отпускают.

Тетка понимающе кивала и выжидательно смотрела на проштрафившуюся мамашу. Любой быстро бы сообразил: няньку надо отблагодарить — принести духи, конфеты или конверт с деньгами. Но Ксюша была очень наивна, она думала, что простого «спасибо» вполне достаточно. Воспитательница считала ее нахалкой и относилась к сыну бесцеремонной женщины соответственно.

Не лучше дело обстояло и в школе. Второй класс Вадик окончил на одни тройки. Другая бы мать схватилась за ремень или наняла для отстающего по всем предметам сына репетитора. Но Ксюша спокойно подписывала его дневник и никогда не отчитывала за плохие отметки.

В их неполной семье никогда не было материального достатка. Став постарше, Вадим один раз не выдержал и поинтересовался у матери:

— Мой папа платит алименты?

— Нет, — ответила Ксюша. — Но, пожалуйста, не осуждай его. Я очень виновата перед ним, именно я разрушила наш брак, мне и нести за все ответственность. К тому же твой отец уже умер, поэтому вопрос об алиментах закрыт навсегда.

— Может, скажешь, как его звали? — попросил Вадим.

— Иваном, — ответила Ксюша. — Ты же знаешь свое отчество!

Вадим решил, что мама просто не хочет говорить правду. Но он был благодарен ей за то, что она не стала врать и плести ему историю про летчика, который погиб при выполнении воинского долга и не успел расписаться со своей гражданской женой. Многие дети, дождавшись момента, когда мать надолго уйдет из дома, роются в шкафу, находят свои документы и узнают правду об отце. Но юному Вадику даже в голову не пришло заняться чем-то подобным. Раз мама не пожелала сообщить ему никаких сведений об отце, так тому и быть. Вадим никогда не страдал из-за отсутствия папы, очень любил мать и не хотел причинить ей ни малейшего страдания.

Поступив в институт, он внезапно сообразил: его мама очень красивая, к тому же еще вполне молодая женщина — и начал осторожно внушать ей мысль о новом замужестве. Действовал он аккуратно. Для начала позвал ее на праздничный вечер, посвященный юбилею вуза, в котором учился. Институт был не гуманитарной направленности, готовил в числе прочих специальностей астрономов, и среди преподавательского состава представительниц прекрасного пола можно было пересчитать по пальцам, а вот холостых мужчин оказалось много. И почти все они к середине вечера окружили Ксению. Вадик радовался успеху мамы, надеялся, что она благосклонно посмотрит на кого-нибудь. Но Ксюша, потанцевав с разными кавалерами, не стала ни с кем заводить роман.

Не сблизилась она и с соседом по лестничной клетке, вполне приятным дядечкой, который усиленно пытался привлечь к себе внимание красавицы. Не ответила благосклонностью и на ухаживания коллег по работе. Ксения жила вполне счастливо одна. У нее не было ни постоянного поклонника, ни закадычной подруги. Но и затворницей ее нельзя назвать. Она работала бухгалтером, а после службы ходила в театры, на выставки, в консерваторию, любила бродить по книжным магазинам, но предпочитала проводить досуг без посторонних.

Когда Вадик получил диплом, жизнь их стала налаживаться. Молодой специалист принялся составлять гороскопы, неожиданно обзавелся большим количеством обеспеченных клиентов, и через год, продав свою крохотную однушку, мать с сыном перебрались в симпатичную двухкомнатную квартиру, где Вадим живет по сию пору. И все вроде шло хорошо, но мама вдруг заболела и умерла. Причем она знала о том, что ее недуг неизлечим, но демонстрировала удивительное мужество — ни разу не заплакала на глазах у сына, не устраивала истерик, не спрашивала: «Почему я должна уходить на тот свет, не пожив как следует на этом?» Ксения вела себя так, словно ничего не происходит.

За неделю до смерти мать сказала Вадиму:

— Доза лекарств увеличивается, я подчас чувствую себя пьяной и глупой.

— Ерунда, — сказал молодой человек, — ты скоро поправишься, перестанешь принимать медикаменты.

— Вадюша, — ласково произнесла мама, — не надо смотреть на жизнь сквозь розовые очки. Сядь, я должна рассказать тебе кое-что. Не предполагала, что наша откровенная беседа состоится сейчас, хотела лет через десять открыть тебе правду, но так уж вышло... Пожалуйста, когда ты женишься, не заводи детей.

Сын, готовый услышать что угодно, но никак не фразу о детях, изумился.

— Но почему?

Ксюша подсунула под спину подушку и села.

— Я никогда не говорила тебе о моем отце, отношения между нами прервались в тот миг, когда он узнал, что скоро станет дедушкой.

— Твой папахен ненавидел младенцев? — опешил Вадик.

— Он не монстр, — усмехнулась мама, — дело в другом. В семье Мирославских было генетическое заболевание — «синдром русалки». Младенец появлялся на свет с ногами, сросшимися наподобие хвоста мифической морской обитательницы. Как правило, такие дети живут считаные месяцы, операция по разделению конечностей уникальна, ее сделали лишь паре ребятишек на планете. Узнав о том, что я беременна, отец стал настаивать на аборте. Но я отказалась, и на том мы разошлись. На свет появился ты, мальчик, а болезнью страдают в основном девочки. Мне повезло: у меня лучший сын на свете. Но поклянись, что никогда не будешь иметь детей. Слишком велик риск родить существо, которое, промучившись короткий срок, погибнет...

Вадим умолк, встал и потянул меня за руку к выходу из вагона:

— Пошли, наша остановка.

По пути к дому мы не проронили ни слова, но войдя в квартиру, я решилась нарушить молчание:

— Немного странно — просить сына не обзаводиться потомством. Сейчас существует аппаратура, способная определить патологию у плода на самой ранней стадии развития. Не уверена, что права, но вроде в двадцать первом веке можно даже выбрать пол будущего ребенка — в пробирке выращивают несколько эмбрионов и нужный подсаживают матери. На поток такая операция не поставлена, ее проводят, когда велик риск передающейся из поколения в поколение болезни. Например, гемофилии. Тебе нужен мальчик. Ты его получишь, и проблемы не будет.

Вадим снял ботинки, надел тапочки, выпрямился.

— Сомневаюсь, что мама была в курсе революционных новшеств. А тебе не кажется, что выбор эмбриона есть завуалированное убийство? Весь приходится уничтожать другие крохотные живые существа, не способные сопротивляться. На мой взгляд, это недопустимо, лучше вообще не размножаться. В конце концов, проще взять какого-нибудь несчастного малыша из детдома. Но я не страдаю чадолюбием, обожал свою мать, хотел, чтобы она умерла со спокойной душой, и поэтому поклялся, по ее просьбе, на иконе, что никогда не стану отцом.

— Ты ведь оказался вполне здоровым младенцем, — гнула я свою линию. — Почему дедушка не захотел воспитывать внука? И что сказала об этом бабушка?

— Она рано умерла, — поморщился Вадик. — А ты бы согласилась иметь дело с человеком, который подталкивает дочь к аборту, а потом прибегает со словами: «Покажи мне внука»? Мама оказалась гордым человеком, не стала унижаться ни перед бывшим мужем, ни перед своим отцом.

— Гордость и глупость — разные вещи, — сказала я. — Вы жили почти впроголодь, хотя твой папаша просто был обязан содержать сына. И папа с мамой у человека одни, Ксении следовало простить своего отца.

Вадим молча прошел на кухню, я поспешила за ним и предложила:

— Сделать тебе поесть? Я готовлю намного хуже Нади, но пожарить яичницу или омлет вполне могу.

— Надя... — будто не слыша меня, протянул Вадим. — Я ее встретил раньше Нины, совершенно случайно. Поехал в лес за дымовиком — есть такой гриб, он понадобился мне для одного амулета, — сел в электричку и вижу...

Хозяин развернулся и вышел из кухни. Я открыла холодильник и стала обозревать полки.

— Смотри, — раздался через минуту за спиной его голос, — кто это?

Я обернулась, взглянула на фотографию в руке Вадима и ответила:

— Надя или Нина. Сестры очень похожи, но сейчас выглядят иначе. Девушке на снимке лет восемнадцать.

— Нет, это моя мама, — улыбнулся Вадим, — и ей тут двадцать семь. Она всегда выглядела моложе своих лет. И обожала платья в талию, с юбкой клеш, носила их, невзирая на моду. Сама шила, у нее были золотые руки. Я увидел в вагоне девушку и в первую секунду прирос к полу. Хотел воскликнуть: «Мамочка!» Но сдержался. Осторожно приблизился и, конечно, мигом понял: передо мной незнакомка. Но каково сходство! Знаешь, я сразу решил на ней жениться.

— Очень глупо, — пробормотала я. — Идентичная внешность не гарантирует сходства характеров.

— Согласен, — вздохнул Сперанский. — Но мне тогда начисто снесло голову. Я вышел вместе с девушкой, поплелся за ней через лес. А потом и вовсе фантасмагория началась, я позвонил по телефону, у нас закрутился быстротечный роман, в самом начале которого, на первом свидании, я вдруг усомнился, она ли это. И я подумал, что просто не рассмотрел незнакомку как следует в поезде и в лесу, увидел лишь общие черты, без мелких деталей. И все же Нина меня очаровала — милая, спокойная, не слишком разговорчивая.

— Ты сейчас точно о Нине говоришь? — с недоверием перебила его я.

— «Лучшие» качества жены — ее авторитарность, нетерпимость к чужому мнению, грубость, нежелание вести домашнее хозяйство — открылись после, — мрачно сказал Вадик. — А на свадьбе я увидел Надю. До официальной регистрации брака Нина меня с сестрой не знакомила. Вот тогда я и сообразил, что совершил роковую ошибку. Сестры до изумления похожи, судьба предназначала мне младшую, а не старшую. Был порыв встать, взять Надю за руку и уйти вместе с ней.

— И что вам помешало?

— Масса вещей. Мне показалось неприличным так поступить. Не хотел наносить Нине травму. Да и Надюша не смотрела на меня благосклонно — она ждала рыцаря, а я больше похож на его оруженосца. Правда, довольно скоро мнение Наденьки изменилось, наверное, из-за неудачного брака — Семен отвратительный муж. Но я продолжал жить с Ниной, потому что к браку у меня, как я говорил, отношение однозначное: супругов может разлучить только смерть. Вот такой Шекспир случился в семье Сперанских.

— А кстати, послушай, почему ты не Мирославский? — запоздало удивилась я, вспомнив, что удивило меня в рассказе Галины.

— Взял фамилию супруги, — ответил фэншуист, — в моей есть нехорошее сочетание букв: «рос» приносит неудачу, а «лав» безденежье. С «рос» еще можно бороться с помощью мощного амулета, но к нему есть и «лав» в придачу... Тут не справится даже мой Айра. В фамилии Нины с Надей прекрасное сочетание звуков. Начальное «С» обещает удачливость, «ран» придает уверенности в себе... Послушай, а разве энергосберегающие лампочки вворачивают дома в люстры?

— Конечно, — удивилась я столь странной смене темы. — Хотя мне они не нравятся — уродливы внешне, часто выглядывают за края плафонов, и глаза от них болят.

— У нас в доме их нет, — со странным выражением лица произнес Вадим. — Никогда не пользовался новомодными изделиями. Смотрятся они и правда не ахти, похожи на стеклянную пружину. Какие-то... неуютные.

Глава 17

Едва я вышла из дома Сперанских, как услышала голос:

— Дашенька! Вот это встреча!

Я замерла. Потом обернулась и увидела Феликса Жановича, который стоял у подъезда.

— Какими судьбами в здешних краях? — радостно спросил профессор.

— Тут живет мой работодатель, Вадим Сперанский, — улыбнулась я в ответ. — А вас что привело в этот район?

— Заносил коллеге книги, — сообщил Маневин. — Не откажетесь выпить со мной чашечку кофе?

Я вспомнила свой визит в шкаф и отвергла любезное предложение.

— Спасибо, но я тороплюсь домой.

— Вас там кто-то ждет? — опять расцвел улыбкой Феликс.

— Черт, лягушка! — спохватилась я. — Совсем забыла купить ей корм!

Маневин открыл портфель и вытащил айпад.

— У вас живет земноводное? Как мило! Сейчас посмотрю, где расположен магазин, торгующий кормами для животных.

Я не поверила своим ушам.

— На улицах города появился бесплатный вайфай?

Профессор приложил палец к губам.

— Тсс! А то он испугается и убежит. На самом деле я сомневаюсь, что когда-нибудь в Москве повсюду откроется доступ в Интернет, но мне иногда везет. Я сидел на лавочке, вон там, играл в Angry Birds — подсел на игру, как ребенок, — и вдруг обнаружил на экране Сеть. В нескольких метрах от скамейки есть вход в небольшую, частную гостиницу, думаю, ее администрация в качестве бонуса предоставляет гостям бесплатный выход во Всемирную паутину, а я к ней случайно подсоединился.

Феликс взял меня под руку, отвел к стоявшей в стороне скамейке и коснулся пальцем экрана ноутбука. А я вытащила мобильный, который заиграл свою противную мелодию.

— Далеко уехала? — спросил Вадим.

— Я во дворе, встретила знакомого. А что случилось? — испугалась я. — Нина? Надя?

— Ты забыла надеть туфли, — засмеялся Сперанский, — ушла в тапках.

Я посмотрела на свои ноги.

— Вот идиотка!

— У нас был тяжелый день, — оправдал меня Вадик. — Сейчас доставлю обувь.

— Не надо, сама поднимусь, — смутилась я.

— Уже подхожу к лифту, — заявил он.

Только я успела убрать телефон, как Сперанский вышел из подъезда. Быстро подошел к скамейке и вручил мне полиэтиленовый мешок.

Феликс Жанович оторвался от айпада и протянул фэншуисту руку со словами:

— Будем знакомы, профессор Маневин.

— Очень рад, — ответил Вадим, пожимая его ладонь, — психолог Сперанский. Даша забыла переобуться, убежала в шлепках.

Я сделала вид, что очень занята туфлями. Хорошенькое мнение сложится обо мне у Маневина, теперь он точно сочтет госпожу Васильеву больной на всю голову. Вчера я перепутала выход из кафе со шкафом, орала там от испуга и пыталась удрать с чужой горжеткой, а сегодня новый прикол — я спустилась на улицу в домашних тапках.

Феликс Жанович потер затылок.

— Я сам очень рассеян. Недавно коллега попросила оказать ей услугу: муж попал в больницу, ногу сломал, а у ребенка праздник в детском саду, требовалось заснять малыша. Я согласился ее выручить, пришел в садик с камерой, тщательно записал, как кроха в костюме бабочки читает стихи, пляшет, поет, и отдал матери диск. На следующее утро — море обиды. Оказывается, я перепутал детей, нацелил объектив на девочку, исполнявшую роль капустницы, а надо было запечатлеть мальчика-гусеницу.

Вадим усмехнулся, а я, быстро сунув в пакет тапочки, протянула его хозяину, заметив:

— Глупо наряжать ребенка огородным вредителем. Надеюсь, ему не пришлось ползать по залу на животе?

— Удачного вечера, — раскланялся Вадим.

— И вам хорошего отдыха, — отозвался Маневин. — Даша, лучший магазин для кошек-собак расположен на Ленинградском проспекте, он называется «Другвет».

— У меня лягушка, — напомнила я.

Феликс Жанович потряс айпадом.

— Тут сказано: там есть отдел кормов для рыб и рептилий, плюс консультации доктора Айболита, одежда, обувь и прочие аксессуары.

— Покупка шубы, сапог, косметики и часов для квакушки не входит в мои планы, — серьезно сказала я.

— Давайте объясню, как найти «Другвет», — засуетился Маневин. — Выезжаете на проспект...

— Вы так хорошо знаете тот район, — отметила я, когда профессор в мельчайших подробностях объяснил дорогу.

— Неудивительно, я провел там детство, отрочество и юность, — улыбнулся Феликс Жанович. — Жил на Чапаевском проезде до приобретения собственной квартиры. И сейчас как раз хотел навестить маму, она живет на прежнем месте. Когда-то я покупал в «Другвете» корм для ее ныне покойного пуделя. Ну, побежал к метро, до свидания.

— Вы собрались в сторону Ленинградского проспекта? — остановила я его.

— К матушке, — еще раз уточнил Маневин.

— Нам ведь по пути, садитесь в машину, — предложила я.

— Не хочется вас обременять, — смутился он.

— Я еду в ту же сторону. Надеюсь, вы не боитесь сесть в тарантайку, которой управляет женщина? Правда, я отнюдь не ас дорог, езжу тихо, — призналась я.

— Лихач-водитель не подарок, — отозвался профессор. — Очень вам благодарен. Заодно куплю пуделю консервы, мама просила.

Я пошла к своему драндулету. Мне показалось или чуть раньше Феликс Жанович говорил о смерти собачки своей матушки? Хотя, может, она обзавелась другим четвероногим компаньоном...

«Другвет» располагался в подвале. Первое, что я увидела, спустившись по крутым ступенькам, была доска объявлений, на которой висела большая фотография в черной рамке.

— Ой-ой, у них кто-то недавно умер... — пробормотал Феликс. Подошел к доске почти вплотную и стал читать подпись под портретом: — «Дарья Васильева, спонсор приюта для бездомных собак, устроитель выставок «Наши любимые кошки», член жюри конкурса «Лучший мопс», председатель фонда «Поможем животным», почетный клиент нашего магазина». Надо же, такая молодая и скончалась!

Я искоса взглянула на снимок. Похоже, его вырезали из какой-то общей фотографии. Моя обеспеченная тезка и однофамилица запечатлена вполоборота, прекрасно видно ее ухо, в мочке которого висит дорогая серьга.

— Тяжелая потеря для нас, — грустно произнесла пожилая женщина, проходившая мимо. — Даша очень помогала приюту, была основным спонсором, пристраивала в семьи животных, которых бы ни за что не взяли, — больных, пожилых. Она умела убеждать людей, нам ее будет очень не хватать. Правда, Дашина дочка Маша позвонила через день после похорон мамы и заверила меня: «Елена Константиновна, не волнуйтесь, деньги продолжат поступать, все будет хорошо». Очень позитивная девушка. Сейчас она приехала с какой-то семейной парой — муж и жена хотят взять котика, и Машенька порекомендовала им нашего Рудольфа. Он чудный, правда, с небольшими проблемами. Но если давать лекарства, кот проживет долго.

Из глубин магазина долетел высокий девичий голос:

— Где Елена Константиновна? Мы уходим! Рудольф хочет сказать ей «до свидания». Да, да, пусть он сядет в перевозку, так удобнее его транспортировать. Пойду, подгоню машину.

Я схватилась за ручку двери с табличкой «WC».

— Можно зайти в ваш туалет?

— Да, конечно, он для посетителей, — разрешила Елена Константиновна. — Марусенька, я тут, у входа, — крикнула она.

Я быстро шагнула в санузел, а из предбанника магазина снова долетел тот же юный голос:

— Рудольф едет в прекрасный дом, я за него спокойна.

— Очаровательный кот! — воскликнула какая-то женщина. — Правда, папа?

— Может, вернуться и купить ему еще заводную мышь? — спросил мужчина. — Она мне понравилась.

— Папочка, ты сам хочешь играть с мышкой? — засмеялась дама. — Все, нам пора.

— Доведу вас до машины, — предложила Елена Константиновна. — Прощай, Рудольф, не забывай нас...

Стало тихо, я спустила воду в унитазе и вышла из туалета.

— Я в отделе земноводных, — крикнул из глубины магазина Феликс Жанович, — первая арка справа.

Я пошла на его зов и вошла в квадратный зал, уставленный пустыми аквариумами. Маневин маячил у прилавка.

— Это Костя, — сообщил он, — знает о лягушках все. Даша, какая у вас порода?

— Не знаю, — честно ответила я. — Мы встретились в лесу. А их существует много, квакушек?

Профессор выжидательно посмотрел на продавца, Константин неторопливо опустил веки и еще медленнее поднял их.

— Бугорчатая, волосатая, дальневосточная, длиннопалая, закавказская, красноухая, крикливая, леопардовая, лесная, остромордая, рогатая, травяная, бык, голиаф. Всех не назову. Опишите свою.

Я сложила руку ковшиком.

— Вот такусенькая, белесая.

Костя нахмурился.

— Лучше сфоткайте, тогда я попытаюсь установить вид.

— Сейчас она живет в кастрюле, — продолжала я, — ей нужен дом.

— Нет проблем, — меланхолично ответил продавец, — выбирайте. Есть аквариумы эконом- и бизнес-класса, а также олигарх-дворец.

— Берите самый большой, — посоветовал Феликс.

— Он же и самый дорогой, — усмехнулась я.

— Готов стать спонсором для вашей лягушки, — мигом заявил Маневин.

— Спасибо, но я привыкла пользоваться исключительно своим кошельком, — резко отказалась я.

— Простите за невольную бестактность, — смутился ученый.

Я сделала вид, что поглощена осмотром стеклянных кубов.

— Обратите внимание вон на тот, крайний слева, — посоветовал Костя. — Еще могу предложить сухой корм. Но лучше давать живятину.

— Кого? — не понял Феликс Жанович.

Константин неторопливо взял лестницу и, как в замедленном кадре, принялся устанавливать ее у полок, идущих почти до потолка. На секунду у меня появилась абсурдная мысль: Костя на самом деле не человек, а большой ящер, которого некая фея превратила в продавца, вот почему он все делает — говорит, моргает, передвигается, — как засыпающая рептилия.

— Живятину, — повторил юноша, снимая со стеллажа деревянную коробочку. — Тут набор экологически чистых мух, жуков и личинок. Открываете аккуратно, не сдергивайте крышку, сдвиньте чуть-чуть, просуньте внутрь пинцет, захватите любую составляющую и предложите лягушке. Чуть не забыл! Витамины! Не забывайте капать ей на язык смесь «Стопроцентное здоровье».

— На язык? — опешил Маневин. — А как заставить лягушку его показать?

— Надо подождать, и он сам собой высунется. — Костя зевнул. — Или вот такой хитрый прием. Вам понадобятся две руки. Правой держите пузырек с каплями, левой добудьте живятину и протяните ее питомцу. Лягушка выбросит язык, а вы тут как тут наготове — кап-кап на него «Стопроцентным здоровьем». И вот вам подарочек!

Продавец протянул мне нечто, завернутое в фольгу.

— Сушеные кузнечики. Берите, это бесплатно.

Феликс Жанович галантно донес мои приобретения до машины и сказал:

— Ну, я пошел к маме.

— Давайте довезу вас до дома, — предложила я.

— Здесь два шага, — сказал Маневин, — а разворот далеко. Вы любите классическую музыку?

— Нет, — быстро ответила я, понимая, что сейчас последует приглашение на концерт, — предпочитаю современные мелодии.

— И какие? — заинтересовался Маневин.

Что назвать, если хочешь избавиться от профессора, который посвятил свою жизнь науке?

— Рэп, — сообщила я.

— Рэп? — изумился Маневин. — Вы уверены?

— Да, — изумилась я. — Обожаю тексты вроде: «Я не вижу смысла в жизни, но не вижу его и в смерти, может, я рожден поэтом, может, я бессмертен, не хочу лежать в гробу, как чудак, получается, я жил не так. Йо-йо-йо!» Здорово, да?

— Восхитительно! — подпрыгнул профессор. — Очень мощно и откровенно! Я не знаток сего направления, но впечатлился. Йо-йо-йо... Разрешите вам позвонить на днях?

— Буду рада, — вежливо ответила я. — Смотрите, на светофоре загорелся зеленый для пешеходов.

Профессор помахал мне рукой и ринулся через улицу. Я села за руль и решила подъехать к метро. Направляясь в зоомагазин и проезжая мимо входа в подземку, я заметила вывеску «Видео». Почему бы мне не порадовать себя диском с очередным детективным сериалом?

Припарковать автомобиль в Москве труднее, чем решить теорему Ферма, но мне повезло — как раз неподалеку от лавочки с DVD-дисками образовалось свободное пространство, куда я могла втиснуть мой драндулет. Я вытащила ключ из замка зажигания, машинально взглянула в ветровое стекло и быстро пригнулась к рулю. Мимо широким шагом, не глядя по сторонам, несся Феликс Жанович. Маневин быстро достиг стеклянных дверей и скрылся в вестибюле метро.

Глава 18

Я откинулась на спинку кресла. Сколько секунд милейший профессор провел у матушки? Да он и дойти-то до Чапаевского проезда не успел! На что угодно готова спорить: ученый на моих глазах перебежал улицу, подождал, пока светофор поменяет сигнал, вернулся и поспешил к подземке, считая, что я сразу поехала домой, и не предполагая, что мне взбредет в голову подъехать к метро. И теперь возникают вопросы. Зачем врать про поход к маме, если ты совсем не собираешься к ней? Правда ли, что она живет в Чапаевском проезде?

Неожиданно меня прошиб пот. Что делал Маневин во дворе дома Сперанского? Он объяснил свое присутствие там просто: привез приятелю книги. Я не усмотрела в этом ничего особенного. Но потом профессор обронил фразу: «На лавочке ловится вайфай. Я сидел, играл в Angry Birds и случайно подключился к бесплатному Интернету». Почему он устроился во дворе? Ну, предположим, его друга не было дома, и Маневин ждал его...

Я втянула ртом воздух, резко выдохнула и завела мотор драндулета. Хорошо хоть есть мало-мальски разумное объяснение поведению Маневина. Но все равно как-то уж очень странно выглядит наша случайная встреча. Может, ученый специально приехал к подъезду Вадима, чтобы увидеть меня? Зачем? Влюбился в прелестную незнакомку?

Мне стало смешно. Последнее навряд ли. Сильно сомневаюсь, что моя неземная красота поразила господина Маневина в самое сердце и зрелый мужик стал творить жуткие глупости, которые, как правило, совершают весной подростки. И как он, кстати, узнал, что объект его страсти будет у Вадима? Ах, да я же ему сама рассказала, где работаю, и вчера назвала адрес Сперанского. Значит, Феликс Жанович приехал во дворик, расположился на скамеечке и стал поджидать, когда я закончу работу, а чтобы не скучать, бил в своем айпаде птичками свинок. Погода чудесная, светит солнышко, тепло, профессору было вполне комфортно. Потом появилась я, он предложил мне посетить кафе, услышал вежливый отказ, узнал о желании дамы сердца приобрести корм для лягушки и в секунду посоветовал поехать в «Другвет». Причем придумал, что неподалеку от зоомагазина проживает его мать, даже назвал улицу, где якобы находится дом старушки, напел про ее милого пуделька, которому нужен корм, и с умыслом обронил: «Побежал к метро». Ясное дело, я предложила Феликсу Жановичу подвезти его. А вы как бы поступили на моем месте? Профессор оказал мне услугу — быстро сделал анализ настойки, позвонил, привез результат...

Стоп!

Я вцепилась в руль с такой силой, что онемели пальцы. Откуда Маневин узнал номер моего домашнего телефона? Он известен только Сперанским, профессору я сообщила сотовый. Между прочим, мясные консервы для пуделя Феликс Жанович не купил, ушел из «Другвета» с пустыми руками. Забыл о голодной собачке? Ох как нехорошо! Что вообще происходит? Может, кто-то велел Маневину познакомиться со мной? Хотя, нет, я же сама пришла в его лабораторию. И попала туда случайно — ехала мимо и наткнулась взглядом на вывеску. Ни одна душа не подозревала о моих намерениях. Я и сама не знала, что отправлюсь в тот день домой не огородами, а поеду по проспекту. Значит, наша первая встреча не подстроена.

У меня закружилась голова, к горлу подступила тошнота. Я притормозила у тротуара, выскочила из машины, купила в стеклянном павильоне маленький пакетик самого дешевого виноградного сока, почти залпом выпила его, увидела вывеску «Интернет» и обрадовалась. Когда-то у меня был компьютер, но сейчас его нет, и я бы не догадалась забрести в интернет-салон, не иначе фортуна привела меня сюда.

К моему удивлению, внутри оказались не школьники, а взрослые люди. Зато администратором был мальчик лет пятнадцати, с кольцом в губе и «гвоздиком» в ноздре. Он молча взял у меня купюру и буркнул:

— Садитесь за любой комп. Имейте в виду: курить и жрать здесь нельзя.

Я устроилась на ободранном жестком стуле, вцепилась в мышку и вбила в поисковик «Феликс Жанович Маневин».

Экран сменил картинку, и я чуть не захлопала в ладоши. Из Интернета, увы, в реальный мир выливается слишком много ненависти, но как информационному источнику ему нет равных.

Маневин не соврал насчет ученого звания, список его трудов выглядел впечатляюще, книги профессора переводили на многие языки, а сам он в разные годы читал лекции в Сорбонне, Кембридже, Оксфорде. Свободное владение немецким, французским, английским, участие во множестве научных конференций, выступления с докладами, плюс несколько десятков аспирантов, удачно защитивших кандидатские диссертации. С супругой, балериной Анастасией Кругловой, разведен давно, детей не имеет и сейчас холост. О родителях в Сети не нашлось ни слова. Вот только никакими анализами Феликс Жанович не занимается, он антрополог, изучает происхождение и эволюцию человека, образование рас, вариации физического строения тела.

А «Лаборатория» — название частного музея, который Маневин и несколько его приятелей-ученых создали на свои деньги. В залах представлены интересные археологические находки, касающиеся происхождения и развития человека, там можно узнать, что вообще такое антропология, стать членом научного кружка, послушать лекции — есть курс как для детей, так и для взрослых, а кроме того, работает самодеятельный театр, и недавно в нем поставили пьесу «Один день египетского мальчика» по книге Милиции Матье. Кстати, я хорошо помню, как я, классе этак в третьем-четвертом, взяла в школьной библиотеке это произведение и зачитала его до дыр. «Лаборатория» весьма популярна, экскурсии расписаны на несколько месяцев вперед, а на семинары по антропологии, которые в местном лектории будет проводить в октябре Маневин, абонементов уже нет.

Я покинула интернет-салон со смешанными чувствами.

С одной стороны, отрадно, что Феликс Жанович не лгун, он на самом деле доктор наук. И к тому же скромный человек — не стал совать мне визитку, где перечислены все его регалии и должности. С другой — непонятно, почему антрополог не сказал мне: «Уважаемая, вы ошиблись. «Лаборатория» — музей, здесь не делают анализов. Обратитесь по другому адресу».

Нет, профессор взял у меня пузырек, обещал провести исследование и сдержал слово, я очень быстро получила бланк с результатами. Маневин отвез куда-то настойку дурмана? Обратился к приятелям или просто сходил в обычную лабораторию?

Я села в машину и прижала ладони к горевшим щекам. Даша, ты выказала себя феерической дурой! Сначала приперлась в музей с просьбой сделать анализ, потом в кафе вошла в шкаф, перепутав его с холлом, испугалась горжетки и чуть не унесла ее с собой, затем выскочила во двор в тапках, забыв у Вадима туфли, и до кучи призналась в любви к музыке в стиле рэп! Как только мне в голову пришел текст — «Не хочу лежать в гробу, как чудак, получается, я жил не так»? Я не увлекаюсь жанром речитатива, никогда его не слушаю! Короче, сплошное «йо-йо-йо». Но главный вопрос дня звучит так: почему Феликс Жанович, энциклопедически образованный человек, не отвернулся от инфернальной дуры, а наоборот, пытается сойтись с ней поближе? Что в самом деле происходит?

Я вытянула шею и посмотрела в зеркальце, прикрепленное к лобовому стеклу. Здравствуй, красавица! Темные волосы следует постричь, а широким бровям и правда неплохо бы придать форму, карие глаза слишком глубоко посажены и чересчур близко сведены к отнюдь не аристократическому носу, лицо имеет треугольную форму и непропорционально: лоб слишком велик. Зато рот у меня — просто загляденье! Крупный, и губы щедро намазаны бордовой помадой. Думаю, первое, на что обращает внимание человек, впервые меня увидевший, — это именно губы. Причем даже сейчас, в эпоху геля-силикона и прочих наполнителей, никому в голову не придет, что я закачала в них какой-нибудь «рестилайн». Почему? Да потому что идиоток, желающих видеть на мордочке размером с кулак клюв утенка Дональда Дака, на свете нет. Некоторые звезды, уродующие себя инъекциями красоты, просто дети по сравнению со мной. Нет, такой ротик, как у меня, достается от родителей... А одеваться мне, очевидно, надо иначе — забыть про мешковатые платья-балахоны, безразмерные свитера и широкие брюки. Немодная одежда старит.

Я наконец оторвалась от увлекательного занятия — самосозерцания. Есть два варианта ответа на вопрос, почему занятой, умный, прекрасно обеспеченный профессор усиленно пытается подружиться с явно не богатой, ничем (кроме разве что бровей и рта) не выделяющейся из толпы женщиной, к тому же ведущей себя странно, если не сказать — откровенно глупо. Первый: Маневин увидел госпожу Васильеву в холле «Лаборатории», восхитился ее неземной красотой и влюбился, как Ромео в Джульетту. Второй: есть некая пока неизвестная мне причина, по которой Феликс Жанович должен или обязан наладить со мной близкие отношения.

Я опять взглянула в зеркало. Первый вариант точно отпадает. Остается второй. И что надо от меня милейшему профессору? Кто заставляет его проявлять интерес к госпоже Васильевой?

Так и не найдя ответа на вопрос, я вошла в свой подъезд и поднялась в квартиру.

Сеня сидел на кухне и пытался разгадать кроссворд.

— Столица Ганы? — спросил он, едва завидев меня.

— Понятия не имею, — пожала я плечами.

— А где находится эта Гана? — вздохнул Семен. — Наверное, возле Индии.

— По-моему, в Африке, — предположила я.

— Нет, — возразил жилец, — там Египет и Израиль. Еще этот, как его... Мадагаскар.

— Галина дома? — спросила я.

— Мама приболела, — протянул Семен, — легла в комнате, на диване, занавески задернула.

Я выронила пинцет, при помощи которого собралась кормить лягушку.

— Что с ней?

— Голова болит, — ответил Семен, — кружится, и тошнит ее. Но ты не беспокойся, в туалете я все вымыл. А когда спать соберешься, маманя с софы сползет. Она...

Я, недослушав Сеню, бросилась в комнату и принялась трясти Галю.

— Вам очень плохо? Сейчас вызову «Скорую».

— Н-не надо, — с трудом выдавила тетка, — н-не... н-не...

В нос ударил крепкий запах алкоголя, а Галина, со смаком рыгнув, громко захрапела. Я вернулась на кухню и сердито сказала Сене:

— Да она же пьяная! Состояние твоей матери никакого отношения к недугам не имеет!

— Выпей литруху, и поймешь, как тебе клево, — хмыкнул Сеня. — Здоровой сейчас мамуську нельзя назвать. Сорвалась она. Целых три месяца даже пробку не нюхала, а тут с рельсов сошла. Сплошные у нас нервы из-за Надьки, вот маманя стресс и снимала. Ничего, через пару дней оклемается.

— Я думала, вы сегодня уедете, — отбросив церемонии, сказала я. — Предоставила вам крышу на ночь, а уже вторые сутки заканчиваются. Когда вы намерены покинуть мою квартиру?

Сеня оторвал взгляд от кроссворда.

— Мне маманю не унести, она хоть и мелкая, но тяжелая. Погоди, пока она оправится.

— У меня есть альтернатива? — безнадежно спросила я.

Семен заморгал.

— Не знаю. Ты хозяйка, тебе видней, чего где лежит.

Я поняла, что продолжать беседу глупо, сняла с кастрюли полотенце и посмотрела на лягушку.

— Привет, дорогая. Привезла тебе дом, хоть и не самый большой, извини. А вот еда прекрасная. Как насчет ужина?

Сбоку донеслось тихое повизгивание. Ярко-зеленый Петяша вспрыгнул на табуретку. Собачка оказалась умной — она явно поняла слово «ужин» и оживилась.

Я повернулась к Сене.

— Кормил песика?

— Угу, — промычал тот, почесывая карандашом макушку.

— Чем? — не успокаивалась я.

— Всем, — емко ответил хозяин. — Петяша не капризный, что в рот попало, то и проглотит.

Я чуть-чуть приоткрыла коробочку живятины, вытащила пинцетом жирную муху, взяла маленький флакончик с витаминами и стала действовать по совету продавца из «Другвета». Сначала приблизила инструмент к морде квакуши, потом подняла руку с каплями. Жабка сделала резкое движение головой, насекомое исчезло в ее пасти, а я не успела нажать на флакончик.

— Куда ты так торопишься? — упрекнула я глупышку. — Ладно, дубль два. И, кстати, сколько тебе можно слопать за один раз? Забыла спросить!

Я опять опустила пинцет в коробочку и на сей раз вытащила насекомое, которое сразу узнала по характерной окраске. Это был яростно ненавидимый всеми деревенскими жителями истребитель картошки под названием колорадский жук. Производители так называемой живятины проявили чудеса предприимчивости. На что угодно готова спорить: они не разводят вредителя на фермах. Небось ездят по селам Подмосковья и предлагают крестьянам утилизировать собранных ими жуков абсолютно бесплатно. Потом забирают у них консервные банки с добычей и, расфасовав их по коробкам, продают тем, кто держит дома земноводных, рептилий и прочих тварей. Деньги получаются почти из воздуха.

Я отвела руку с пинцетом за спину и, глядя лягушке в глаза, проникновенно произнесла:

— Витамины необходимы для долгой и счастливой жизни. Сделай одолжение, не щелкай сразу челюстями. Сначала посмотри на еду, оцени ее, а уж потом набрасывайся. Мне нужно пару секунд, чтобы успеть капнуть тебе на язык полезную смесь из микроэлементов и минералов.

Сзади послышалось тихое чавканье и голос Сени:

— Однако вкусно!

Глава 19

Я обернулась. Сын пьяницы, пережевывая что-то, медленно выводил в кроссворде длинное слово.

Я снова взглянула на замершую лягушку, медленно-медленно передвинула правую руку, сжала левой флакончик... Квакушка сидела в кастрюле без движения.

— Молодец, — прошептала я. — Теперь, открой ротик... Ну, ням-ням!

Но пучеглазая красотка словно окаменела. Я решила приблизить аппетитного жучка к гурманке и внезапно увидела: пинцет пуст. Похоже, в какой-то момент мои пальцы, державшие инструмент, ослабили хватку, жук воспользовался предоставившейся возможностью и удрал.

Поскольку в моей квартире нет делянок с синеглазкой, я не расстроилась из-за случившегося, достала из коробки нового яркоокрашенного жука и повторила манипуляции — правую руку завела за спину, флакончик с каплями зажала в левой...

Сеня зачавкал и бормотнул:

— Вкусняшка!

Я повернула голову. Мужик энергично работал челюстями. Заметив мой взгляд, он сделал глотательное движение и спросил:

— Кто президент Англии?

— Там королева, — ответила я, вновь посмотрела на пинцет и обнаружила, что насекомое снова исчезло.

— Да ну? — удивился Семен. — Как же она туда попала? Шикарно баба устроилась. Пела, пела и — бах! — главная в Англии.

— Елизавета родилась в Великобритании, — пробормотала я, ковыряя пинцетом в коробке. — И первый раз слышу, что она увлекалась вокалом. Пресса писала о других ее хобби: рыбалка, прогулки по лесу, содержание собак породы корги.

Сеня с изумлением уставился на меня.

— Телик никогда не смотришь? Она раньше часто с мужем пела. Сейчас вспомню... «Желтые тюльпаны-ы-ы, вестники вы ску-у-у-ки!»

Я воззрилась на него. Кем надо быть, чтобы перепутать певицу Наташу Королеву с английской королевой? Может, Сеня шутит?

— Ладно, поверю, — пробубнил тем временем он и начал печатными буквами вписывать в пустые клетки: «КАРАЛЕВА».

Я выудила очередного картофельного паразита, отвела руку...

— Ой, как здорово! — завопил Сеня. — Обалдеть! Хрустит, остренькое... Жаль, пива нет!

Я обернулась. Семен вновь с упоением чавкал. И вот досада — насекомое опять исчезло!

— Эй, что ты ешь? — насторожилась я.

Сеня облизнулся.

— Такое... не знаю, как называется... просто беру и хрум-хрум.

Мне стало дурно.

— Ты лопаешь корм?

— Что? — зевнул Сеня.

Я опустила пинцет в живятину и вытащила на свет божий очередного жучка.

— Пожалуйста, скажи, что ешь не его!

— Не, не его, — заявил Семен, — он же у тебя в руках.

В ту же секунду над столом взвилось зеленое тельце, схватило картофельного паразита и исчезло.

— Кто там? — от неожиданности невпопад спросила я.

— В дверь звонили? — меланхолично осведомился Сеня. — Не слышал никакого блям-блям.

Блям-блям, хрум-хрум... Похоже, сынок Галины задержался на той стадии развития, когда дети, не освоившие лексику в полном объеме, подменяют разные части речи звуковыми аналогами. Машина у них бибика, собака авава.

Я перевела дух, заглянула под стол, увидела Петяшу и зашипела:

— Немедленно выплюнь! Это лягушачий корм, псы его не едят.

— У, как вкусно! — опять воскликнул Сеня и вновь зачавкал.

Я выпрямилась.

— Что ты безостановочно лопаешь?

Мужик показал пальцем на блестящий сверток, который я достала из пакета, полученного в «Другвете».

— Крутая закусь. Она на развес продается?

— С ума сойти! — вскипела я. — Не трогай, там сушеные кузнечики!

— Чего только теперь не продают! — восхитился Семен. — Люблю семечки, чипсы, орешки, но кузнечики — вообще супер. Где взяла? Не влом купить мне пару килограммчиков? И пивасика охота.

Говорят, что муж и жена одна сатана, но я уверена: хозяин и собака тоже крепко спаянная пара. Полюбуйтесь на этих гурманов — Петяша жрет колорадских жуков, а Семен в детском восторге от сушеных кузнечиков. Эдак моей лягушечке не достанется калорийного ужина.

Я потянулась через стол, чтобы взять упаковку из фольги, Сеня, желая мне помешать, выбросил вперед руку и локтем задел кастрюлю, в которой сидела лягушка. Раздался грохот, кастрюля, упав на пол, перевернулась на бок.

Я разозлилась еще больше.

— Ну, ты просто медведь!

— Не шуми, сейчас подниму, — пообещал увалень, наклонился, покачнулся на табуретке и, чтобы не упасть, попытался ухватиться за угол стола.

Именно в эту минуту зазвонил домашний телефон. Я машинально схватила трубку.

— Дашенька, как у вас дела? — спросил Феликс Жанович. — Я...

С громким криком «а-а...» Сеня рухнул на пол, угодив прямиком на кастрюлю.

— Я достал билеты на концерт, — бубнила трубка, — ваш любимый рэп...

— Ой, мама! — воскликнула я, наблюдая, как коробка с жуками планирует на Семена. — Ой-ой-ой!

— Что у вас происходит? — спросил Маневин.

Крышка упаковки с живятиной отскочила в сторону, разноцветные жучки облепили любителя кроссвордов.

— Сколько их! — ахнула я. — Производитель не поскупился, засунул в скромную тару целый полк.

— Полк кого? — занервничал Феликс. — Дашенька, откликнитесь!

— Спасите! — визжал Семен. — Чур меня, чур! Черти прыгают! Мама!

— Дьявол! Дьявол! Дьявол! — заорала пронзительной сиреной из комнаты Галя. — За мной сатана пришел! Сидит, глаза выпучил! Сеня!

— Мама, тут черти скачут! — кричал сын. — Их много!

— Дашенька, отзовитесь, — ныл Феликс Жанович. — Что случилось?

— Ничего, — быстро сказала я. — У меня день рождения, карнавал. Гости нарядились в костюмы и пугают друг друга. Перезвоните, пожалуйста, позднее, меня зовут свечи на торте задувать.

Бросив на стол трубку, я перепрыгнула через облепленного жуками Семена, ринулась в комнату и увидела Галю: на груди у нее сидела моя лягушечка.

— Сам Фауст пришел, — неожиданно заявила она, — сатана.

Стоило удивиться тому, что малограмотная деревенская женщина знает произведение великого немца, но мне было не до того. Я схватила «сатану» и попыталась образумить пьяницу.

— Фауст у Гете был ученым, он не состоял в родстве с Люцифером, на вас запрыгнула простая лягушка, а не черт с рогами. Замолчите, пока соседи не вызвали полицию.

Галина судорожно закашлялась. Я вернулась на кухню, наклонилась над причитающим Сеней и строго сказала:

— Хватит дурить! Ты что, никогда не видел колорадских жуков?

Он затих, потом сел.

— А почему у них рога?

— Тебе они привиделись от страха, — буркнула я, хватая за хвост Петяшу, который явно собирался слопать всех разбегающихся жуков. — Иди умойся и посиди с Галей, я пока тут уберу. Собака, остановись, ты отравишься!

Семен поднялся на ноги, я отпустила пса, сунула лягушку в кастрюлю и поставила ее на стол. Кажется, неприятность купирована, надо смести огородных вредителей на совок и выкинуть. Больше никогда не куплю пресловутую живятину, лучше покормлю лягушечку сырой говядиной. И вообще, ее надо вернуть в родной ареал обитания, проще говоря — отвезти в лес.

Сеня сделал шаг к двери. Петяша увидел парочку насекомых, резво семенивших в сторону коридора, и кинулся за убегающей добычей. Чтобы не упустить лакомое блюдо, умный песик решил сократить путь, попытался прошмыгнуть между ног хозяина. Тот споткнулся о Петяшу и с воплем «а-а!..» опять рухнул на пол. Причем снова свалил рукой кастрюлю и заорал:

— Мама!

— Дьявол! Дьявол! Дьявол! — тут же откликнулась Галина. — Сидит, глаза пучит! Фауст с топором!

И тут опять ожил телефон, на сей раз мобильный. Не посмотрев на дисплей, я схватила трубку и, стараясь не раздражаться, произнесла:

— Феликс Жанович, извините, но я сейчас крайне занята. Соединюсь с вами завтра...

— Вас беспокоят из воровского отделения полиции, — перебил меня низкий незнакомый голос. — У нас находится ваш приятель, и если вы хотите ему помочь...

— Знаю, — перебила теперь я, — надо привезти деньги в указанное место, иначе мой друг, фамилию которого вы благоразумно не назвали, сядет в тюрьму. И что он совершил? Наехал на пешехода? Уважаемый мошенник! Ваша уловка не нова, советую придумать более оригинальный бизнес. Но за чувство юмора ставлю вам отлично: весьма оригинально назвали отделение полиции «воровским». До свидания.

Но не успела я положить сотовый в карман, как он снова зазвенел.

— Что? — гаркнула я.

— Не воровско́е, а Воро́вское отделение, — обиженно сообщил бас. — Мы расположены на улице имени Галины Воро́вской. Дарья Васильева? Поговорите с задержанным.

Я опешила: откуда проходимцу известны мое имя и фамилия? И телефонные аферисты никогда не перезванивают!

— Даша, — раздался баритон Вадима, — слушай, что надо делать.

— Ты где? — спросила я, поглядев на часы.

— В машине, — после небольшой паузы ответил Сперанский. — Пожалуйста, не задавай лишних вопросов.

— Дьявол, дьявол, дьявол! — с утроенным тщанием повторяла полупьяная Галина.

Семен на четвереньках двинулся в коридор на ее голос, Петяша, изредка коротко лая, засеменил следом. Но Вадим, определенно услышавший шум, никак на него не отреагировал, а начал давать указания:

— Немедленно езжай ко мне домой. Войди в спальню, отодвинь комод, постучи по полу. Поймешь, какую паркетину поднять, и найдешь конверт с деньгами. Привези его сюда.

— Куда? — уточнила я.

— Улица Галины Воровской, дом семь.

Я попыталась избежать приключения:

— Уже поздно...

— Ты у меня работаешь! — разозлился фэншуист. — Обязана исполнять все мои поручения!

— Скоро полночь, рабочий день давно закончен, — возразила я.

Вадим понял, что перегнул палку, и сменил тон:

— Пожалуйста, помоги мне. Как друг.

— Ну, если тебе нужна дружеская услуга, тогда ладно, — сдалась я. — Но как мне попасть в твою квартиру?

— Поднимись на седьмой этаж, в апартаментах под номером пятнадцать живет тетя Лейла, у нее есть запасная связка, — зачастил Сперанский. — Очень надеюсь, что она дома. Прошу, не медли! Все может закончиться крайне плохо для меня!

Глава 20

Только когда из-за металлической двери прозвучал вопрос: «Кто там?» — я сообразила, что Вадик не назвал отчества соседки по подъезду. Поэтому ответила по-детски:

— Тетя Лейла, меня к вам направил Вадим.

Дверь беззвучно распахнулась. Стройная пожилая дама, облаченная в темно-фиолетовый, расшитый золотом халат, сурово поинтересовалась:

— Вы ему кто?

— Дарья Васильева, служу у Вадима Ивановича секретарем, — сказала я чистейшую правду. — Вот мой паспорт, можете его посмотреть. Извините, не знаю вашего отчества, и простите за столь поздний визит.

— Лейла Ахатовна Ибрагимова, — представилась дама. — Зачем вы пришли?

— Вадим просил взять у вас ключи от его квартиры, — объяснила я.

— Ждите, буду рада избавиться от ненужного хлама, — недовольно заявила Лейла Ахатовна и захлопнула дверь.

Я осталась на лестнице, весьма удивленная последними словами дамы. Минут через пять та снова предстала передо мной во всей красе и протянула связку на железном колечке с брелоком в виде буквы «К». Я взяла ключи.

— Большое спасибо. Это точно они?

Лейла вскинула брови, а я объяснила свои сомнения:

— Хозяина зовут Вадим Сперанский, а на цепочке буква «К».

— Спе-ран-ский? — по слогам произнесла дама. — Это кто?

— Ваш сосед, который оставлял ключи, — удивилась я. И пояснила еще раз: — Вадим Сперанский — мой работодатель.

— Фантасмагория! — воскликнула Лейла Ахатовна. — Он же Жрачкин!

Настал мой черед изумляться.

— Кто?

Дама скрестила руки на груди.

— Уважаемая, вы хоть знаете, у кого работаете?

— У психолога Вадима Сперанского, — ответила я. — Ну, и у его жены Нины.

— Теперь он знаток человеческих душ! — ехидно засмеялась Лейла Ахатовна. — Должна разочаровать вас. Фамилия этого типа Жрачкин. Согласна, она неблагозвучна, но несчастная мать Вадима, моя ближайшая подруга Ксения, убитая своим мерзким сынком, жила с ней всю жизнь и менять ее не хотела. Фамилия была единственным, что осталось у бедняжки от отца. Ключи мне, едва въехав в дом, отдала Ксюша, поэтому и на брелоке буква «К». Это я сообщила ей о том, что в подъезде продается квартира, причем очень дешево. Вот так! Если хотите узнать правду о пакостнике, из липких лап которого получаете зарплату, заглядывайте. После шести вечера я, как правило, дома. Связку не возвращайте, не желаю иметь дел с преступником, погубившим свою мать. Наверное, следовало давно выкинуть ключи, сама не понимаю, почему я их сохранила. Похоже, очень они гаденышу нужны, раз вспомнил обо мне. Мы с ним давно не разговариваем. Вы русская?

— Да, — ответила я, немало удивленная ее вопросом. — А почему вы интересуетесь?

— Волосы темные, глаза карие, кожа смуглая, — перечислила женщина. — Внешность не европейская. Странно, что Вадим вас на работу взял, он же антисемит и расист. Меня еще и из-за национальности терпеть не мог, я татарка. При жизни Ксении сын помалкивал, а после ее кончины обозвал меня... Нет, не стану повторять слова мерзавца. Неужели вы не замечали за ним националистические замашки?

— Вадим Иванович недолюбливает гастарбайтеров, — протянула я, — обзывает их «чучмеками», «чурками», а при найме на работу задал мне вопрос о национальности. Но у него бывают разные клиенты, и среди них не только русские.

— Конечно, они же ему платят, ради денег негодяй про свой расизм забывает, — усмехнулась Лейла Ахатовна. — А вы попробуйте ему сказать, что дружите с людьми по фамилии Кац или Керимов, сразу его настоящую морду узреете.

Дверь захлопнулась, я побежала вниз. Жрачкин? По словам Вадима, его мать носила аристократическую фамилию Мирославская!

Конверт с деньгами обнаружился там, где указал хозяин. Я запихнула довольно толстую пачку в сумку, села за руль и позвонила Вадику. Но ответил не он, раздался грубый голос полицейского:

— Слушаю.

— Направляюсь к вам. Где вас искать? — спросила я.

— Остановись у дома тринадцать на Воровской, — приказал служитель закона, — к тебе подойдут.

До указанного места мне удалось домчаться быстро. Едва тарантайка замерла у тротуара, как из полицейского автомобиля, припаркованного чуть поодаль, вышел здоровенный толстяк-сержант. Приблизившись, он постучал в боковое окно моей водительской двери, и я опустила стекло.

— Я ничего не нарушила. Здесь разрешена стоянка.

— Давай бабло! — гаркнул полицейский.

— Нет, — отказалась я, — за деньгами меня отправил Вадим, конверт я вручу только ему лично.

Сержант поднес к лицу рацию.

— Хочет мужика.

Из патрульной машины высунулся психолог и крикнул:

— Даша! Делай, что он говорит!

Я протянула пакет бегемотообразному стражу порядка. Дальнейшие события заняли секунды.

— Йес, — шепнул в переговорное устройство взяточник и пошел к своей тачке.

Спустя мгновение из нее вылез Вадик, а «Форд» стартовал и скрылся за поворотом. Сперанский, чуть пошатываясь, добрел до моей машины, плюхнулся на переднее сиденье и обхватил себя руками.

— Выглядишь плохо, — констатировала я. — Глаз заплыл, нос разбит, на подбородке ссадина. Может, заглянуть в травмпункт?

— Рули домой, — устало приказал Сперанский.

— Я сейчас тут не по работе, — напомнила я. — Ты просил выручить тебя, назвал меня другом, и я имею право знать о произошедшем. За что заплачено добрым полицейским?

— Неудобно говорить, — прохрипел Сперанский.

— Ничего, начинай, — сказала я.

— Домой! — гаркнул психолог.

Я демонстративно вытащила ключ из замка зажигания.

— Поскольку я привезла конверт со мздой, то желаю быть в курсе дела.

— Я пописал на забор, — с хорошо разыгранным смущением признался Вадик. — Очень захотелось в туалет, не смог утерпеть, но только пристроился — откуда ни возьмись появился патруль. Глупо вышло. Давай, заводи колымагу.

— Не знаю, как классифицировать твое незначительное прегрешение, является ли оно мелким хулиганством или нарушением общественного порядка, но за такое «преступление» наказание должно последовать не столь жестокое, — холодно сказала я. — Вероятно, штраф. Но значительно меньше той суммы, что попала сейчас в лапы сержанта.

— Ты заглядывала внутрь! — возмутился Вадик. — Не ожидал столь беспардонного хамства.

— Пакет я не открывала, — заверила я, — но толщина его говорит сама за себя. И еще деталь: мы сейчас находимся вблизи дома Ивана Гавриловича Стебункова. Бизнесмен живет в ста метрах от места, где был припаркован автомобиль полиции.

— Я просто шел мимо, — быстро сказал Сперанский.

— И пописал на ограждение? — перебила я.

— Точно, — кивнул лжец.

— А где тут забор? — вкрадчиво поинтересовалась я... — Дома стоят впритык, между ними даже зазоров нет.

— Неверно выразился, я окропил подъезд, — заявил Вадим.

— Ладно, — вздохнула я, — на том и расстанемся. Вылезай.

— Почему? — заморгал Вадик.

— Поеду домой, уже поздно, — зевнула я.

— А со мной что? — забеспокоился Сперанский.

Я пожала плечами.

— Возьмешь такси.

— Денег нет, — сказал он.

— Отдал сержанту последние? — усмехнулась я. — Жадные полицейские выгребли даже то, что было в кошельке?

Вадим угрюмо отвернулся к окну.

Я толкнула его в спину.

— Выходи.

Сперанский спросил:

— Мне что, идти пешком?

Я не дрогнула:

— К утру дотопаешь, прогулки полезны.

— Так друзья не поступают! — со слезами в голосе заныл Сперанский. — Мне плохо, ты обязана помочь!

— Рассказывай правду, — отчеканила я. — Разве по-товарищески втягивать человека в дело, связанное со взяткой полиции, и ничего не объяснить? А если нас снимала скрытая камера? Ответственность за вручение мзды пока никто не отменял!

Вадим обхватил руками колени.

— Я заглянул в гости к Стебункову. Даже десяти минут у него не пробыл, подъехал патруль и меня задержал. Меня избили! Пусть скажут спасибо, что я не собираюсь жаловаться на них. И никаких камер здесь нет, можешь не бояться.

— Очень странно! — вздохнула я. — Человек явился в гости, а его хватает полиция. Лупит, тащит в казенный автомобиль. Как отреагировал Иван Гаврилович? Почему не возмутился, не прекратил безобразие? Неужели он молча наблюдал за произволом? Ведь это не простой обыватель, а олигарх со связями.

— Бизнесмена нет в Москве, — промямлил Вадик, — он сейчас где-то за границей.

— Ой, верно! — сказала я. — Помнится, экономка нам говорила об отъезде хозяина. А вчера по телику сообщали, что Виктория Николаевна умерла. Охранник Михаил бросил работу — испугался заразы и удрал. Кто же остался в роскошных апартаментах? Горничная. Очень приятная девушка. Она еще принесла нам минеральной воды.

На секунду передо мной промелькнула сцена. Вот домработница Алена приносит на подносе бутылку и стакан. Виктория Николаевна с каким-то странным выражением смотрит на минералку. Что-то ее удивило или насторожило. Или, может, она осталась недовольна выучкой горничной? В квартиру вошли трое, а хрустальный стакан на подносе был один. Виктория Николаевна не стала делать при нас замечание неумехе, небось выдала ей по полной программе после нашего ухода...

Я покосилась на Сперанского. В квартире Стебункова психолог неожиданно попросился в сортир, что меня поразило. Ведь за короткий срок службы у фэншуиста я успела заметить, что Вадим никогда ранее, посещая клиентов, не заглядывал в клозеты. Более того, хорошо помню недавний случай.

За пару суток до посещения Стебункова фэншуисты-амулетчики побывали у весьма приятной дамы, желавшей заказать талисман для дочери. Когда мы, закончив работу, вышли на улицу, Вадим, не говоря ни слова, нырнул в какой-то подъезд.

— Куда это он? — удивилась я.

Нина ухмыльнулась.

— Пописать побежал.

— В парадное? — оторопела я.

Она развеселилась еще больше.

— На улице как-то неприлично.

— Мы только что вышли от милой дамы, она бы не запретила посетить санузел в ее квартире. И вон там открыто кафе. Можно зайти, заказать чашечку кофе, а заодно воспользоваться сортиром. Свинячить в подъезде дома отвратительно! — поморщилась я.

— Что с мужиков возьмешь, они все неряхи, — отмахнулась Нина. — У Вадима пунктик: никогда не пойдет ни в чужой, ни в общественный туалет. Нигде — ни в гостях, ни в ресторане, ни в кино, ни в самолете.

— Прикольно, — протянула я. — У чужих нельзя, а в вестибюле дома, пожалуйста?

— Все мужики с придурью, — подвела тогда черту под беседой Нина.

И вот интересный факт: у Стебункова Вадим наступил на горло своей мании. Меня его поведение удивило, но я забыла о незначительном происшествии, а сейчас вспомнила. И почему-то испытываю дискомфорт.

Я неотрывно смотрела на Вадима, а тот медленно краснел. Наконец, выдавил из себя:

— В квартире никого нет.

— И как ты в нее попал? — спросила я.

Сперанский поежился.

— Поднялся на лифте... достал маленькую железную штучку...

— Отмычку, — подсказала я.

— Вроде того, — нехотя признался Вадим. — Только не подумай, что я домушничаю на досуге. Понимаешь, Нина вечно ключи теряла, она чемпион по этому делу. Дом у нас старый, дверь дубовая, от прежних жильцов досталась, и замок отличный, теперь таких не делают. Один раз жена свою связку посеяла, когда моя внутри осталась, пришлось мастера звать. Он, как дверь увидел, аж расстроился, сказал: «Ребята, рука не поднимется такую вещь ломать. Вы потом нормальный замок не найдете, да и красивая створка будет испорчена. Ладно, я вам помогу. Но никому не рассказывайте, как!» Вытащил из кармана железную пластинку, сунул в замочную скважину, поковырял немного и — сезам открылся. Я впечатлился и тоже купил отмычку. Полезная вещь, пару раз нас выручала.

— Странно, что ты не взял запасные ключи, оставленные у Лейлы Ахатовны, — удивилась я.

— Совершенно о них забыл, — заявил Вадик.

Я подавила усмешку. Плохо, когда человека подводит память. Но сегодня-то, когда потребовались деньги, амнезия у Вадика испарилась. Думаю, он прекрасно знает, как к нему относится соседка, и предпочитает обходить ее по широкой дуге. А его излишне подробный рассказ про слесаря выглядит как желание скрыть правду. Сперанский явно не хотел честно признаться: «Я приобрел отмычку через Интернет». Сейчас все знают: очень просто получить практически любую вещь при помощи Всемирной паутины. Утром звонишь по круглосуточно работающему номеру, и к вечеру тебе доставляют покупку. Но Вадик придумал целую историю. А до этого отправил меня к соседке, с которой много лет не общался. Значит, ему было очень надо получить деньги.

Так что случилось пару часов назад? Дело, похоже, совсем не простое.

Я взяла хозяина за холодную, напоминающую на ощупь снулую рыбу руку.

— Ты поехал к Стебункову, прихватив отмычку, зная, что в квартире никого нет, вскрыл дверь и вошел внутрь. Я не сильна в юридических вопросах, но твои действия можно расценить как взлом чужого жилища, кражу, грабеж...

Вадим отпрянул к дверце.

— Я не хотел ничего воровать!

— Так какого черта ты поперся к олигарху? — зашипела я. — Только не говори, пожалуйста: «Шел мимо, попить захотелось, решил попросить воды».

Вадим открыл сумку, висевшую у него на плече, и достал... энергосберегающую лампочку. И забубнил:

— Я отправился ее поменять. Забрал новомодное изобретение, вкрутил в туалете обычную...

Я оперлась о руль. Нина в коме, Надя без сознания в палате реанимации, у Сперанского от стресса крыша поехала, ему срочно нужен хороший врач.

— Я ошибся, — бубнил дальше Вадик, — никак не мог понять, почему стрелы полетели в Нину и Надю. И вдруг, когда ты сказала, что желтый цвет при определенном освещении делается лимонным... Ну, помнишь, мы стояли на улице, ты еще мороженого захотела? Вот тогда меня и осенило: свет! Ранее я не имел дела с такими лампами, дома у нас нормальные, лук создавался в расчете на привычное освещение. А у Стебункова витая хрень! Помнится, я вошел в сортир и удивился, что за толстая белая пружина из-под плафона выглядывает. Свет изменил цвет! Лук дал сбой!

— Что ты несешь? — подпрыгнула я. — При чем здесь лук и энергосберегающая лампочка? Зачем ты поперся к Стебункову?

— Сейчас расскажу все по порядку, — тоскливо произнес Вадим.

Я замолчала и стала слушать фэншуиста.

Оказывается, амулеты бывают не только охраняющими, но и убивающими. Производить такие запрещает профессиональная этика, но Нина постоянно грызла мужа, требовала денег, закатывала истерики. И в конце концов Вадик решил подзаработать. Исключительно ради собственного спокойствия Сперанский впервые в жизни взял заказ на смерть.

В привычном виде «лук со стрелами», довольно распространенный вид талисмана, «отстреливает» ваших врагов. И чем сильнее чье-то желание навредить человеку, который находится под его защитой, тем более мощную рану нанесет злоумышленнику выпущенная стрела. Кто-то пожелал вам смерти — и он сам умрет. Некто воскликнул в сердцах: «Да хоть бы ты подцепил страшную болезнь!» — и через некоторое время недоброжелатель окажется на больничной койке. Око за око, зуб за зуб. Но Вадик изготовил «антилук», который не оберегает хозяина, а действует наоборот: аккумулирует весь чужой негатив, увеличивает его и бьет по своему владельцу. Если некий бедняга получает такой фетиш, долго он не проживет. Вот только внести и разместить в квартире жертвы предмет-киллер должен исключительно тот, кто сконструировал антиоберег.

Вадим посмотрел на меня.

— Понятно?

— Пока да, — кивнула я.

Сперанский наклонился и уперся лбом в торпедо.

— Нельзя просто войти в дом под благовидным предлогом и бросить талисман где попало — он не сработает. Требуется тщательная подготовка, математический расчет, соблюдение массы условий, даже рисунок на обоях надо учитывать. Это очень сложно. Почти так же, как и смастерить «черный лук». Но я справился!

Фэншуист гордо посмотрел на меня.

— Ты не понимаешь, с кем работаешь. Я гений! Но во все времена люди, общавшиеся с великими повседневно, не могли объективно оценить их дар. Я умею то, что не доступно никому. На сегодняшний день я — лучший амулетчик мира. Впрочем, на вчерашний и завтрашний тоже. Я изучил тайные знания! Я лучше всех! Я...

Мой взгляд устремился в окно.

Не стоит спорить со Сперанским, лучше подождать, пока он завершит сеанс самовосхваления и продолжит рассказ.

Глава 21

Вадим тщательно изучил апартаменты Стебункова. Как ему удалось это сделать, учитывая, что Иван Гаврилович никогда не звал Сперанского в гости? Ответ на вопрос довольно прост.

Не так давно один из глянцевых журналов опубликовал репортаж из дома бизнесмена, в нем в подробностях рассказывалось об интерьере. Фотокорреспондент прошел по всем комнатам, снимки получились очень красивые. Иван Гаврилович наверняка был доволен материалом. Вот только он не учел, что у некоторых журналистов начисто ампутирована совесть.

Знаете, как делают такие гламурные съемки? Моя знакомая мыла полы у одной поп-звезды и видела, как у нее в квартире работали борзописцы, поэтому я имею представление об их манерах.

Например, хозяин демонстрирует репортерам разные комнаты и говорит:

— Торшер, диваны можете снимать, но я не хочу, чтобы читатели увидели коллекцию холодного оружия на стене. Она очень дорогая, может привлечь внимание грабителей.

Корреспонденты понимающе кивают, клянутся, что даже не посмотрят в сторону клинков-сабель, и вроде не нарушают данное слово. Подготовленную статью непременно покажут владельцу квартиры, тот убедится, что на снимках нет ничего такого, что бы он не хотел демонстрировать прилюдно, и даст добро на публикацию. Гламурное издание выбрасывается на прилавок, и все довольны.

Но проходит пара недель, и в низкопробном журнальчике, который специализируется на репортажах про звезд, захваченных врасплох (ну, вы знаете такие не очень приятные кадры, где селебретис красуются без макияжа, причесок и дорогих нарядов, поскольку пойманы ушлым папарацци при выходе из бани, фитнес-центра, или когда они орут на водителя, шлепают ребенка, скандалят в ресторане-магазине), появляется подробная фотоэкскурсия по апартаментам того самого человека, который запретил показывать коллекцию оружия. Только что это за снимки! Мало того, что под шапкой «Эксклюзив, только у нас» все кинжалы, кортики и иже с ними представлены во всей красе, так еще любопытный глаз любителей желтых изданий увидит смятый, явно давно не бывавший в химчистке плед на постели хозяина, треснувшую напольную вазу, брошенные на пол в ванной полотенца, лекарства из аптечки, продукты в холодильнике. Ни одному человеку не придет в голову выкладывать на всеобщее обозрение свечи от геморроя, мазь против герпеса и таблетки «трихопола», а тут вот они, пожалуйста, лежат на тумбочке.

Как же репортер из желтого листка заглянул в квартиру? Да не был он там! Просто интеллигентный фотокорреспондент сделал множество снимков и одни отдал в приличное глянцевое издание, а другие продал еженедельнику «Жизнь селебретис без тайн». Очень распространенная история. Случилась она и с Иваном Гавриловичем Стебунковым. Его квартиру полностью открыло для посторонних глаз все то же желтое издание. Поэтому Вадим Сперанский вычислил место, где надо поместить черный талисман, — туалет при входе, так называемый гостевой. Но теперь перед гением-амулетчиком встала другая задача: как напроситься на визит к бизнесмену?

Несколько недель Сперанский ломал над ней голову. Но тут у Стебункова случилось несчастье — погибли его друзья, а также шофер Степан, давно ставший для хозяина родным человеком. Бизнесмен не мог более оставаться в московской квартире и улетел за границу, тщательно сохранив в тайне название страны, где решил временно поселиться.

Вадик обрадовался. Чтобы смертельный фетиш сработал, нет никакой необходимости помещать его рядом с тем, на кого сделан заказ. Стебунков улетел из столицы? Ну и ладно, антиамулет все равно сработает, главное, спрятать его в сортире для гостей.

Фэншуист поехал на Горбушку и купил там симку. Затем попросил одного из местных бомжей позвонить Нине, сделать заказ якобы от лица Ивана Гавриловича. Потом Вадим выкинул карточку и «узнал» от супруги, что им предстоит ехать к олигарху.

К чему такие сложности? Нина не знает, на что способен муж. Жена — алчная особа, ее интересуют исключительно деньги, и она, если выяснит правду об оберегах-киллерах, да еще услышит, сколько стоит эта услуга, заставит супруга заниматься исключительно такими делами, найдет ему массу клиентов, мечтающих избавиться от тещи, родителей, начальника, коллеги. Но Вадим не хочет сеять зло, на смертный заказ он решился всего один раз. Очень хотел заработать побольше и заткнуть хоть на время Нине рот, свозив вздорную бабу за границу.

Сперанский не сомневался, что при любом раскладе попадет в сортир, предназначенный для гостей. Вот если бы «лук-киллер» надо было устроить в хозяйской спальне, мог случиться прокол. Психолог оказался прав, суровая Виктория Николаевна не отказала незваному гостю в просьбе посетить туалет. И Вадик с соблюдением всех ритуалов засунул злой фетиш в букет искусственных цветов, стоявший там на полочке. Домой он ехал в прекрасном настроении, уверенный, что вскоре Иван Гаврилович Стебунков покинет этот мир, и он получит от заказчика вторую часть оплаты (первая уже была надежно спрятана).

Но процесс пошел в неожиданном направлении — сначала заболела Нина, за ней Надя. Вместо того чтобы бить по здоровью олигарха, талисман его защищал, зато уничтожал тех, кто находился рядом со Сперанским. Вадим запаниковал. Почему правильно созданный, помещенный в нужное место амулет сработал наоборот?

Сперанский терялся в догадках. Потом услышал мои рассуждения об изменении желтого цвета на лимонный и понял: всему виной энергосберегающая лампочка! Вадим не учел, что при ее свете талисман будет работать иначе! Он решил срочно изъять и уничтожить амулет, пока тот не натворил совсем уж страшных дел.

Вадим замолчал и посмотрел на меня.

— Понятно, — задумчиво протянула я. — Вот почему ты не разрешал Нине выключать кабельный канал, специализирующийся на бесперебойной трансляции криминальных новостей. Твоя жена все никак не могла понять, откуда вдруг у тебя появился интерес к программам про убийства и грабежи, а ты ждал известий о кончине Стебункова. Однако вместо этого услышал сообщение о смерти Виктории Николаевны и о том, что охранник Михаил в испуге покинул квартиру олигарха. Поэтому решил действовать. Но как ты прошел мимо консьержа? В доме есть швейцар.

— Он спал, — хмыкнул Сперанский, — дрых прямо на рабочем месте, храп по всему холлу разносился. Я на цыпочках прокрался, но, думаю, громыхай я сапожищами, дедок и не вздрогнул бы. Вот странные люди! Заплатили за квартиры миллионы, а у порога посадили старика. Разве он остановит настоящего уголовника?

— Думаю, дедулю наняли для антуража, — улыбнулась я. — Платили ему деньги за окладистую бороду и импозантный вид. Согласись, он шикарно смотрится в ливрее. Но настоящая охрана в доме была, она тебя и схватила. Так?

Вадим уныло кивнул.

— Ворвались, когда я из туалета выходил. Ничего в квартире не пищало, никакой красной лампочки нигде не горело, не было таблички «Внимание, ведется наблюдение».

— И ты решил: Стебунков понадеялся на своих секьюрити, мол, зачем платить деньги полицейским, если дома живет Михаил. А узнав, что охранник сбежал, ты обрадовался — значит, можно беспрепятственно проникнуть в квартиру. И как разворачивались события?

— Сама расскажи, раз такая умная! — огрызнулся мой работодатель.

— Даже дура догадается, что произошло, — мирно произнесла я. — Полицейские набили морду взломщику, потом ушлый сержант предложил сделку: ты им платишь и обретаешь свободу, а они оформляют вызов как ложный. Вроде произошла техническая накладка, охранная аппаратура сработала сама по себе, это обычное дело, никто не удивится. Швейцару ты тоже заплатил?

— Все не так! — поморщился Вадим. — Когда полицейские меня на первый этаж спустили, дедок к сержанту бросился и зарыдал: «Игорек, сыночек, сделай что-нибудь! Меня уволят за то, что постороннего не заметил, мы с мамой будем жить на пенсию!»

Игорь похлопал старика по плечу.

— Спокойно, папа, я все улажу.

Вот оно что! Консьерж — родственник стража порядка.

Сперанский тем временем продолжал каяться.

Сержант, как принято писать в протоколах, «вступил в преступный сговор» с фэншуистом. Заявил ему:

— Не тебя жалко, а папаню. Только я его на непыльное место пристроил, как тут ты, сволота, появился. Гони бабло! Ради своего старика я замажу дело: мы тебя не видели, ты нас не знаешь. Времени у тебя в обрез. Не получим нужную сумму, сдадим тебя в отделение. Счетчик затикал, давай, поторопись.

— Пришлось тебе звонить, — завершил сагу Вадим.

— Восхитительная история, — оценила я, заводя мотор тарантайки. — Не знаю, чего в ней больше — глупости, жадности или подлости. Ты всерьез веришь, что амулет способен убить человека? И как он действует?

— Энергетически, — пояснил создатель талисманов. — Высасывает из жертвы положительную прану.

Я не выдержала и рассмеялась.

Сперанский с укоризной посмотрел на меня.

— Не стоит ржать над тем, чего не знаешь. В некоторых странах — кстати, вполне цивилизованных, — есть особый ритуал. Его используют очень редко, в самых крайних случаях. Собираются самые уважаемые люди государства (естественно, все происходит тайно) и просят о смерти лица, навредившего стране. Как правило, тот человек вскоре умирает, причем не от рук наемного киллера, а сам по себе. Или вот колдуны Африки... Хочешь расскажу?

— Спасибо, не надо, — остановила я Вадима. — А кто тебя отправил к Стебункову?

— Хоть режь на кусочки, не скажу, — с видом человека, готового погибнуть на костре за свои убеждения, заявил Сперанский. — Да я его и не знаю, мы встречались ночью.

— На кладбище? — предположила я.

— Да, — подтвердил Вадим. — Заказчик прятал лицо.

— Угу, — кивнула я, — аж мурашки по коже бегут. Амулет-то хоть ты унес?

— Слава богу, успел прихватить, — выдохнул Вадим. — Теперь до утра не лягу, буду дезактивировать лук со стрелами. Ох, непростая это задачка!

Въезжая во двор дома Вадима, я приняла смущенный вид и тихо сказала:

— Прости за бестактные вопросы, но я впервые столкнулась с талисманом-убийцей.

— Сплюнь три раза через левое плечо, — посоветовал Сперанский. — Это элементарная, но хорошо работающая уловка. Именно за левым плечом у человека тусуется черт, а ему не нравится, когда в глаза харкают.

— Мало кто получит удовольствие от плевков, — усмехнулась я. — А почему лук со стрелами тебя самого не поразил? По логике, главные враги Стебункова как раз ты и заказчик.

— Ты не поняла? — вскипел он. — Талисман берет наши отрицательные посылы, увеличивает их и направляет в Стебункова. Он антихранитель.

— Не о том речь, — отмахнулась я. — Ты считаешь, что из-за энергосберегающей лампочки в туалете было не то освещение, поэтому твой лук начал выделывать фортели?

— Надо тщательно соблюдать правила фэншуй... — завел было Вадик, но я замахала руками.

— Нет, нет, я о другом. Талисман вышел из-под контроля и сильно навредил Нине с Надей. А ты вполне здоров. Почему?

Вадим снисходительно улыбнулся и потрогал медальон на груди.

— Айра! Вот ответ. Прости, далее беседовать времени нет. В час голодной собаки фетиш-киллер надо положить на точку равновесия энергий. Опоздаю — случится беда. Завтра приезжай на работу к трем.

Забыв попрощаться, Вадим вылез из драндулета и рысцой поспешил к своему подъезду.

Глава 22

Около десяти утра я нажала на дверной звонок и уставилась на дверь, обитую по старинке — дерматином.

— Кто там? — донеслось из квартиры.

— Лейла Ахатовна, пожалуйста, откройте, — попросила я. И спустя секунду увидела Ибрагимову, облаченную все в тот же халат, расшитый золотыми нитями.

Дама смерила меня взглядом.

— Если принесли назад ключи, то зря старались. Вчера я ясно дала вам понять, что у меня нет ни малейшего желания иметь дело с мерзавцем.

Я сложила ладони домиком, прижала их к груди и взмолилась:

— Пожалуйста, не прогоняйте! Ключи остались у Вадима, мне очень нужен ваш совет.

— Больше вам не к кому обратиться? — удивилась Лейла Ахатовна.

— У меня нет родных и близких друзей, — призналась я. — А вы единственная, кто хорошо знает Сперанского.

— Кого? — нахмурилась хозяйка.

— Жрачкина, — быстро поправилась я.

— Верно, — без признаков улыбки согласилась дама, — я изучила гаденыша до костей. Он убил свою мать, мою бедную подругу Ксюшу.

— Мне очень важно знать правду о Вадиме, — прошептала я.

Ибрагимова сделала шаг назад.

— Проходите.

Квартира пожилой женщины напоминала антикварную лавку, только в ней не пахло ни пылью, ни тленом. Повсюду, куда падал взор, стояли вазы, статуэтки, фото в рамках, блюда, чайники...

Лейла Ахатовна опустилась в глубокое кресло и показала на широкий диван.

— Располагайтесь!

Чтобы понравиться хозяйке, я сделала некое подобие книксена.

— Спасибо.

— Зачем вам мой рассказ об этом негодяе? — осведомилась она.

Я потупилась.

— Хорошую работу найти сложно, а Вадим отлично платит. В моем возрасте не приходится выбирать, я долгое время нигде не могла устроиться. Вроде по всем параметрам подхожу, а как увидят в моей анкете год рождения, сразу говорят: «Вакансий нет».

— Суровый век, суровые законы, — обронила Лейла Ахатовна.

Я приободрилась.

— Я чудом познакомилась со Сперанскими.

— Жрачкиными, — поправила собеседница.

— Вадим официально взял фамилию супруги, — пояснила я. — Я поинтересовалась у него, почему он так поступил, и Вадим сказал, что ранее в паспорте он значился Мирославским, но по законам фэн-шуй сочетания букв «рос» и «лав» приносят неудачу.

— Мерзавец... — покачала головой Лейла Ахатовна. — Врет — как дышит.

— Теперь я думаю, что Вадим хотел избавиться от неблагородной фамилии. Наверняка «Сперанский», по его мнению, звучит аристократично, а

«Жрачкин» ни в какие ворота не лезет. До нашей с вами встречи я считала его ученым...

— Негодяй, — повторила собеседница.

— И кристально честным человеком, — дудела я в одну дуду. — Но ночью меня охватил страх. Жена Вадима и ее сестра почти одновременно попали в больницу. Первая лежит в коме, вторая тоже в крайне тяжелом состоянии. Я испугалась. Если, по вашему мнению, Сперанский-Жрачкин убил свою мать, вероятно, он попытался лишить жизни и этих женщин. А мне угрожает опасность? Если да, то я немедленно уволюсь, а вот если нет, останусь при психологе. Мне бы не хотелось ошибиться и потерять необременительную работу с достойным окладом из-за сплетен. Потом ведь я никуда не устроюсь... Пожалуйста, помогите мне принять верное решение, подскажите. Вадим способен на преступление?

Лейла Ахатовна положила ногу на ногу, задумалась, потом сказала:

— Никогда не распространяю слухи, не сижу во дворе на лавочке, не болтаю с местными кумушками, поэтому правда о Жрачкине скрыта здесь, за порогом моей скромной обители, соседям неизвестна. Но вот вы можете поговорить со старыми гарпиями, поделиться с ними своим мнением о Вадиме Ивановиче...

— Я хорошо знаю о своей словоохотливости, — кивнула я, — ничего у меня на языке не удерживается, прямо беда. И люблю потрепаться с пожилыми людьми. Меня хлебом не корми, дай обсудить с пенсионерками животрепещущие новости. А почему вы не дружите с соседками?

— Это люди не моего круга, — поморщилась Лейла Ахатовна. — И потом, я живу тут почти с рождения. Если б завела тесные отношения с местными бабами, могла бы иметь неприятности на службе. Когда занимаешь ответственный пост, следует быть осторожной. Я всю жизнь отдала ломбарду, работала оценщицей. Только заведи с кемто дружбу, сразу начнется! Знакомые вечно хотят без очереди ссуду получить, да чтоб размер ее превысил разумные рамки. Некоторые мои коллеги шли на поводу у алчных родственников и подруг, а заканчивалось это всегда одинаково плохо: арест и суд. Я работала честно, но приходилось держаться от людей на расстоянии. Во дворе меня считают снобкой и гордячкой. К тому же строгие моральные принципы не позволяют мне молоть языком. Вы попросили совета? Я его дам. А уж как женщина, которой я из искренней жалости расскажу всю правду о том, к кому она по неведению на работу нанялась, распорядится этими сведениями, не мое дело.

— Сейчас, когда я шла к вам, заметила, что, несмотря на ранний час, у подъезда сидит милейшая старушка с вязанием, — прощебетала я, — меня так и тянет устроиться рядом с ней, подышать свежим воздухом.

— Это Антонина Сергеевна, — сказала моя собеседница, — наш бессменный постовой, в любое время года у подъезда. Совесть дома. С ней вам будет приятно поговорить.

— Непременно пообщаюсь с бабулей, — пообещала я.

По лицу хозяйки квартиры пробежала довольная улыбка, и она начала обстоятельный рассказ.

Ксюшу Лейла встретила в ломбарде — девушка постоянно сдавала недорогое обручальное кольцо. Через положенное время выкупала его и вскоре вновь появлялась со своей единственной драгоценностью. Таких как на работу приходящих в ломбард женщин было несколько, и уважения они не вызывали. Но Ксюша производила впечатление наивного, честного и беспредельно несчастного ребенка.

Ибрагимова была ненамного ее старше, но, просидев за окном скупки не один год, стала отличным физиономистом. Она насмотрелась разного и легко определяла в очереди наркоманов, алкоголиков, воров или просто опустившихся людей, поэтому жалости к клиентам не испытывала. Хотя в начале карьеры порой плакала в туалете, вспоминая, как старушки трясущимися руками выкладывают на потертый от времени прилавок почерневшие серебряные ложки. Но заведующая вызвала к себе Лейлу и приказала:

— Хорош слезы лить! Сюда в основном ходит плохой народ. Не пили бы, работали честно, вот и жили бы хорошо. Встречаются, конечно, люди, которые временно попали в трудное положение, но они выкупят свою ювелирку и больше к нам не придут. А постоянные клиенты — отребье, не стоит их жалеть.

— Пенсионерки совсем старенькие, — заикнулась Лейла.

Заведующая вытащила из стола пачку сигарет.

— Бабушки-старушки? Тут два варианта. Жизнь провели для себя, не хотели рожать, возиться с детьми, поднимать их, ночей не спать, на себе экономить, в Сочи не ездить, вот и решили не обременяться семьей, о старости не думали, а теперь, как говорится, собирают плоды. Или имеют сыновей-дочерей, но так им надоели своими истериками и хамством, что детки от матерей умчались, смазав пятки салом.

— Некоторые не могли родить по здоровью, — прошептала Лейла, — или у них все поумирали.

— Запомни, девочка: жалость у нас не живет, — отрубила начальница, — иначе придется расплачиваться собственным здоровьем.

И Лейла отгородилась от клиентов невидимой, но очень прочной стеной. Единственным человеком, пробившим брешь в обороне, оказалась Ксюша. Лейла не общалась с девушкой, молча оформляла квитанцию и пересчитывала деньги. Но всякий раз, глядя в спину уходящей Жрачкиной, боролась с желанием окликнуть бедолагу, зазвать ее в подсобку, напоить чаем, угостить вафлями.

Ксюша всегда вовремя выкупала свою драгоценность. Но однажды пропустила назначенную дату. Не явилась и в льготную неделю. И тогда Лейла сама заплатила нужную сумму, забрала кольцо, выписала из квитанции адрес Ксении и поехала к ней домой. Почему оценщица решилась на столь странный поступок? Она и сама не знала. Послушалась своего внутреннего голоса, твердившего: «Помоги девчонке».

Все оказалось намного хуже, чем предполагала Лейла. Еще с лестницы ей стало слышно, что в квартире заходится плачем ребенок. На звонок никто не открыл, Ксении, похоже, не было дома. Но когда Ибрагимова подергала дверную ручку, створка неожиданно распахнулась — замок оказался хлипким.

Ксению она обнаружила на кровати. Та лежала в полузабытьи, на одной ноге у нее был гипс. Рядом стоял мальчик лет шести и, надрывно плача, повторял:

— Мама, есть хочу!

Лейла сбегала в кухню, смахивающую на собачью будку, не нашла там даже засохших крошек, вернулась в комнату, пощупала лоб Ксюши и перепугалась — температура у нее была явно за сорок. Спешно вызванная «Скорая» увезла Жрачкину в стационар, а Лейла осталась с Вадиком. Через неделю больную перевели из реанимации в обычную палату, и Лейла с Ксюшей поговорили по душам.

Ксюшу воспитывал отец, отставной полковник, человек крайне строгих правил, требовавший от дочки полнейшего подчинения. Любое отступление от распорядка дня считалось преступлением и жестоко каралось. Впрочем, ремень с пряжкой применялся по любому поводу. Принесла из школы четверку? Порка. Случайно порвала платье? Порка. Плохо вымыла пол? Порка.

— Я выбью из тебя материнскую дурь! — ревел бывший вояка, выдергивая из брюк ремень с бляхой.

Куда подевалась ее мать, Ксения понятия не имела. Когда дочери исполнилось восемь лет, добрый папаша коротко сообщил:

— Шлюха сдохла.

И более бесед на эту тему не было. Из страха перед отцом Ксюша закончила школу с золотой медалью и легко поступила в институт. Там у нее появилось немало поклонников, причем не только студентов. На симпатичную, очень скромную девочку стал засматриваться преподаватель Иван Гаврилович Стебунков.

— Иван Гаврилович Стебунков... — эхом повторила я.

Лейла кивнула.

— Да. Причем он имел, как принято говорить, серьезные намерения. Но Ксюша его не замечала, потому что влюбилась. Первым мужчиной вчерашней школьницы стал иностранец-стажер по имени Габриэль. Можно удивляться наивности Ксюши, но она, воспитанная суровым отцом, и правда не знала, как появляются дети. А Габриэль воспользовался этим — уложил девушку в постель, весело провел с ней время и благополучно отбыл домой, в свою страну, к жене и ребенку.

Вскоре после его отъезда отец поинтересовался у дочери, почему та не просит денег на средства интимной гигиены, узнал, что у нее нет месячных, отволок ее к гинекологу, услышал про беременность и выгнал Ксению из дома. Лучше не повторять, что орал озверевший полковник, какими эпитетами он осыпал рыдающую дочь.

Перепуганная донельзя Ксюша просидела ночь на вокзале, утром явилась зареванной на занятия и столкнулась с Ириной Альбертовной Евдокимовой, заведующей кафедрой иностранных языков. Та тут же стала задавать вопросы. Ксения рассказала ей о своей непростой ситуации. Евдокимова призадумалась.

— Какой у тебя срок?

— Три недели, — всхлипнула Ксюша.

— Хочешь оставить ребенка или избавиться от него? — деловито спросила профессор.

— А разве можно лишиться маленького, если он уже живет в животе? — заморгала Ксения.

Трудно, конечно, поверить в такую наивность первокурсницы. Но вспомните, пожалуйста, что во времена юности Ксении Интернета не существовало, пресса выходила под бдительным присмотром цензуры, слово «аборт» считалось не просто стыдным, а ужасным. Развод осуждался парткомом. Подружек, которые просветили бы ее, Ксюша не имела, матери у нее не было, отец тотально контролировал дочь, требуя отчета за каждую проведенную вне дома секунду. Отношения с Габриэлем стали возможны лишь потому, что декан факультета выбрал самую скромную и незаметную барышню для сопровождения гостя-иностранца в Суздаль, а отец побоялся спорить с администрацией вуза, давшей Жрачкиной ответственное комсомольское поручение. Впрочем, полковнику и в голову не могло прийти, что его в страхе воспитанная скромница решится на интим, да еще с иностранным гражданином.

Оценив меру наивности Ксении, завкафедрой захотела поучить студентку уму-разуму.

— На тебя давно положил глаз Стебунков. У Ивана Гавриловича огромная квартира, достаток, прекрасные карьерные перспективы. Выходи за него замуж и забудь мерзавца, который сделал тебе ребенка. Если сейчас прыгнешь к Стебункову в постель, то можно будет объявить новорожденного недоношенным. Иван поверит, что младенец от него.

— Ой, я не смогу! — испугалась Ксюша.

— Тогда придется жить на улице, — напомнила Евдокимова. — И денег у тебя нет. Как ты намерена существовать? Особенно когда появится малыш?

Ксюша разрыдалась. Евдокимова куда-то умчалась, а вернулась вместе с чрезвычайно взволнованным Стебунковым, который с порога воскликнул:

— Ксюшенька, Ирина Альбертовна рассказала мне о твоем бедственном положении! Пьяница-отец пытался тебя изнасиловать, а когда ты не далась, выкинул тебя на улицу. Вот мерзавец!

Ксения онемела. Евдокимова, стоявшая за спиной Ивана Гавриловича, поднесла указательный палец к губам. А Стебунков продолжал:

— За такое поведение твоего отца следует наказать.

— Ваня, Ксюша не хочет никакого шума, — быстро перебила его завкафедрой. — Ведь так, солнышко?

Ну и как должна была поступить девушка, приученная во всем подчиняться старшим? Она кивнула. И тут Иван Гаврилович предложил:

— Живи у меня, в квартире есть свободная комната. Ты готовить умеешь?

Ксюша снова кивнула.

— Прекрасно! — потер руки Стебунков. — В благодарность за крышу над головой будешь мне супчик варить.

Когда Иван Гаврилович ушел, Евдокимова погладила поникшую Ксюшу по голове и сказала:

— Не упусти свой шанс. Сегодня же ночью иди в его спальню. Ты девочка симпатичная, Ваня в тебя влюблен, все устроится. Так, запоминай! Стебунков быстро пьянеет, от двух бокалов легкого вина его уже в сон клонит. Вечером предложи отметить твой переезд, Ваня достанет бутылочку. Твоя задача — влить в него половину. А когда он захрапит, стяни с него брюки, рубашку, накапай крови на диван, где вы сидели, раздевайся и ложись рядом. Утром Стебунков ничего не вспомнит, а ты ему на следы крови покажи и заплачь: вот, лишилась девственности, но не сержусь, потому что очень вас люблю. Даже представить не можешь, сколько парней попадается на эту простую уловку. Уколешь иголкой щиколотку, и все дела. Только не коли в руку, не ровен час, он заметит след. Лучший вариант — нога!

— Я не могу... вот так... — промямлила Ксюша. — Люблю другого, хочу сохранить ему верность до конца жизни. И врать нехорошо, обманывать Ивана Гавриловича некрасиво.

— Вот дура! — разозлилась Евдокимова, искренне желавшая девушке счастья. — Совсем рехнулась? Не глупи! Судьба посылает тебе уникальную возможность устроиться с комфортом.

— Мой любимый мне кольцо подарил, — пролепетала Ксюша и вынула из потайного карманчика золотой перстенек. — Купил в магазине, надел мне на палец и сказал: мы теперь муж и жена. Хоть в загс не ходили, но душами соединились.

— Идиотка! — возмутилась Ирина. — Кстати, не хочешь назвать мне имя любовника?

— Никогда, — прошептала Ксения, — хоть на лапшу меня нашинкуйте.

— Значит, Ромео женат, — поджала губы Евдокимова. — Кто же из наших студентов мерзавец, а? Слушай внимательно! Сегодня ты сделаешь, как я сказала. В противном случае я распространю слух в институте, что ты ложишься под каждого и не знаешь отца будущего ребенка!

Ирина очень хотела вразумить глупую девчонку и нашла правильный путь: страх. Ксения перепугалась, что ее тайна откроется, и выполнила все предписания заведующей кафедрой.

Глава 23

План Евдокимовой удался. Иван Гаврилович сразу повел Ксюшу в загс, очень обрадовался беременности, осыпал юную супругу подарками.

Ксения бросила учебу, осела дома, воспитывала крошечного Вадика и вела хозяйство. Ничто не предвещало грозы. Гром грянул, когда малышу исполнилось четыре года.

Ирина Альбертовна поругалась со Стебунковым — тот отказался помочь на вступительных экзаменах протеже Евдокимовой. А потом еще и пошел к ректору с докладом:

— Завкафедрой иностранных языков предложила мне взятку за то, чтобы я поставил хорошую отметку некоему Хачикяну. У нас в аудиториях много выходцев из Армении, учатся они плохо, переползают с курса на курс на «удочках». Я думаю, что эти студенты поступили в наш вуз не без корыстной помощи дражайшего профессора Евдокимовой.

Ректор упросил Ивана Гавриловича молчать и велел Ирине Альбертовне подать заявление об уходе по собственному желанию. Разумеется, дама в мгновение ока поняла, кто на нее настучал, и решила отомстить. Вечером она явилась к Стебункову домой и заявила:

— Пусть я взяточница, но ты рогоносец, воспитывающий чужого ребенка.

И выложила ошеломленному мужчине всю правду о его женитьбе.

Иван Гаврилович кинулся к супруге. Та не стала отрицать обман, только плакала и повторяла:

— Прости, прости, прости...

Похоже, Стебунков искренне любил супругу — в тот вечер он ее вон не выгнал. Но потом разменял свою большую квартиру на две халупы в разных концах города, перевез потерявшую от ужаса голос Ксюшу на новое место жительства и сказал ей:

— Развод оформлю сам, с тебя требуется заявление об отказе от алиментов в связи с тем, что рожденный в браке ребенок не является моим родным сыном. В память о наших счастливых днях, о тех годах, когда я верил тебе и не мог надышаться на Вадика, я дарю вам эту жилплощадь. Она обставлена, здесь есть ванная, плита, в общем, все необходимое. Живи как сможешь, ко мне никогда не обращайся.

— Можно не писать заявление? — взмолилась Ксюша. — Я от стыда умру, если его на суде зачитают.

— Ну, ладно, — согласился Стебунков, — пожалею тебя. Но не подавай на алименты, не жди от меня материальной помощи. Если обманешь и я получу бумагу по месту работы, ославлю тебя на весь мир — потребую сделать анализ крови, и он докажет, что Вадим родился невесть от кого.

— О нет, только не это! — заплакала Ксюша. — Не волнуйся, ты о нас более не услышишь.

Иван Гаврилович пошел к выходу, на пороге обернулся и сказал:

— Дура! Призналась бы честно: «Я беременна, жить негде, помоги, Ваня!» Я б тебя на руках носил и пацана воспитал. Любил я тебя. Так любил, что теперь меня от всех баб воротить будет. Что до меня случилось, то быльем поросло, мы новую жизнь начали. Я все простить мог, но не ложь! А ты мне врала несколько лет про преждевременные роды... Я тебя, Ксения, ненавижу. Пусть все подлое, что ты сделала, вернется сторицей к твоему порогу. Ну зачем было говорить, что я родной отец Вадима?

— Ирина Альбертовна мне так посоветовала, — прошептала Ксюша, цепляясь руками за стол.

— Ну и хорошо она тебе подсказала? — спросил муж.

— Нет, — пролепетала Ксения. — Извини, Ваня.

— Бог простит, — буркнул супруг-атеист. — Остался у меня один вопрос. Ты носишь на шее цепочку с кольцом, которая, похоже, тебе дороже всего, что я дарил. Мне ты сказала, что оно принадлежало матери, дескать, единственная оставшаяся от нее вещь. Но сейчас я вдруг сообразил: украшение вовсе не от нее. Его тебе биологический отец Вадима преподнес? Солжешь, я тебя прямо тут убью! Задушу!

— Да, — еле слышно призналась совершенно раздавленная Ксюша. — Прости, Ваня, я его люблю. Очень старалась быть тебе хорошей женой, уважала тебя, но сердце мое навсегда отдано другому.

— Будь ты проклята! — прошипел Стебунков и ушел.

Ксения осталась одна с Вадимом и стала бороться с житейскими трудностями. Когда приходилось туго, кольцо Габриэля, единственную драгоценность, относила в ломбард. Копила деньги, выкупала и — снова закладывала. Кое-как она сводила концы с концами, но недавно упала на улице и сломала ногу. В травмпункте неправильно наложили гипс, поднялась температура, молодая мать терпела боль до последнего. Потом свалилась. В больнице, куда Ксюшу доставила «Скорая», сказали, что у нее начался остеомиелит, и если бы не Ибрагимова, Жрачкина могла бы потерять ногу, даже умереть.

С тех пор Лейла взяла шефство над Ксюшей. Пристроила ее к себе в ломбард, сначала уборщицей, потом кладовщицей, в конце концов Ксения стала оценщицей. Оклад был не велик, но имелись возможности подработать. Вокруг Лейлы вращался небольшой круг богатых дам, которые охотно покупали антикварные вещи. Хватали все, от мебели до украшений. Глаз у опытной приемщицы был наметан, если перед ней на прилавок клали интересную штучку, допустим камею, кольцо, браслет, переходивший в семье из поколения в поколение, Лейла Ахатовна тихо говорила:

— Наше предприятие государственное, цены мы сами не устанавливаем. У вас очень дорогое изделие, но я обязана оценить раритет как золотой лом исключительно по весу, без учета художественной ценности. Получите за него копейки. Если хотите заложить его, а потом выкупить, тогда ладно, а ежели намерены продать, то советую пообщаться с одной обеспеченной женщиной. Давайте сегодня встретимся по этому адресу.

И подсовывала сдатчице записочку с названием улицы. Дальше события развивались по отработанной схеме. Лейла приводила владелицу раритета к клиентке, и все оставались довольны друг другом.

— Я многим людям добро сделала, — говорила сейчас Ибрагимова, глядя на меня в упор, — немало сорокоустов бабулечки за мое здоровье заказывали, поэтому я хорошо себя чувствую. Благодаря мне старухи не голодали. В ломбарде им бы за колечко максимум двадцать-тридцать рублей дали, а артистки — балерины — директора продмагов платили тысячи. Это состояние для голодных старух. Да и покупающая сторона меня ценила, я всегда билеты на премьеры имела, в лучшем ряду сидела. А вокруг народ разодетый, в золоте-бриллиантах. Гляну на украшения и вижу: это при моем содействии получено, вон то — тоже...

Лейла умолкла, а я на всякий случай улыбнулась и кивнула. Ибрагимова старательно дистанцировалась от соседей, опасалась, что те станут обращаться к ней в случае напряга с деньгами, попросят пропустить их по дружбе к окошку без очереди или будут клянчить об увеличении выдаваемой ссуды. Но тем, кто не жил рядом с ней, оценщица была прямо мать родная. Сводила продавца с покупателем и, конечно же, имела процент за свои услуги. Ну и как оценить деятельность дамы? С одной стороны, она преступница, которая лишала государство прибыли, с другой это самое государство грабило несчастных, попавших в финансовый капкан людей. Ломбард выплачивал за уникальные вещи медяки, а покупатели от Лейлы Ахатовны давали нуждающимся достойные деньги.

Хозяйка оперлась на ручку кресла и продолжила рассказ.

Благодаря стараниям Лейлы материальное положение Ксении постепенно стало выправляться и в конце концов укрепилось до такой степени, что Жрачкины переехали из своей трущобы в хорошую квартиру. Тут опять не обошлось без доброй помощи старшей подруги, которая, узнав, что один из ее соседей собирается навсегда покинуть Москву, быстро сообщила об этом Ксении, помогла через своих знакомых оформить так называемый обмен с доплатой и одолжила недостающие средства.

У Ибрагимовой не было детей, и одно время, пока Вадим учился в младших классах, она считала мальчика чуть ли не своим племянником, баловала его, дарила игрушки, конфеты. Но потом отношение ее к сыну приятельницы стало меняться.

Лет в четырнадцать Вадик стал невыносим. Нет, он не пил, не курил, не употреблял наркотики, отлично учился и, на взгляд постороннего наблюдателя, мог показаться идеальным подростком. Проблема крылась в другом — Вадим стыдился Ксюши. Ему не нравилось место работы мамы, и если кто-то спрашивал, где она служит, не моргнув глазом парень отвечал:

— Она бухгалтер.

Впервые узнав об этом, Лейла Ахатовна страшно возмутилась и отчитала Вадика.

— Ломбард нас кормит и поит. Что плохого в работе оценщицы?

— Все! — с вызовом ответил парень. — Вы людей обворовываете, а сами прекрасно живете!

Ибрагимова попыталась вразумить маленького хама, но тот упорно стоял на своем. И тогда Лейла предложила:

— Раз мама, по твоему мнению, грабительница, так откажись питаться и одеваться за ее счет. Осуждаешь Ксюшу, ни одной копейки самостоятельно не заработав.

— Она обязана заботиться о ребенке! — взвился Вадим. — Я ее не просил меня рожать!

Многие родители рано или поздно слышат от своих отпрысков подобные злые слова, но стараются не расстраиваться, понимают: в организме недоросля бушуют гормоны, скоро все утрясется, и сыну-дочери станет стыдно за свою грубость.

Но, повторяю, у Лейлы не было детей, и по складу характера она не принадлежит к людям, которые сглаживают острые углы, поэтому отношения между ней и подростком натянулись до предела. И надо заметить, что любимый сынок Ксюши вел себя на редкость мерзко.

Глава 24

Лет в пятнадцать Вадик категорически заявил матери, что они должны сменить фамилию.

— Почему? — изумилась Ксения и услышала в ответ:

— Не хочу краснеть, показывая паспорт. «Жрачкин» звучит ужасно.

Но Ксения не пошла на поводу у сына. Она спокойно сказала:

— Фамилия досталась мне от предков. Раз никто ее до нас не менял, то и я не буду, не хочу обижать свой род.

— Почему я должен заботиться о каких-то давно умерших идиотах, которые назывались Жрачкиными? — завопил Вадим. — Хочу быть Мирославским!

— Вырастешь и называйся хоть царем египетским! — вспылила Ксюша.

Вадим притих. Но потом опять принялся нападать на мать.

— Ребенок имеет право носить фамилию одного из родителей. Ты Жрачкина, а папа кто? Немедленно расскажи мне об отце!

— Он давно умер, — солгала мать.

— Но фамилия у него была! — взвился Вадик.

Лейла Ахатовна, присутствовавшая при скандале, понимала, по какой причине подружка никогда не откроет сыну правду, поэтому решила прийти на помощь Ксюше и лихо придумала на ходу:

— Твой отец бросил семью, не платил алиментов. Хорошо ли брать его фамилию и обижать маму, которая тащит тебя одна?

— Я не просил меня рожать, — привычно огрызнулся Вадим. — И надо было от папаши алименты через суд требовать.

— Мама не хотела даже копейки брать от негодяя, который ей изменял, распускал руки, пил запоем, врал по каждому поводу, — вдохновенно фантазировала Лейла. — Поэтому и отказалась от алиментов.

— Она психованная, раз с таким связалась! — заорал Вадик. — И какое право мать имела распоряжаться чужими деньгами? Алименты принадлежат ребенку! Не желала тратить средства подлого мужика? Могла их копить, в коробку класть, а в восемнадцать лет мне отдать. Немедленно назовите его фамилию!

— Жопин, — ляпнула Лейла. — Не хочешь быть Жрачкиным, станешь Жопиным.

Вадим осекся, а Ксюша отвернулась к окну и промолчала. Удивительно, но более про отца Вадим не спрашивал.

Очень часто гадкий утенок медленно превращается в прекрасного лебедя, налаживает отношения с мамой и начинает заботиться о ней. Но это не о Вадике. Он окончил школу с медалью, поступил в вуз, решив изучать астрономию, и стал унижать мать с возросшей силой. Например, не стесняясь, говорил Ксении:

— Ты идиотка без всякого образования, поэтому сиди молча. В доме я хозяин! Давай деньги, мне нужны новые джинсы.

И Ксения бежала к шкафу, где хранилась заначка.

Лейла возмущалась поведением подруги, советовала:

— Ксюша! Не давай ему ни копейки. Пусть сам зарабатывает.

— Он еще маленький, — лепетала Жрачкина, — должен получить диплом, без высшего образования нельзя. Вадюша прав, я очень перед ним виновата. Мальчик рос без отца, и алиментов взять было не с кого.

Однажды Лейла предложила ей: расскажи ему про свое детство и юность и правду о его появлении на свет. Может, тогда хам притихнет.

— Ни за что! — решительно отрезала Ксения. Тут же она сбегала домой, принесла икону и велела: — Перед образом пообещай никогда не говорить Вадику правду.

— Я не православная, — возразила Ибрагимова.

— Тогда клянись именем Аллаха, — не дрогнула Ксюша. — Вадюша не должен ни о чем знать!

— Но почему? — удивилась Лейла. — Сообщи наглецу о том, что его родной отец иностранец, что Вадим плод короткой связи, любовник не знал о твоей беременности, алименты брать не с кого.

— Нет! — в истерике закричала Ксения. — Я умру, если Вадик услышит имя Габриэля!

Окончив институт, парень стал неплохо зарабатывать, но Ксюше не помогал, денег на хозяйство не давал, продолжал есть-пить за счет матери. Наверное, из-за постоянного стресса Ксения тяжело заболела и попала в больницу. В хорошую клинику ее устроила Лейла (Ибрагимова уже не работала в ломбарде, вышла на пенсию, но сохранила прежние связи). Вадим мать не навещал, передачи ей не приносил. Похоже, ему была безразлична ее судьба.

А Ксюше становилось все хуже. Лечащий врач мрачнел, потом сказал Лейле:

— Наши возможности исчерпаны, постарайтесь увезти больную в Германию. Есть шанс, что за границей ее поставят на ноги, в России она обречена умереть.

— Сколько может стоить поездка? — осторожно спросила Ибрагимова.

Названная сумма показалась ей огромной, но по дороге домой бывшая оценщица успокоилась и прямиком направилась к Вадиму, с которым вот уже пару лет предпочитала не встречаться.

— У мамы есть возможность выкарабкаться, — объявила она с порога.

— Очень рад, — сказал Вадим. — Я волнуюсь за ее здоровье! Ночей не сплю!

Лицемерие парня поразило Ибрагимову, но Лейла Ахатовна сдержала гневные слова, рвущиеся наружу, и продолжила:

— Ксению надо отправить в Германию.

— Прекрасная идея, — одобрил Жрачкин. — Когда она летит? Мне можно сопровождать маму?

— Решил прошвырнуться за рубеж? — сорвалась Лейла. — Думаешь, поездка за госсчет? Нет, надо самим платить.

— У нас нет больших накоплений, — опешил Вадим.

— Но есть квартира, — напомнила Лейла, — сейчас недвижимость резко подскочила в цене.

— А где нам жить? — растерялся Жрачкин.

— Потом можно будет снять комнату. Главное — вылечить Ксюшу, а там все уладится! — воскликнула Ибрагимова.

— Да, конечно, — кивнул Вадим, — прямо сейчас займусь продажей.

Лейла удивилась покладистости сына Ксении. Она предполагала, что Вадима придется долго уламывать, и вдруг — молниеносное согласие. Может, он наконец-то повзрослел, понял, кто довел Ксению до больничной койки, и теперь раскаивается?

— У тебя есть знакомый риелтор? — спросила Лейла.

— Да, очень хороший, — заверил Вадим.

И потекли дни, которые складывались в недели, а те — в месяц. Ксению отправили из клиники домой. Ее сын на вопрос Лейлы, как продвигается сделка с жилплощадью, отвечал:

— Стараюсь, как могу. Опустил цену ниже плинтуса, но пока покупателей нет.

— Обратись в «Белый лебедь», — посоветовала в конце концов Ибрагимова. — Отличное агентство, им владеет мой знакомый, Сергей Лионович, вот тебе его визитка. В крайнем случае он выкупит квартиру сам.

Вадик горячо поблагодарил соседку, и снова побежали день за днем. Через две недели Ибрагимова, встревоженная резким ухудшением состояния подруги, налетела на Вадима с упреками.

— На рынке затишье, — чуть не плача, объяснил Жрачкин, — я сам в безумной тревоге. Дом хороший, квартира в прекрасном состоянии, но пока никто не проявил интереса.

— Ты говорил с Лионовичем? Я же сказала, он иногда сам выкупает жилплощадь.

— Пока нет, — простонал Вадюша. — Ситуация в бизнесе изменилась! Я боюсь за маму!

Лейла поверила Жрачкину, хотя и очень расстроилась. Почему она сама не связалась со своим знакомым? Вадим сильно изменился с тех пор, как врачи объявили Ксюшу неизлечимо больной, — перестал хамить матери, стал заботливым, даже нежным, покупал дорогие продукты, готовил вкусную еду, по вечерам сидел с ней у телевизора.

— Видишь, Лейлочка, Вадюша лучший сын на свете, — радовалась Ксения, — просто у него затянулся период взросления. Я сейчас абсолютно счастлива.

Ибрагимова поверила в чудесное превращение монстра в человека. Ксюша права, Вадим действительно стал безупречным сыном. У парня был излишне продолжительный пубертатный период, но сейчас он стал взрослым мужчиной и изменился в лучшую сторону. Лейла простила Вадима и даже опять стала считать его близким человеком.

Но вскоре Вадюша привел к матери нотариуса.

Узнав, что Ксения оформила на сына дарственную на квартиру, бывшая оценщица пришла в негодование и набросилась на Вадика с упреками:

— Думала, ты наконец-то по достоинству оценил свою маму и полюбил ее, но, выходит, я ошибалась! Как ты мог притащить к больной женщине законника, заставить ее переписать на тебя жилплощадь?!

Вадим поднял руки.

— Тетя Лейла, вы со всех сторон правы, я был полный дурак в студенческие годы. Получил диплом о высшем образовании, но не стал ни взрослым, ни умным. Хорошо, что наконец-то понял: мама для меня — все на свете, надо дать ей как можно больше любви. А насчет нотариуса... Мать сама решила оформить дарственную, а я не возражал. Почему? Да потому что намерен продать квартиру и отправить ее в Германию. Сама она никогда не согласится на подобный шаг, ни за что не подпишет бумаги, то есть акт продажи. Но мама не знает о моих планах в отношении немецкой клиники и теперь, потеряв юридические права на жилплощадь, не сможет мне помешать пустить жилье с молотка.

Лейла смутилась. Вадик-то прав! Ксения не захочет, чтобы сын лишился квартиры, и притормозит сделку, а сейчас у парня развязаны руки.

Еще через неделю Ибрагимову позвал на юбилей старинный приятель. В ресторане среди гостей Лейла увидела Лионовича и поспешила к нему. Сначала добрые знакомые поболтали о том, о сем, потом она осторожно спросила:

— Как бизнес?

— Тьфу-тьфу, — заулыбался Сергей, — растем и колосимся. Народ вопит о нищете, но квартиры расхватывает быстрей, чем леденцы на палочке.

— Но почему ты отказался помочь Жрачкиным? — рассердилась Лейла. — Я же звонила, просила оказать Вадиму всяческое содействие. Очень некрасиво ты поступил!

Лионович поморщился.

— Не горячись. Как я мог выкупить квартиру, которую мне не предлагали?

— Вадик не обращался в «Белый лебедь»? — не поверила своим ушам Лейла Ахатовна. — Не может быть!

Владелец агентства закатил глаза.

— Никому не показываю клиентскую базу, но не хочу рушить наши многолетние дружеские отношения. Если не веришь, приезжай завтра в офис, я открою доступ к списку тех, кто приходил или просто звонил нам. Человека с фамилией Жрачкин ты там не найдешь!

— Я на самом деле явлюсь в понедельник, — пригрозила Лейла.

— Битте, — кивнул Сергей. — Какой мне смысл скрывать от тебя визит человека, которого ты сама в «Белый лебедь» отправила?

Ибрагимова приехала в контору, изучила список клиентов и отправилась назад в самом удрученном состоянии. Нет, Вадим остался по-прежнему жестоким, просто его хамство и грубость сменились хитростью и лицемерием. Он не собирался лишаться хорошей квартиры, элементарно ждал кончины матери.

Вне себя от негодования Лейла вернулась домой и кинулась к мерзавцу. Дверь в квартиру Жрачкиных почему-то была нараспашку, но Ибрагимова не обратила на это внимания, пробежала на кухню и выпалила в лицо Вадиму, стоящему спиной к окну:

— Сволочь! Гад! Как я могла тебе поверить?

Он не пошевелился, а Лейла услышала незнакомый голос:

— Женщина, престаньте буянить, иначе вызовем полицию.

Тут только Ибрагимова увидела за столом полную тетку, которая заполняла какие-то бумаги.

— Еще одного нотариуса привел? — заорала Лейла. — Не смейте никакие документы оформлять!

Незнакомка подняла голову.

— Имейте совесть, в доме смерть. Потом отношения с сыном покойной выясните. Проявите хоть каплю сочувствия, он потерял мать!

Вадим стал вытирать лицо платком.

— Ксюша умерла! — ахнула Ибрагимова.

— В ее случае надо сказать: отмучилась, — печально сказала врач. — Смерть наступила до прибытия «Скорой», но, учитывая диагноз, мы ничем бы ей не помогли, приехав раньше.

— Он убил мать... — прошептала Лейла, указывая на Вадима пальцем.

— Перестаньте! — гаркнула врач. — Ступайте вон.

Чтобы не встречаться с Вадимом, Лейла даже не пошла на похороны и поминки — очень боялась, что не сможет сдержаться, и погребение Ксюши превратится в базарный скандал. Впрочем, бывшая оценщица не знала, накрывал ли сын стол, чтобы достойно помянуть мать, Вадим мог пожалеть денег на блины и водку. Лейла пошла на погост на девятый день и, вот уж чудо, столкнулась у свежей могилы с Вадиком. Ибрагимова плохо помнит, что она наговорила подлецу, пришла в себя лишь в конторе кладбища, где две бабки совали ей в трясущиеся руки стакан с горячим чаем.

После той встречи Лейла не общается со Жрачкиным. Ключи от квартиры Ксении она хотела выбросить, но Ибрагимовой казалось, что, кинув связку в мусор, она окончательно убьет подругу. Пока они висели на крючке в шкафу, Ксюша вроде как оставалась живой.

Глава 25

— Вадим убийца! — горько воскликнула рассказчица и посмотрела на меня. — У Ксюши был шанс выздороветь, а сын его не использовал.

— Он так и не узнал имени отца? — спросила я.

Ибрагимова переменила позу.

— Ну, он небось разобрал документы матери, нашел свою метрику.

— А там указано: «Иван Гаврилович Стебунков»? — уточнила я.

— Конечно, — кивнула Лейла Ахатовна. — Но Вадиму давно исполнилось восемнадцать, на алименты он претендовать не может. Если мерзавец поедет к бывшему супругу Ксюши, тот его пошлет по известному адресу.

— Странно, что Вадим раньше до этого не докопался, — запоздало удивилась я.

Лейла усмехнулась.

— Ксюша, когда мальчик начал спрашивать про отца, отдала все документы мне, велела спрятать. Паспорт она ему сделала сама, Вадим в милицию не ходил. Заплатила паспортистке, и та нарушила закон. Ксения сама везде расписалась, принесла Вадиму готовый документ. Она очень не хотела, чтобы сын правду узнал. После смерти подруги я швырнула негодяю в лицо все его документы.

— Вы не рассказали Вадиму про Габриэля? — спросила я. — Он не в курсе, что отец иностранец?

Ибрагимова уперлась локтями в колени.

— Нет. Ксения просила ничего не сообщать сыну, и я держала язык за зубами. Да и какая теперь разница? Я не знаю ни фамилии Габриэля, ни из какой он страны. Единственное, что сообщила Ксюша: молодой человек прибыл в ее вуз на кратковременную стажировку, а ей велели сопровождать его в Суздаль и Владимир. Ничего у Ксюши от той связи не осталось.

— Ничего, кроме кольца и сына, — поправила я.

— Лучше б дело ограничилось одним кольцом! — в сердцах воскликнула собеседница. —

Сколько негодяй крови у матери выпил... Подозреваю, что его отец настоящая скотина!

— Наверное, просто не придал значения мимолетной интрижке, — вздохнула я. — Купил девушке золотое колечко и отбыл на родину с чистой совестью.

— А она его всю жизнь любила, — тихо произнесла Лейла Ахатовна. — Много раз я ей твердила: «Забудь. Переверни эту страницу». Даже пыталась знакомить с кавалерами. Но нет! Кстати, и Вадим подталкивал мать к браку.

— Вот видите, — обрадовалась я, — не все в нем плохо.

— Из чистого расчета старался, — возразила Ибрагимова. — Я знакомила Ксюшу со зрелыми, прекрасно обеспеченными людьми. Вадим надеялся получить богатого отчима, который купит ему все, что он пожелает. В присутствии очередного претендента на руку матери мерзавец вел себя подобострастно — бегал на цырлах, заваривал чай, старался понравиться потенциальному жениху. Парня с младых ногтей волновали только деньги, более ничего. Он мечтал о богатстве и исходил завистью, если узнавал, что кто-то неожиданно получил наследство. Вот сейчас мне вспомнилась знаменательная история. Пошли мы с Ксюшей в кино и Вадика, ему тогда лет восемь было, прихватили, не хотели одного дома оставлять. Действие фильма крутилось вокруг получения наследства. Вышли после сеанса на улицу, мальчик попросил мороженое, самую большую порцию. Ксюша ему ответила: «Денег до получки осталось чуть, возьму тебе маленький стаканчик». Что тут началось! Негодник ногами топал, плакал, требовал огромный брикет. Даже продавщица не выдержала, сказал: «Мамаша, наподдайте капризнику, пока он вам на шею не сел». Но Ксюша, конечно же, купила сыночку пломбир. Тот сожрал его и вдруг говорит: «Мам, а у нас никого нет, чтобы умер и гору денег оставил? Почему в фильме герою так повезло? За что ему столько золота? Почему не мне? Хочу наследство!» И опять истерику закатил. Позавидовал несуществующему человеку, ничего в фильме, кроме денег, не увидел. Таким он на всю жизнь и остался. С генами не поспоришь, что росло, то и выросло.

Лейла Ахатовна помолчала мгновение и продолжила:

— Ксюша — бескорыстное создание, о деньгах в последнюю очередь думала. Небось отец Вадика — жадная сволочь, мальчик в него пошел. Нет в Жрачкине ничего от матери. И внешность не ее. Волосы жесткие, кудрявые, губы толстые, глаза навыкате, нос широкий, приплюснутый, цвет лица какой-то серый. А у Ксюши прямые волосы были, тонкие, как паутинка, черты лица мягкие, кожа белее снега, фарфоровая. Да, наверняка в папашу ребенок уродился характером. Хитрая бестия! Вот, смотрите, фото Ксении, здесь мы сняты вдвоем. Правда, она прелестна? Знаете, стоило Ксении отказаться от выгодной партии, как сыночек превращался в хама. У него была масса уловок, как сделать ей больно. Смотрели фильм «Цирк»?

— С Любовью Орловой в главной роли? Конечно, — улыбнулась я. — В детстве он мне очень нравился, его часто показывали по телевизору.

— Ксюше тоже. Она в тот момент, когда зрители баюкают чернокожего малыша, передавая его из рук в руки, начинала плакать. Моя бедная подружка была очень эмоциональна и ранима. А Вадим хохотал и всегда твердил: «Ребеночек урод. Этой Марион Дэвис что, белых мужчин не хватало? Мама, ты жалеешь расовую преступницу». Ну и дальше в том же духе. Мало того, что он ненавидел инородцев, так еще знал: мама обожает это кино, — и специально портил ей удовольствие от просмотра. Негодяй!

— Не знаете, в каком институте обучалась Ксюша? — поинтересовалась я.

— Она рассказывала, да я позабыла, — отмахнулась собеседница. — А зачем вам?

— Просто так, — пробормотала я, — вдруг любопытно стало.

После разговора с Ибрагимовой я спустилась к Сперанскому.

— До трех дня еще далеко, — с недовольным видом заявил он, увидев меня. — Ты перепутала время, явилась раньше.

— Поговорить надо, — ответила я, стаскивая туфли.

Вадик насторожился.

— О чем? Если надеешься получить прибавку к жалованью, то у меня сейчас денег нет.

— Речь не о финансах, зарплата меня вполне устраивает, — успокоила я его.

— Ладно, — смягчился Сперанский, — пошли на кухню, сделаешь мне чаю.

— Как Нина? — поинтересовалась я, засыпая заварку в фарфоровый чайник.

— Без изменений, — ответил Вадим, и я поняла, что он сегодня не звонил в клинику. — И Надюша по-прежнему в реанимации.

— Ей поставили диагноз? — спросила я.

— Думали, отравление, теперь считают, что она подцепила какую-то инфекцию, — поморщился Вадим, принимая из моих рук кружку с чаем. — Этак я с голоду умру... Даша, ты умеешь суп варить?

— Нет, — ответила я, — повариха из меня никакая.

— Как тебя только гражданский муж терпит? — удивился психолог.

— Он меня любит за душевные качества, — гордо заявила я.

— За душевные качества? — повторил Вадим. И рассмеялся: — Баба должна уметь вести домашнее хозяйство.

— Нина кормила тебя исключительно дешевыми полуфабрикатами, — не упустила я возможности кольнуть психолога.

Вадик отхлебнул чаю.

— Ага. И она никогда не насыпала столько заварки. У Нины было другое, очень ценное для жены качество: она экономно расходовала деньги, ни копейки меж пальцев не просачивалось. Но я люблю вкусно поесть, мне понравились кулинарные изыски Надюши. И мужчина не может жить один, ему нужна супруга, которая уберет квартиру, приготовит обед, постирает, погладит.

— Ты описал круг обязанностей домработницы, — хмыкнула я. — Кстати, служанка обойдется дешевле законной супруги.

Вадим отодвинул пустую чашку.

— Секс — очень важный аспект жизни. С горничной не спят, это неприлично. А с женой — пожалуйста.

— Поэтому, когда Нину увезли, ты проявил интерес к Наде, — усмехнулась я. — Очень удобно, долго новую невесту искать не пришлось. Не смутило, что Нина жива?

— Считай, что ее нет, — деловито сказал безутешный супруг. — Кора головного мозга у нее погибла. Думаю, надо согласиться на отключение системы жизнеобеспечения.

Я уставилась на Сперанского. Он монстр? Или ему просто незнакомо чувство жалости?

— Надя мне не посторонняя, — вещал создатель амулетов, — я знаю ее не первый день, и, конечно, умение так вкусно готовить весьма приятный бонус. Но в процессе тесного общения я понял: Надежда не экономна. Спаржа, тунец, оливки! На один ужин потрачено слишком много, Нина на такую сумму неделю, если не больше, нас кормила. Я аккуратно указал Надюше на ее расточительность, а она не поняла и давай спорить: «Белая спаржа прекрасный гарнир!» Вот ведь чушь! Можно сварить картошку.

— Одна дрянная хозяйка, но экономная, другая суперповариха, да денег не считает, — с иронией сказала я. — Вот бы их объединить и одну жену вылепить, да? Но обе сейчас в больнице, некому о тебе позаботиться.

— Я попал в сложное положение, — заныл Вадим, — ни одной чистой рубашки нет. Слушай, помоги по дружбе, а...

— Постирать сорочки, прибрать в квартире и приготовить немудреный ужин, не потратив много средств? — уточнила я.

— Да.

— За бесплатно я и пальцем не шевельну, — заявила я.

— По дружбе! — повторил Вадим. — Люди обязаны помогать тем, кто в беде.

— Вот я и хочу это сделать, — произнесла я.

— Молодец! — обрадовался фэншуист. — Спасибо тебе. Грязное белье в корзине, в ванной.

— Нет, я говорю о другом, — охладила я радость Сперанского. — Назови мне того, кто заказал амулет на смерть Стебункова.

— Опять двадцать пять... — Он скорчил недовольную гримасу. — Уже сто раз говорил: я не афиширую своих клиентов.

— В особенности тех, кто желает смерти близким? — с самым невинным видом спросила я.

Вадим начал злиться.

— Я впервые взялся за такой заказ.

Я открыла сумочку, достала оттуда несколько листов и положила на стол.

— Что это? — удивился Сперанский.

— Многие газеты сейчас имеют онлайн-версии, — объяснила я, — сама пришла к тебе на работу по объявлению в бесплатном издании. Вот я и подумала: вероятно, ты разыскиваешь в Сети не только служащих, но и клиентов. Смотри, интересное сообщение. «Психолог, создатель амулетов решит все ваши проблемы в личной жизни и бизнесе. Любые дела самой высокой сложности. Дорого. Эксклюзивно. Гарантия тайны. Выезд по вызову в любое место Москвы и области». И телефон Нины. Звучит многообещающе.

— Где ты это нарыла? — сморщился Вадим.

— Неужели я плохо объяснила? — удивилась я. — Во Всемирной паутине.

— У нас пиаром Нина занималась, — пожал плечами фэншуист. — Мало ли что ей в голову взбрело, я не контролировал жену. Я творческий человек, а не офисный планктон, моя задача создание амулетов.

— Иван Гаврилович жив, — перебила я Вадюшу, — а ты получил предоплату, но не выполнил работу. Заказчик небось очень зол.

— Ну, вероятно, — промямлил Вадик.

— Он с тобой не связывался? — не отставала я.

— Пока нет, — пробурчал врун.

— Неужели клиент не устроил тебе скандал? Не потребовал вернуть задаток? — упорно ехала я по накатанной лыжне.

— Если понадобится, сию секунду верну ему сумму полностью, — заявил психолог.

— Расстанешься с хорошим кушем? — не поверила я своим ушам.

— Раз работа не выполнена, то и платить не за что, — хмуро пояснил собеседник.

— Кто бы мог подумать, что такой опытный мастер совершит детскую ошибку — не подумает об освещении... — подначила я его.

Вадим покраснел, но не произнес ни слова.

— И очень стремно браться за такой заказ, — прошептала я. — Если Иван Гаврилович умрет, к тебе явится полиция и начнет задавать неудобные вопросы.

Вадим сложил руки на груди и вздернул подбородок.

— О том, что его смерть спровоцировал талисман, никто не догадается. Я тщательно храню тайну клиента, никому не говорил о заказе.

Я покосилась на него.

— Но мне же известно о твоей работе. Отвозила тебя и Нину к нему, поднималась с вами в квартиру и ездила за деньгами для полиции.

Сперанский схватил пустую чашку.

— Я перенервничал и допустил ошибку, хотел избежать ареста. Ты собралась шантажировать меня? А не боишься? Осторожней, а то я сделаю амулет, и у тебя ноги и язык отнимутся. Со мной лучше дружить! Да и не поверят тебе тупые полицейские. Они ничего не смыслят в амулетах, идиотам отпечатки пальцев нужны и прочие доказательства.

— Странно, что ты не опасаешься заказчика Стебункова, — произнесла я. — Конечно, полицейские вряд ли отнесутся серьезно к версии о заряженном на смерть талисмане. Но стражи порядка вломятся к тебе по другой, не связанной с профессиональной деятельностью причине. Ты станешь основным подозреваемым в деле об убийстве друзей Ивана Гавриловича и его самого.

— Это еще почему? — взвизгнул Вадик. — Я с ним не знаком, в гости к бизнесмену не ходил, чай-кофе с ним не пил. Как вообще моя фамилия появится в этой истории?

— Стебунков не женат и очень богат, — промурлыкала я. — Даже если Иван Гаврилович завещал активы, квартиры, бизнес своим служащим, кошкам-собакам или пустил нажитое на благотворительность, ты имеешь право подать в суд и получить часть его состояния.

— С какой радости? — удивился Сперанский.

И тут я вытащила из рукава козырной туз.

— Потому что ты, Вадик, его сын. А у людей, занимающихся расследованием убийств, наследники всегда первые на подозрении. Я обожаю криминальные сериалы, смотрю все, что показывают по телику, и весьма подкованна в вопросах следствия. Знаешь, какие стереотипы существуют у сотрудников убойных отделов? Если человек обнаружил труп, то он, вероятнее всего, и есть убийца. Погиб мужчина? Ищи женщину или деньги. Погибла баба? Ищи мужика и деньги. Унаследовано большое состояние вследствие насильственной кончины богача? Основной мотив для убийства у того, на кого составлено завещание. Простая такая полицейская арифметика. И что самое интересное, чаще всего это срабатывает.

Глава 26

— Я сын Стебункова? — с хорошо разыгранным изумлением спросил Сперанский. — Ну и чушь!

Мне надоело участвовать в глупом спектакле.

— Послушай, ты попал в крайне опасную ситуацию. И если продолжишь прикидываться дурачком, все закончится очень плохо. Вероятно, за тобой охотится убийца.

— Убийца? — повторил фэншуист. — Даша, ты в своем уме? Я никому не делал зла! У меня нет врагов!

— А смертные амулеты? — спросила я. — Извини, Вадим, не хочу тебя обижать, но я не верю, что все эти штучки приносят их владельцам удачу, успех, счастье и охраняют их здоровье. Более того, если уж у нас пошел откровенный разговор, скажу: талисманов, способных убить их владельцев, не существует.

Сперанский пожал плечами.

— Для тебя не существует, а для других они — реальность. Истинно верующий человек едет через много стран, чтобы прикоснуться к ларцу с частичкой мощей, вылечивающих от злых болезней. Больной не сомневается в их силе и выздоравливает. Но если в такое путешествие он отправляется под давлением родственников, сам же скептически относится к целительным свойствам святыни, то она ему не поможет. Ты смеешься над амулетами и не пользуешься ими. Я же считаю, что талисман, сделанный по всем правилам, и жизненное пространство, оборудованное согласно законам фэн-шуй, приносят человеку долголетие, достаток и счастье. У каждой пташки свои замашки. Я не критикую твои убеждения и не мешаю тебе жить по собственному усмотрению. Зачем ты лезешь с критикой в мой адрес?

Вадим сжал в кулак свой медальон и что-то зашептал.

— Пожалуйста, выслушай меня спокойно, — попросила я. — Ты — марионетка в руках хитрого, злого человека, который хочет прибрать к рукам состояние Ивана Гавриловича. Преступник знает, что по закону ты его родственник, поэтому пытался тебя отравить. Но случайно яд попал к Нине и Наде.

Вадик опешил. Кажется, на этот раз он ничего не изображал. Он действительно был изумлен.

— Сестер отравили?

— Похоже на то, — кивнула я. — Но еще раньше, до того как я устроилась к тебе на работу, в доме Стебункова произошла трагедия. Погибли все его друзья и водитель. Неужели ты ничего не слышал об этом несчастье?

— Нет, — с самым честным видом соврал Вадик.

Я показала на плоский экран на стене.

— Не верю. Ты постоянно смотришь «КримТВ». Даже сейчас, во время нашего разговора, телевизор включен, и хоть работает без звука, картинку демонстрирует исправно. История смерти приятелей Ивана Гавриловича — подарок для журналистов, они постоянно обсуждают ее. Зачем ты мне врешь?

Вадим отвел взгляд в сторону.

— Просто забыл о том, что случилось у Стебункова.

Я встала, включила чайник и продолжила:

— Ты не понимаешь всей сложности ситуации. А я попыталась сложить вместе части мозаики и получила пугающую картину. Вернемся на некоторое время назад. Иван Стебунков богат и вроде бы не имеет родственников, зато у него есть друзья: Игорь Мамонов, Олег Барсуков и Дарья Васильева. Компания сложилась давно, ее членов связывают не кровные, но очень прочные узы. Мне кажется, что родственниками не рождаются, ими становятся в процессе жизни. Можно появиться на свет в огромной семье: единокровные братья-сестры, бабушки-дедушки, тетки-дядья — и все же ощущать себя одиноким. А можно вырасти сиротой, но повстречать, скажем, в школьные годы людей, которые станут твоими братьями и сестрами по жизни. Вот в компании Ивана Гавриловича и сложились такие отношения.

— Откуда тебе известны такие подробности? — скривился Вадим. — Ты пила чай с этими людьми?

— Мне не повезло, не обзавелась настоящими друзьями. Все детали про окружение Стебункова растиражировали СМИ. А я сделала кое-какие заметки. Погоди, сейчас покажу.

Я порылась в своей сумке и достала из ее недр блокнот.

— События развивались так. Стебунков летит на сафари в Африку и привозит оттуда мясо крокодила, которым угощает приятелей. Все гости, отведавшие деликатес, умирают. Следователь, занимавшийся происшествием, приходит к выводу, что шашлык был заражен неким неизвестным нашим врачам вирусом. На Африканском континенте существуют болезни, о которых не знают доктора Европы. Местные колдуны справляются с инфекцией, и у коренного населения выработался к ней иммунитет, белый же человек перед ней беззащитен. Сафари для Стебункова организовала турфирма, ее владелец показал журналистам стандартный документ, подписанный Иваном Гавриловичем. Такой дают каждому, кто отправляется на Черный континент. Бумага содержит стандартный текст: «Я, имярек, предупрежден о том, что во время сафари обязан соблюдать следующие правила безопасности: не выходить из джипа, не передвигаться по территории отеля один, не общаться с местным населением без гида, не пить сырую воду, не купаться в открытых водоемах, не покупать продукты и сувениры на рынках, питаться лишь в тех ресторанах, которые рекомендует сопровождающий...» Ну, и так далее. Стебунков подмахнул договор, однако его нарушил — привез крокодилятину, замаринованную аборигенами. Ничего хорошего из этой затеи не вышло — погибли разом все его друзья. Вроде это был несчастный случай. Иван Гаврилович никого не хотел отравить, он сейчас испытывает огромные моральные мучения, уехал из Москвы, бросил дела, считает себя убийцей. Дело закрыто, обвинять некого. Но мне пришла в голову мысль: что, если существует человек, который рассчитывает после смерти Ивана Гавриловича получить его капитал? Вдруг это он каким-то образом отравил всю компанию?

— Зачем? — задал справедливый вопрос Вадим. — Тогда уж следовало бы убить самого бизнесмена.

Я погладила блокнот.

— Верно. Но давай вспомним: у Стебункова нет никого ближе тех друзей. Поэтому можно предположить, что он упомянул их в завещании. Я задала себе вопрос: почему не отравился сам Иван Гаврилович? И нашла ответ: его временно оставили в живых, чтобы он успел переписать свое последнее волеизъявление. Киллер предполагает, что, потеряв тех, кого считал близкими, Стебунков оставит свое состояние ему. И еще убийца знает, что у Ивана Гавриловича есть сын Вадим, помеха на пути к богатству. Вдруг у Стебункова проснутся отцовские чувства, и он вспомнит о брошенном мальчике? Тут надо отметить один интересный момент. Когда Иван узнал, что жена Ксения обманула его, пошла с ним в загс уже беременной...

Вадим вскочил.

— Что?

— Сядь, — попросила я. — Ксюша Жрачкина — не дергайся, мне известно, что ты не Мирославский, — юная, растерянная, выгнанная из дома авторитарным отцом, не имевшая ни жилья, ни средств к существованию, послушалась совета, данного ей преподавательницей. Она, схитрив, вышла замуж за влюбленного в нее Стебункова, будучи беременной на раннем сроке от иностранца, которого сопровождала в качестве переводчицы. Родился мальчик, представленный Стебункову как его недоношенный сын...

Я говорила медленно и видела: Вадим на самом деле не знал правды. Она обрушилась на него только сейчас и, похоже, придавила его, как бетонная плита.

— Понимаешь теперь, почему твоя мать не брала алиментов у Стебункова? — спросила я, завершив рассказ. — Ксения пошла на обман исключительно из-за своего ребенка, а когда все раскрылось, испугалась скандала, пообещала бывшему мужу никогда не предъявлять к нему финансовых претензий. И сдержала слово. Но вот что интересно! Иван Гаврилович не оформил официальный отказ от отцовства, он не стал подавать в суд. Почему? Да хлопотное это дело, связанное с неприятными формальностями — общением с судьей, сбором всяких справок, в том числе и с работы. Ивану Гавриловичу пришлось бы идти в отдел кадров и просить: «Дайте справку о том, что я состою в штате». Естественно, ему задали бы вопрос: «Зачем она вам? Нам надо указать, для предоставления в какую организацию выдана бумага». Стебункову пришлось бы сказать про суд.

Я бросила взгляд на Вадима. Тот сидел, не шелохнувшись.

— Тетки-кадровички, — продолжила я, — любопытнее сорок. Начали бы выпытывать подробности, могли пойти на заседание суда. Оно же открытое, заходи, кто хочет. И все узнали бы, что преподаватель затеял процесс об отказе от отцовства. Представляешь бурю слухов, которая разразилась бы в учебном заведении? Стебункову перемыли бы все кости, осудили бы за то, что он бросил мальчика. Вот Иван и решил оставить все, как есть. Если бывшая жена поступит порядочно и более не появится в его жизни, то прекрасно. А ежели спустя какое-то время все-таки напишет заявление на алименты, тогда уж придется обратиться в суд. Ксения не нарушила своего обещания и ни разу, даже почти умирая с голоду, не позвонила Стебункову. Тот постарался забыть о малоприятном эпизоде своей жизни, но в метрике, которую Ксения отдала на хранение подруге Лейле, в графе «отец» так и осталось его имя. После истории с Ксенией Иван Гаврилович навсегда перестал верить женщинам, он более не оформлял брака, не обзавелся детьми. Сохранись в России советская власть, у него возникло бы немало проблем, например, с выездом за границу. Но тоталитарное государство рухнуло, контроль за жизнью граждан ослаб, Стебунков получил загранпаспорт и преспокойно летал по миру. Но кто-то знает, что очень давно Иван Гаврилович выгнал из дома жену с ребенком. Правда, он не знает всех перипетий неудачного брака бизнесмена, поэтому считает тебя, Вадим, его родным сыном.

Я снова посмотрела на Сперанского. В его глазах застыл вопрос, но он молчал.

— Думаю, этот человек опасается, что олигарх, потеряв всех близких людей, вспомнит о единственном родственнике, решит наладить с ним отношения, оформит на него наследство и тем самым лишит денег того, кто рассчитывает разбогатеть, заявив о себе после смерти Стебункова. Простите, у Ивана Гавриловича есть еще один кровный родственник... Кто он такой? Может, ребенок от какой-то любовницы? Вероятно, у Ивана все же были тайные связи с женщинами, здоровому, далеко не старому мужчине трудно жить монахом. В результате мы имеем следующее: преступник уже убрал Игоря Мамонова, Олега Барсукова, Дарью Васильеву и водителя Степана Комолова. Косвенно виновным в произошедшем считают самого Стебункова. Киллер очень хитер и не собирается действовать напролом. Поэтому он обращается к фэншуисту Сперанскому с просьбой создать смертный амулет для олигарха. Мерзавец знает, что ты, Вадим, ненавидишь отца, который никогда тебе не помогал, и с радостью ухватишься за любую возможность навредить папеньке. Но на самом деле заказчик желает убрать тебя. Он не верит, что обереги обладают какой-то силой, а вот яд очень хорошо справится с задачей. Ты должен назвать мне имя своего клиента! И вспомни, что еще вручил он тебе, кроме предоплаты. Коробку конфет? Бутылку элитного спиртного? Я уверена, было некое угощенье, к которому ты не прикасался, зато его попробовала сначала Нина, а потом Надя. Храня молчание, ты покрываешь жестокого негодяя и ставишь себя под удар. Пойми, Вадим, ты — последняя преграда на пути убийцы к наследству. Как только тебя не станет, преступник выждет какое-то время и уничтожит Ивана Гавриловича.

— Это правда? Насчет иностранца... — прошептал Сперанский.

— Да, — кивнула я. — Лейла Ахатовна полностью в курсе дела. Она терпеть тебя не может, никогда не простит тебе смерть матери, но если я очень попрошу ее, Ибрагимова выложит правду. Кстати, ты искусный лгун! Наговорил мне кучу всего про мать, наврал про ее фамилию, работу бухгалтером, ни разу не упомянул о ломбарде, пел песни о невероятной любви к ней, но умолчал, что не пошел в риелторскую контору, не стал продавать квартиру, чтобы отправить больную Ксению в Германию.

Вадим боднул головой воздух и ринулся в бой:

— А ты сама в восемнадцать лет сильно любила родителей? Неужели ни разу не подумала: «Чтоб вы сдохли! Жить не даете!»

— Я не знаю тех, кто произвел меня на свет, — ответила я.

Глава 27

Вадик не смутился, наоборот, еще больше ажитировался.

— Тогда молчи! Да, я ненавидел мать. Она постоянно зудела о моральных принципах, а сама сидела в ломбарде, наживалась на чужом горе. И мне в детстве и юности много чего не хватало. Мать странно понимала слово «забота». Я попросил велик — не купила. Повод для отказа был потрясающий: я непременно упаду и сломаю себе шею. Отдыхать на море мы никогда не ездили — самолет же может упасть, и Вадик разобьется. Позвать друзей в гости нельзя, и вообще мне лучше общаться только с ней, ведь мать дурному не научит, а приятели втянут меня в плохую историю. И так без конца. Может, я бывал с ней груб, но виновата в этом она, потому что буквально душила меня заботой. Я просто отстаивал право быть самим собой. Лейла врет! Чертова баба всегда преувеличивала мои прегрешения. Сказал я матери: «Все равно пойду вечером гулять», Ибрагимова за сердце хватается. Ах, ах, он мамочку оскорбил... Завтра она уже говорит, что я ее ударил, а послезавтра — чуть ли не убил.

— Но квартиру ты не продал, — напомнила я.

Вадим стукнул кулаком по столу.

— А ты спросила у Лейлы, чем страдала мама?

— Нет, — призналась я.

— Рассеянный склероз, — чуть тише пояснил Сперанский. — Его нигде бы не вылечили. Я тоже говорил с врачом и поинтересовался: «В Германии ей точно помогут?» Он объяснил: «Избавить от болезни нельзя, можно только загнать ее в фазу ремиссии. Но у Ксении тяжелая стадия, ее ждут слепота и мучительная смерть от отека легких». Какого черта он тогда пел про поездку в Мюнхен?

— Почему же специалист, невзирая на мрачный прогноз, предложил лечение за границей? — спросила я.

— Я тоже об этом спросил. И услышал в ответ: «Нужно использовать все шансы. Вероятно, после курса лечения в немецкой клинике ваша мать проживет на полгода дольше». Ага! И все равно скончается! — взвизгнул фэншуист. — Отличный совет: продайте все, что имеете, чтобы продлить мучения умирающей на шесть месяцев.

Я со смешанными чувствами наблюдала за Сперанским. У каждого человека свое видение собы-

тий. Лейла считала подругу замечательной, само-
отверженной матерью, а Вадик бунтовал против
сверхопеки, и каждый из них по-своему прав. Но
есть объективные свидетельства. Вадим ненавидел
свою фамилию. Мне врал, что был Мирославским
и взял фамилию Сперанский из-за «неправильно-
го» сочетания букв «рос» и «лав», а на самом деле
просто не желал видеть в паспорте «Жрачкин».
И если человек любит мать, то вопреки здравому
смыслу и всем заявлениям о неизлечимости ее не-
дуга он бросится продавать жилье, машину и себя
лично, но увезет больную в Германию — да хоть
на край света! — использует пусть даже призрач-
ный шанс на продление ее жизни.

— Что ты на меня уставилась? — заорал Вадим. — Нашлась совесть человечества! Я всю
жизнь пытаюсь из нищеты вылезти, и вечно облом. Думаешь, я не помню подробностей своего
детства? Мы выбрались из убогой халупы, когда я
уже ходил в школу. Стебунков запихнул бывшую
жену с ребенком в жуткие условия! Комнатушка
меньше десертной тарелки, мы с матерью спали
валетом на диване. Вместо кухни — щель. Там не
было раковины, посуду мыли в ванной. Господи,
ванная... Рукомойник и унитаз, душа нет, приходилось ходить в баню. Тебе этого не понять! Тас-
кались в баню по субботам с сумкой, в которой
лежали мочалки, мыло и чистое белье, сначала на
метро, затем на трамвае. Весь выходной посвя-
щался помывке. А на неделе «ополаскивались» в
раковине. Ели дешевое дерьмо, одевались в тряп-
ки. И мне следовало опять очутиться на дне? Ради
чего? Чтобы немецкие врачи напичкали мать таб-
летками, нафаршировали уколами, а потом, набив

карманы деньгами за проданную мной квартиру, развели своими жадными бюргерскими ручонками и проблеяли: «Увы, ничего не помогло».

— Перестань, — попросила я.

Но Вадима понесло, он окончательно потерял самообладание.

— Мать про бывшего мужа помалкивала, имени его не называла, я был Жрачкин. Вдумайся — Жрачкин! Легко мальчику с такой фамилией в школе? Дети злы, меня задразнили почти до смерти. И в институте было не лучше, находились педагоги, которые говорили: «Жрачкин, идите отвечать», — и ухмылялись... А ведь можно было избавить меня от мучений. Я просил разрешения на смену фамилии при получении паспорта, хотел стать Мирославским. И что? Мать мне отказала, лепетала какую-то чушь про родословную и предков. Да она была сумасшедшей! Я решил все сделать сам, так она без меня получила мой паспорт. Принесла его домой, а там — Жрачкин! Ты хоть знаешь, как трудно фамилию поменять, если ее в паспорте поставили?

Вадим задохнулся от ярости. Я вскочила и поспешила налить ему воды. Но Сперанский смахнул стакан на пол и добавил децибел в голос:

— После смерти матери я нашел свое свидетельство о рождении в документах, которые мне швырнула Лейла. Там же было и золотое обручальное кольцо. Навести справки о Стебункове ничего не стоило. Он оказался богат! А мне не перепало ни копейки! Отец должен мне алименты за восемнадцать лет! Я его сын!

Лицо психолога окаменело, но губы продолжали шевелиться.

— Всего-то хотел... услышать ласковое слово... но... К нему было не подступиться. Папочка то за границей, то заседает на совещаниях, то фитнесом занимается. Всегда ходит с охраной, посещает такие места, куда простого смертного близко не подпускают. Но зимой я таки умудрился к нему подойти, сказал: «Папа, я Вадик, твой сын». А он...

Сперанский стиснул кулаки и поднес их к груди.

— А он посмотрел на меня, как на таракана: «Молодой человек, вы не первый, кто пытается прикинуться моим родственником. Должен вас разочаровать: я не имею детей». И велел охране меня вышвырнуть. Сволочь! Гадина! Вот тогда я и решил: пусть он сдохнет! Кому тогда его деньги достанутся, а? Ответ понятен: я докажу свое родство, ведь есть метрика... Я его урою... я...

Вадим снова захлебнулся яростью. А меня отшатнуло в сторону.

— Ты соврал насчет заказчика!

Сперанский обрушился на стул и сгорбился, а я лепетала:

— Никто другой не собирался навредить Ивану Гавриловичу... Ты по своей инициативе создал антиоберег...

Фэншуист поднял голову.

— Довольна? Порылась в чужом грязном белье? Да, я направил на него лук со стрелами, но из-за энергосберегающей лампочки процесс вышел из-под контроля, удар достался сначала Нине, потом Наде.

Я села рядом с Вадимом и взяла его за руку.

— Ты хотел убить Стебункова?

— Да! — с вызовом воскликнул Вадик.

— При помощи талисмана? — уточнила я.

— Конечно, — подтвердил Сперанский. — Создание такого антиоберега дело непростое, потребовались месяцы кропотливой работы, изучения обстановки.

— Этой зимой ты наконец-то пообщался со Стебунковым, а тот прогнал тебя, потому что знал правду о твоем рождении, и ты начал действовать, — устало подвела я итог. — А Мамонова, Васильеву и Барсукова тоже убил талисман?

— Нет, — неожиданно спокойно ответил Вадим. — Вообще-то мне и в голову не приходило, что деньги Стебунков может завещать друзьям. Я, перед тем как сконструировать лук, проконсультировался с адвокатом, и тот объяснил, что родной сын имеет все шансы получить свою часть. Юрист еще добавил: «Если вас нет в завещании, то придется постараться, чтобы получить капитал. Хорошо, что есть метрика, где указано имя отца, значит, он вас признал. А раз так, вы наследник. Кстати, приемные дети имеют те же права, что и родные». Я ничего не знал о приятелях Стебункова. Выяснил только, что у него нет ни жены, ни детей, кроме меня, и приступил к созданию амулета. Можешь мне не верить, тыкать в нос объявлениями, которые составляла Нина, но я повторяю: никогда не занимался черными талисманами. Впервые создал его для своего жестокого отца и пристроил в санузле во время визита к нему.

Я встала и начала ходить по комнате.

— Почему же заболели Нина и Надя?

Фэншуиста передернуло.

— Снова-здорово! Тебе приятно твердить про мою ошибку? Энергосберегающая лампочка...

Я не слушала очередную порцию глупостей. Вадим может считать себя великим колдуном всех времен и народов, магом, специалистом по фэн-шуй, инопланетянином и лох-несским чудовищем до кучи, но он не причастен ни к ужасным событиям, произошедшим в доме Стебункова, ни к отравлению Нины и Нади. Уж не знаю, как Уголовный кодекс классифицирует людей, которые намерены убить человека и даже пытаются лишить его жизни, но при этом действуют способом, который никак не может повредить жертве. Иными словами, можно ли наказать N, который, прошептав над яблоком заклинание, угостил им М и стал ждать, когда тот скончается в муках от наговора. Ну, да, мотив есть, налицо и попытка убийства, но в реальности-то это просто глупость.

Если бы Вадик обманывал наивных людей, обещая с помощью обрядов за большие деньги вернуть здоровье смертельно больным, то это было бы мошенничеством. Кстати! Лично я, например, не понимаю, по какой причине до сих пор не запретили публикацию в прессе объявлений вроде: «Избавлю от всех недугов, без операций и лекарств, дорого». А еще меня интересует другой вопрос. Знахарь, или как его там называть, готов лечить инфаркт, диабет и все болезни по алфавиту путем наложения рук. А сам-то он, сломав ногу, ляжет на диван и будет делать пассы над своей больной конечностью, приговаривая: «Косточки срастайтесь», или, не теряя времени, помчится в травмпункт за квалифицированной помощью? Что-то мне подсказывает: целитель живо вспомнит про гипс и обезболивающие уколы.

Вадим искренне верит в действенность созданных им амулетов, сам носит оберег, постоянно трогает его, считает Айру щитом от всех жизненных невзгод. И он не работает с больными людьми, не обещает никому чудесного исцеления, всего-то приманивает удачу, семейное счастье, успех в бизнесе. Кое-кому амулеты Сперанского вроде помогают. Но они действуют как плацебо! Человек верит, что метелочка из куриных перьев избавит от всех неприятностей, не сомневается, что с приобретением оберега черная полоса в жизни закончится. И она на самом деле заканчивается. Часто — по объективным причинам. А порой от того, что носитель амулета начинает иначе относиться к жизни, задействует свои внутренние резервы. Так что пресловутая метелочка тут по большому счету ни при чем.

Мой работодатель не обманывает своих клиентов, а, скажем так, честно заблуждается в отношении своих магических способностей. Будучи алчным и страшно злым на Ивана Гавриловича, он решил убить его при помощи особого фетиша и сейчас пребывает в уверенности, что осуществлению этого помешала энергосберегающая лампочка. Было бы смешно, если бы не было так грустно...

Я посмотрела на Вадима.

— Давай представим на секунду, что кто-то хотел убить тебя.

Он неожиданно улыбнулся.

— Ерунда! Меня все любят, потому что я помогаю людям.

— Лейла Ахатовна Ибрагимова терпеть тебя не может. — Я решила спустить собеседника с облаков на землю.

— Она исключение, — тут же отбил подачу Вадим. — Выжила из ума. Впрочем, никогда у нее особого ума и не было.

— Может, попытаешься вспомнить еще каких-нибудь недоброжелателей? — не успокаивалась я. — Иногда в стан врагов переходят друзья.

— Нет, — мгновенно заявил фэншуист. — Я близко не схожусь с людьми, закадычных друзей не имею. Если тебя с детства постоянно дразнят и унижают, то и став взрослым, ты не испытываешь особого желания корешиться с кем-либо. Да и тупое это занятие — ходить в гости или звать кого-то к себе. Не вижу смысла в совместных ужинах, это только лишняя трата денег.

— Давай представим немыслимую, на твой взгляд, ситуацию, — попросила я. — Что, если мое первоначальное предположение верно, и некто, рассчитывая на деньги Стебункова, убирает всех возможных наследников? Сначала преступник расправился с друзьями Ивана Гавриловича, потом решил добраться до тебя.

Вадик скрестил руки на груди.

— Идиотская идея. Мерзавца-то легко вычислить.

— Как? — не поняла я.

Сперанский снисходительно посмотрел на меня.

— По твоей логике, поубивав всех, негодяй подождет, пока Стебунков внесет его фамилию в завещание, а затем лишит жизни и его. Но едва адвокат объявит последнюю волю бизнесмена, сразу станет ясно, кто виновен в преступлении. Это так просто, что даже смешно.

— Боюсь, тебе не удастся посмеяться — имя киллера всплывет лишь после твоей кончины, —

мрачно напомнила я. — Думаешь, почему Нина и Надя находятся в шаге от смерти? Их отравили по ошибке, метили-то в тебя. Как яд попал в их организм?

— Их чем-то укололи, — на полном серьезе предположил Вадим. — Недавно по «КримТВ» показывали фильм про одного человека. Там говорилось, как его советская разведка убрала. Мужчину якобы укололи зонтиком, смазанным ядом[1].

— Охота открыта на тебя, — повторила я.

— Меня никто не травмировал, — пожал плечами Сперанский.

— Проще всего подмешать отраву в еду, — продолжила я. — Сейчас много продуктов продается в картонной таре. Ну, допустим, кефир. Крохотный прокол в пакете, пара капель яда попадает внутрь, и готово. Ну-ка, вспоминай, что употребляли Нина и Надя и чего не тронул ты?

— Кефира у нас не водится, — забубнил Вадим. — Ну... не помню. Нина покупала полуфабрикаты, чтобы по-быстрому приготовить. Вроде пюре — зальешь кипятком и лопай. Я неприхотлив в еде, съем все, что дадут. Конечно, домашнее вкуснее, Надюша обалденные котлеты жарила, и сырники у нее просто объедение, но я спокойно лапшу из коробки употреблю, капризничать не приучен.

---

[1] Георгий Марков, гражданин Болгарии, эмигрировал в Лондон в 1969 году, работал на Би-би-си. 7 сентября 1978 года был убит на автобусной остановке. Убийца при помощи зонтика, снабженного иглой, ввел в ногу Маркова яд рицин. В проведении этой акции обвиняли болгарские спецслужбы и советский КГБ.

— У меня большое подозрение вызвала минералка, принесенная студенткой, собирающей подписи. Выяснилось, что она заходила только к вам, других жильцов не посещала.

Вадим почесал ухо.

— Так ведь и я ее пил. Сначала из бутылки Надя хлебнула, затем я попробовал. Вроде и ты тоже себе в стакан налила.

— Нет, — возразила я. — Не прикасаюсь к газированным напиткам, у меня от них желудок болит. Раньше очень любила и лимонад, и колу. Но прошлым летом я сходила к гастроэнтерологу, и тот категорически запретил мне подобное питье. Оказалось, углекислота вызывает у меня приступ гастрита.

— Старость не радость, — схамил Вадим, — скоро тебе разрешат питаться исключительно овсянкой на воде. А вот у меня здоровый желудок, поэтому я спокойно попробовал минералку и ничего необычного в ней не нашел. Хотя...

— Что? — быстро поинтересовалась я.

— Вкус у нее был слегка другой, чем у той воды, которую покупала Нина, — сказал Вадим.

— Горький, сладкий, кислый? — насторожилась я.

— Трудно объяснить, — пожал плечами фэншуист. — Купи в магазине и глотни. «Горная капля» не похожа на другие напитки. Но яда в той бутылке точно не было, иначе я бы тоже слег.

— Зачем приносить минералку в одну-единственную квартиру? — не успокаивалась я.

Вадик показал пальцем на свою пустую чашку.

— Плесни-ка мне чайку... Может, студентка собралась по всем этажам пройтись, начала с нас, и тут ей из дома позвонили, там что-то случилось?.. Вот она и убежала, забыв про работу. Выброси из головы мысли о моих врагах. Если хотят человека умертвить, то уж постараются яда побольше в питье насовать, чтоб наверняка на тот свет отъехал. А Нина и Надя живы.

— Они в больнице в тяжелом состоянии, твоя жена в коме! — воскликнула я.

— Есть цианиды, которые убивают мгновенно, — тоном знатока заявил Вадим. — Зачем использовать зелье, которое срабатывает не сразу?

Последнее заявление Сперанского показалось мне очень важным, но я не успела понять, почему, — он внезапно хлопнул ладонью по столу и крикнул:

— Надоело ерунду слушать! По-твоему, меня хотят уничтожить?

Я кивнула.

— Яд достался моей жене и ее сестре? — гремел Вадик. — А еще раньше на тот свет отправили приятелей Стебункова?

Я снова согласилась.

Сперанский скривился, как от лимона.

— Шашлык из крокодила оказался нафарширован чем-то вроде стрихнина? И почему остальные не померли?

— Кто? — удивилась я.

Сперанский объяснил:

— В доме готовят экзотическое блюдо, такое не каждый день случается. У бизнесмена есть прислуга — экономка, домработница, охранник и шофер. Неужели им не захотелось отведать кусочек крокодилятины?

— Водитель Степан жарил на мангале шашлык и умер, поев его, — возразила я.

— А экономка с горничной? — уперся Вадим. — Готов спорить на что угодно, шофер предложил им угоститься. Да только экономка не погибла со всеми, скончалась после того, как я оставил талисман. И горничная, молоденькая девушка, выглядела вполне здоровой, когда мы были у бизнесмена дома.

— Может, яд имеет отсроченное действие? — предположила я. — Есть такие, которые начинают работать через пару суток после приема. И они сложно определяемы, при вскрытии ничего не находят. Вероятно, поэтому в случае с гостями Стебункова заговорили о таинственном вирусе.

— И сколько дней прошло после пикника у олигарха? Какая отрава убивает спустя такое количество времени? — ехидно осведомился фэншуист. — Правда, горничная в доме была новая.

— А ты откуда знаешь? — поразилась я.

Сперанский вынул из кармана блокнот, пояснив:

— Не люблю гаджеты, записываю сведения по старинке, на бумаге. Прежде чем делать талисман, необходимо учесть все.

— Даже электролампочку, — не утерпела я.

Но Сперанский не обратил внимания на ехидные слова, перелистнул страницу.

— В квартире десять комнат, три на юг... это не то... мебель... не оно... Ага, вот. Виктория Николаевна, экономка, по знаку зодиака Скорпион, прописана в Люблине, проживает постоянно в доме Стебункова. Ирина Львовна Зимина, Козерог, живет в Теленском переулке, дом два, квартира под тем же номером, приходящая прислуга.

Я напрягла память.

— Вроде экономка обращалась к молоденькой горничной по имени Алена.

Вадим захлопнул блокнот.

— Фиг с ним, с именем. Зиминой за сорок, воду подавала не она. Черт! Только сейчас сообразил! Вероятно, не только лампочка причина сбоя в работе амулета — в доме появилась новая горничная.

— Верно, — вспомнила я. — Экономка еще посетовала на молодежь, которая не успела обтесаться. И упомянула, что неумеху порекомендовала ушедшая Ирина.

— Подвожу итог, — заявил Сперанский. — Несусветная глупость тебе в голову пришла. Степан стопроцентно всю дворню угостил крокодильим шашлычком. Почему прислуга не умерла?

— Другое «почему»: почему полиция не спросила у служащих, ели ли они экзотическое мясо? И третье. Почему дознаватели не удивились, что дворня, как ты выразился, жива?

— Да поломойки и охранники никогда не признаются, что без спроса хозяйский деликатес жрали! — хмыкнул Вадим. — Все промолчали или соврали.

— Надо проверить, что там с Ириной Львовной Зиминой, по какой причине она ушла с хорошего места, — продолжала упорствовать я.

— У тебя в ближайших родственниках нет баранов? Выдумываешь ерунду, — взвился Вадим.

— Надеюсь, более не станешь предпринимать попыток убить ни в чем не повинного Стебунко-ва? — окончательно разозлилась я.

— Нет, — еле слышно ответил Сперанский. — Я ведь узнал, что он не мой отец. Иван Гаврило-вич стал мне безразличен.

Глава 28

Едва я переступила порог своей квартиры, как Семен заканючил:

— Мама совсем разболелась, лежит на диване.

— Стоит ли это расценить так, что Галина опять напилась до состояния нестояния? — уточ-нила я. — Мне категорически не нравится жить с алкоголичкой. Собирайтесь и уезжайте.

— Ладно-ладно, — попятился Сеня, — не пы-ли. Еще неделька — и все.

— Нет, — топнула я ногой, — хватит! Речь шла не о постоянном вашем проживании в моей квар-тире. Да, я по доброте душевной пожалела беспри-ютных маменьку и сыночка, но вы беззастенчиво пользуетесь моим гостеприимством.

— У мамани беда со здоровьем, — снова попы-тался меня разжалобить Сеня.

— Она алкоголичка! — воскликнула я. — «Беда со здоровьем» — ее перманентное состояние.

— Ты способна выгнать на улицу людей, у ко-торых нет крыши над головой? — рыдающим го-лосом произнес нахал.

Но я не дрогнула.

— Поезжайте домой.

— Мы замерзнем, — трагично заявил Сеня.

— Навряд ли этот казус может произойти в самом конце весны, когда вот-вот наступит лето, — усмехнулась я. — Конечно, в Москве аномальный климат, но даже здесь столбик термометра в это время года не опускается ниже нуля.

— Денег нет, — завел Семен.

— Согласись, это не моя проблема, — парировала я.

Здоровяк перекатился с пяток на носки, затем назад и решил сменить тактику.

— Пока не заработаем денег, не можем отсюда уйти. Ну, разве что ты в долг нам тысяч сто дашь.

— На это не стоит рассчитывать, — ледяным голосом осадила я вконец охамевшего Сеню. — Даю час на сборы, и прощайте.

Семен сообразил, что ехать танком на меня абсолютно безнадежно, и снова изменил тактику.

— Даша, ты очень добрый человек.

— Ошибаешься, — ехидно улыбнулась я, — в океане моей злости легко утонет слон.

— Помоги нам, — запричитал Семен.

— Денег не дам! — отрезала я.

Нахал прислонился к стене.

— Без мамоньки я заработать не смогу. У нас бизнес парный. Я музыкальное сопровождение, а она с Петяшей работают.

— Как? — заинтересовалась я.

Сеня потер руки.

— Очень просто. Мамаша спрашивает у людей, кто хочет получить бесплатно гадательный прогноз. Главное, очень громко и четко сказать «бесплатно», тогда непременно желающие найдутся. Я, значит, играю мелодию, маманя подносит Петяше мисочку, а в ней желтые патрончики от киндер-сюрприза. Петяша хватает один, протягивает человеку, тот читает. Это все. Проще лишь чихнуть.

— А деньги когда дают? — не поняла я.

— Предсказание написано заковыристо, его растолковать надо, — приободрился «бизнесмен». — Давай, пошли, поможешь мне, будешь вместо мамани. Сейчас как раз народ с работы домой поедет.

В кармане моей кофточки заработал мобильный, я вытащила трубку.

— Добрый вечер, Дашенька, — зачастил Маневин. — Что поделываете? Не желаете поужинать вместе? Неподалеку от вашего дома есть милый ресторанчик, называется «Макароно».

Семен тронул меня за плечо и загудел:

— Часок-другой покорячимся, наберем нам деньжат на билеты до дома.

— Там готовят чудесные равиоли, — продолжал Феликс.

— Делов-то — Петяше миску подсунуть, — не успокаивался мой временный жилец.

— Если не любите итальянские пельмени, рекомендую пиццу, — в унисон ему бубнил профессор.

— Музыка у меня душевная...

— Или спагетти «Болонезе».

— Погода теплая, дождика нет, заодно воздухом надышишься...

— И там прекрасные десерты!

— Умрем иначе с голоду, пешком по шпалам в Макаровку пойдем...

— Рыба им тоже удается.

Два одновременно вещающих голоса сплелись в причудливый хор, звуки которого вонзились в мозг острыми иглами. Виски заломило от боли, в глазах заскакали разноцветные птички, и я вдруг сказала:

— Хорошо, только отстаньте.

— Через полтора часа, идет? — обрадовался Маневин. — Как раз успеете собраться.

— Заканчивай трепаться и погнали, — деловито приказал Сеня. — Семь вечера натикало, самый деньгокос!

Когда Семен, прихватив с собой тот самый, странного вида, деревянный ящик на одной ноге, втиснулся в лифт, я строго его предупредила:

— Помогаю тебе час с четвертью, а потом ухожу, у меня деловая встреча.

Сеня накинул на плечо ремень, прикрепленный к непонятному коробу, и ничего не сказал.

Точку для работы он выбрал со знанием дела. Мы встали на людной улице. Чуть правее был вход в метро, слева тормозили маршрутки и рейсовые автобусы, а сзади располагался какой-то магазин. Я не поняла, чем он торгует, просто увидела большую вывеску и окна-витрины. Впрочем, может, там салон красоты, я не стала интересоваться профилем заведения.

— Начнем, пожалуй, — закряхтел Сеня, упер «ногу» с ящиком в тротуар, открыл крышку короба, вытащил сбоку длинную ручку...

— Шарманка! — ахнула я.

— А то! — гордо откликнулся Семен. — Реликвия! Досталась мне от прадеда, он был заслуженный шарманщик России. Вот, надевай...

Я принялась рассматривать цветастую тряпку, смахивающую на занавеску, зачем-то собранную с одного края на резинку.

— Юбка цыганки, — пояснил Сеня. — Обмотай вокруг талии и застегни, там пуговица с петелькой есть. А на шею — монисто!

— Может, останусь, как есть? — засопротивлялась я, брезгливо держа двумя пальцами «драпировку».

— Слушай, заканчивай кривляться! — надулся мой напарник. — Чем тебе наряд не по вкусу? Маманя его сорок лет носит и рада. Гадают всегда цыгане, надо соответствующим образом выглядеть.

Делать нечего, пришлось затянуть на талии жуткую тряпку и украсить шею ожерельем из медных монеток, почему-то интенсивно пахнущих рыбой.

Сеня хлопнул рукой по шарманке.

— Поехали! Не подведи, родимая!

Потом схватил ручку и быстро завертел ею.

Глава 29

Из ящика полились душераздирающие звуки. Я с трудом подавила желание заткнуть уши. Но через секунду оказалось, что шарманка — это еще не самое ужасное, потому что Сеня запел во все горло:

— Разлука, ты разлука-а-а-а! Чужая сторона-а-а-а! Никто нас не разлучит, лишь мать сыра земля-я-я!

Народ стал притормаживать, Семен завыл с утроенной силой:

— Все пташки-канарейки так жалобно поют и нам с тобой, мой милый, забыться не даю-ю-у-у-ут!

На мой взгляд, текст был не очень подходящим для мужчины, но Сеня не комплексовал, старательно оглашал округу воплями:

— А-а-а! А-а-а! Разлука-а-а-а!

Внезапно к высокому, почти женскому голосу Сени (если не ошибаюсь, такой называется контртенор) добавился сочный, грубоватый баритон:

— У-у-у!

На мгновение я подумала, что к сыну присоединилась Галина. То есть мамаша очнулась и решила в виде исключения поработать. Но зрители начали смеяться, показывать пальцами вниз, я тоже посмотрела себе под ноги и расхохоталась. На тротуаре, сидя столбиком, трогательно поджав передние лапки, выл Петяша. Похоже, он был рожден для оперной сцены. Зеленая собачка задрала голову, прикрыла глаза и безошибочно попадала в ноты. А вот Сеня безбожно фальшивил, что, впрочем, совсем не помешало ему собрать приличную толпу. Я, глупо улыбаясь, стояла, не понимая своей роли в спектакле.

— Эй, начинай, — свистящим шепотом приказал Сеня.

— Делать что? — тихо поинтересовалась я.

— Ну ты, блин, не шоумен! — просипел Семен между строчками песни. — Зачем нам разлучаться? Бери миску! Зачем в разлуке жить... Хватай Петяшу! Не лучше ль обвенчаться... Кричи про гадание! Да жить и не тужить. Разлука-а-а!

— У-у-у, — выводил Петяша.

— А-а-а... — поддавшись общему настроению, совершенно неожиданно для себя заорала и я. — А-а-а...

Собачка примолкла, на ее морде появилось совершенно человеческое изумление, затем досада. Похоже, Петяша привык петь исключительно с Сеней, меня он посчитал конкуренткой, поэтому постарался вытеснить соперницу с площадки и взвыл с особым тщанием:

— У-у-у!

— А-а-а... — невесть зачем вывела я погромче. — А-а-а!

— Тужи-и-ить, — дискантом пропищал Сеня. — Эй, Дашка, я солист, ты ромала, не путай. Начинай гадать, не корчи из себя Баскова, все равно не получится.

— Естественно, Басковым мне никогда не стать, он мужчина, — огрызнулась я и, схватив истошно воющего Петяшу, закричала что было мочи: — Граждане! Предсказываем будущее бесплатно!

— От дура... — разозлился Сеня.

— Что не так? — удивилась я.

— Не умеешь народ зажечь, — вздохнул Семен. — Слушай, как надо. Внимание, внимание! Только сегодня и только у нас! Уникальная пара: Петяша и мадам Кунг-Фу! Проездом из Парижа в Лондон!

— Москва им как раз по дороге, — не выдержала я. — Кстати, кунг-фу не имя, а название единоборства, причем вовсе не цыганского.

— Больно ты умная, — шепнул сын Галины. — Тряси монистой! Люди, наше гадание бесплатное!

Испытайте судьбу! Битте-дритте, фрау-мадам, кто первый?

— Я! — закричала пухленькая девочка лет пятнадцати. — Совсем без денег предсказание?

— Мы же не Карабас-Барабас. Мадам Кунг-Фу, реверанс! — приказал Семен. — Ать, два!

Я сделала книксен.

— Офигела? — рассердился Сеня. — Вприсядку плясать решила? У нас не ансамбль Моисеева!

— Сам сказал — реверанс, — оправдалась я.

— Реверанс, значит, хватай миску, — захрипел Сеня. — Ну до тебя, наконец, суть доперла? Бланманже-пергидроль!

Я поняла, что Семен выкрикивает незнакомые ему по смыслу, но очень, на его взгляд, по-цыгански звучащие слова, и решила действовать на свой страх и риск. Взяла наполненную пластиковыми патрончиками тару и протянула ее девочке.

— Гав, — укоризненно произнес пес и начал царапать меня когтями. — Гав.

Я изменила движение руки, мисочка оказалась под носом у Петяши, умная собачка зубами схватила одну тубу и глянула на меня.

— Спасибо, милый, — с чувством произнесла я, забрала у пса капсулу и отдала юной клиентке.

Она ловко разломила ее, вытащила скрученную бумажку и прочитала: «Пойдешь налево, ходи направо, а там овраг и плита деревянная». Личико девочки вытянулось.

— Не понимаю.

— Растолковать — пятьсот рублей, — объявил Сеня.

— Столько у меня нет, — расстроилась девушка.

— А скока есть? — жадно спросил Семен.

— Пятьдесят, — назвала свою цену красна-девица.

— За такие деньги даже Петяша не пукнет, — покачал головой шарманщик.

— Сказали же, бесплатно предсказываете, — ринулась в бой клиентка.

— Без обмана работаем, — важно сказал Семен. — Что, Петяша хоть копейку у тебя потребовал? За так ты бумажку получила! А если текст не поняла, сама виновата.

— Папа! — плаксиво протянула девица.

Из толпы, толкая перед собой коляску с младенцем, вышел помятый мужик непонятного возраста, за правую брючину которого держалась рахитичная девочка лет трех, а в ее юбочку вцепился мальчик, едва научившийся ходить.

— Папа! — проныла девчонка. — Дай денег!

Дядька достал из коляски кошелек и протянул Сене сторублевую купюру со словами:

— Последняя она.

Мне стало жаль замороченного мужика. Наверное, интересующаяся будущим юная девица — его дочь от первого брака, а сопливая троица — отпрыски от второй жены. То-то у папаши вид зайца, загнанного охотниками. С четырьмя наследниками отдыхать некогда, нужно зарабатывать на ботинки-одежку-еду и прочее.

— Ворожи! — шепнул Сеня.

Я обалдела.

— Кто, я?

— Начинай, не жуй бульон, — зашипел шарманщик, обмахивая только что полученной купюрой свой ящик, — клиенты разбегутся, первый всегда самый важный.

Я впала в панику.

— Не умею!

— И долго ждать? — капризно протянула школьница.

— Юлечка, не торопись, — миролюбиво сказал многодетный папаша, — цыганка настраивается.

— Давай-давай, придумай ей что-нибудь хорошее, — еле слышно велел Сеня.

Я откашлялась.

— Вас ждет большое счастье и прекрасная семейная жизнь. Скоро познакомитесь с юношей, который станет вашей судьбой, сыграете свадьбу, родите троих прелестных деток.

— Эй, погоди, а этот куда денется? — заморгала Юля, показывая пальцем на отца, окруженного хныкающими отпрысками.

— Ваш папа тоже будет удачлив, — заверила я. — Он вырастит ребятишек, даст им образование, станет патриархом огромной семьи, встретит старость, окруженный внуками...

— Я поженюсь на молодом, а он со спиногрызами останется? — уточнила девочка.

— Ну, конечно, — заулыбалась я. — Нельзя же всегда жить с отцом.

— Круто! — обрадовалась она.

— Немедленно перегадывай! — занервничал мужик.

— Простите? — не поняла я.

— Не смей Юльке голову морочить! — возмутился многодетный папаша. — У нее и так мозгов нет, одна веревка, которая уши держит. Перегадывай по-другому!

— Вам не понравилось предсказание? — осенило меня.

— Кому ж оно по вкусу придется? — взвизгнул родитель. — Ей новый муж и тройня, а мне чего, а?

— Берите свое предсказание, — не упустил момента Семен, — цыганка и вам правду скажет.

— У нас денег нет, — вмешалась дочь.

Но папаша сложил известную конструкцию из трех пальцев и продемонстрировал ее Юлии.

— На тебя хватило и на себя наскребу.

— Мы хотели в кино пойти, — надулась дочурка.

— Надеешься принца в зале встретить и удрапать с ним? — возмутился родитель, раскрывая полученную от Петяши капсулу. — Ну, чего тут? «Свиньи улетят на юг летом, зима придет в июне, в зеркале она проявится».

Я ощутила прилив вдохновения.

— У вас все супер. В июне неприятности исчезнут, чуть похолодает, и вам улыбнется удача.

— Ты про жену конкретно скажи! — потребовал мужик.

— Она вас обожает, — заверила я.

— Ой, он мне во где сидит! — Девочка резанула себя по горлу ребром ладони.

Мужик сжал кулаки, дети, предчувствуя скандал, завопили на разный манер.

— Очень нехорошо грубить отцу, — укорила я Юлю, — мама тебя отругает за хамство.

— Неудобно ей будет лаяться, мамашке-то моей. Разве что с кладбища дезертирует, — скривилась Юля.

— Ой, прости, не знала, что ты сирота, — пролепетала я, испытывая искреннюю жалость.

Без родителей тяжело расти, но еще хуже жить под эгидой мачехи. Отец Юлии не остался вдовцом, повел в загс другую женщину, а та нарожала детей и, наверное, велит падчерице ухаживать за ними.

— Да фиг бы с ней, с маменькой-то, — отмахнулась Юлечка, — каждый день пьяная лежала. Жить рядом с алкоголичкой никому не хочется.

Я решила утешить ее:

— Ничего, кто в детстве настрадался, повзрослев, непременно обретет счастье. Ну-ка, Петяша, дай еще одну бумажку, я Юленьке второй разок наворожу.

— Эй, сейчас мой черед, — напомнил папаша.

Я сделала вид, что его не слышу.

— Гоните еще рублики, — занервничал Сеня, — цыганка в транс впадает, новое будущее вам выдаст.

Жадность Семена, его нежелание видеть, как плохо сироте, возмутили меня.

— Бесплатно растолкую девочке, что ее ждет впереди.

— Ну, ты с ума сошла! — подпрыгнул Семен.

— «Голова зеленая, ноги бегут, а крапива в кармане», — огласила я текст. Затем, опасаясь, что Сеня включит шарманку и не даст мне выполнить благотворительную акцию, зачастила: — Юлечка, твоя жизнь круто изменится к лучшему, обретешь личное счастье...

— Про детей не говорите! — вдруг прервала меня сирота. — До жути надоели.

— Ладно, — согласилась я. И продолжила: — Выйдешь замуж за очень богатого человека, он тебя будет на руках носить...

— А я? — обиженно засопел папаша.

— Получишь полное материальное благополучие, — соловьем заливалась я.

— Правда? — с придыханием спросила Юля.

— Я вру только правду, — сказала я. — Забудешь все невзгоды...

— А я? — как заевшая пластинка, бубнил отец. — Я-то как?

— Надо только закончить школу, — вдохновенно вещала я, — на одни пятерки, поступить в институт...

— Не поняла! — заорала Юля.

— Постарайся отлично учиться, — улыбнулась я. — Ты умная девочка. Пусть папа освободит тебя от домашних обязанностей.

Юлия подбоченилась и повернулась к отцу.

— Слыхал? Мне нельзя убирать, стирать, готовить!

— Ее на учебу пристроить? — заморгал родитель. — Типа в школу?

Я сделала шаг назад.

— Девушка не посещает школу?

— Нет, — пожал плечами папаша, быстро раздавая подзатыльники хнычущим наследникам. — А зачем ей туда?

На секунду я онемела. Затем налетела на безответственного отца:

— Ну и заявление! Похоже, вы сделали из Юлии бесплатную прислугу. Неужели не стыдно? Лишаете девочку будущего!

— Она не ребенок, — рассердился папаша.

— А кто? — разозлилась я. — Слоненок? Ваша дочь обязана получить аттестат!

— Юлька моя жена! — закричал в ответ мужик. — Нарожала детей, специально каждый год по одному. Я не хотел столько, но она настаивала.

Потому что не собирается работать, желает дома сидеть!

— Юлия ваша супруга? — ахнула я. — Сколько же ей лет?

— Двадцать шесть, — буркнул муж.

— Пять, — уточнила сирота. — Ты мужик, вот и обеспечивай семью. И не бреши насчет ребят. Первый и второй случайно получились, а третьего ты сам попросил. Мне они еще больше, чем тебе, поперек горла стоят. Только тупой думает, что с тремя спиногрызами дома легче, чем в офисе в тишине чаи гонять.

Я онемела, а мать семейства продолжала:

— Если говоришь, что я встречу богатого после института, то готова опять в школу ходить, чтоб аттестат получить. Павел мне круче готовки надоел. Пусть он с детьми остается, а я тебя послушаю.

Павел тут же сжал кулаки и двинулся в мою сторону.

— Сейчас получишь, цыганка чертова! Зачем Юльке голову заморочила?

— Это ведь шутка, — пискнула я. — Никто не может предвидеть будущее.

— Вот дура! — обругал меня Семен и остервенело завертел ручку шарманки.

Из ящика полились душераздирающие звуки, Петяша завыл, собравшаяся толпа засмеялась.

— Отдавай деньги, пока жива! — возмущался Павел.

Я быстро сунула ему две сторублевки, достав их из своего кошелька.

— Вот дура! — повторил Сеня. — Бери шапку, обходи народ, авось накидают нам с маманей на хлеб. Не стой! Пляши, юбкой тряси, монистой звени. Упустила клиентку, разява!

Мне почему-то стало неловко. Хотя отчего бы мне конфузиться? Ассигнации, полученные от Юли и ее мужа, греют карман Сени, а вот я лишилась своих кровных.

— Топай по кругу, — шепнул Семен. И вновь завел: — Разлука-а-а, ты разлука-а-а...

Под фальшивые стенания сына Галины и очень музыкальное «пение» Петяши я начала обходить публику. В головной убор падали монетки, потом вдруг там очутилась пятитысячная купюра. Я в изумлении подняла глаза на расточительного слушателя и увидела Феликса Жановича, который с улыбкой смотрел на меня. Я попятилась, поставила миску на шарманку, быстро стянула юбку цыганки и, сказав Семену: «Спектакль окончен», — подошла к ученому.

Глава 30

— Вы, наверное, очень проголодались? — заботливо осведомился профессор, протягивая мне меню.

Я положила кожаную папочку на стол и попыталась объяснить ситуацию:

— Феликс Жанович, понимаю, что мой вид с шапкой в руке на фоне играющего на шарманке мужика вызвал у вас определенные эмоции, но, пожалуйста, поверьте, я не подрабатываю помощницей бродячего музыканта.

— Конечно, конечно, — закивал профессор.

— Семен и его мать временно живут у меня, они-то и занимаются уличным гаданием, — попыталась я ввести Маневина в курс дела. — Галя алкоголичка, сейчас в стадии запоя, и я согласилась помочь Сене собрать денег на обратную дорогу домой.

— Совершенно не сомневаюсь в том, что у вас доброе сердце! — воскликнул Маневин.

— Мною двигал простой расчет: чем быстрее жильцы получат нужную сумму, тем скорей покинут Москву. Было глупо устраиваться с музыкальным ящиком перед входом в ресторан, куда мы с вами договорились пойти, — продолжала я, — но, честно говоря, я не разглядела вывеску, решила, что это магазин или спа-салон. Еще раз повторяю: я не нищенствую, работаю, обеспечиваю себя. И сейчас не голодна, обойдусь кофе с булочками.

— Очень жаль, что вы не нагуляли аппетит, — расстроился мой спутник, — здесь прекрасно готовят. Петь на улице не стыдно, с этого начинали некоторые, как сейчас принято говорить, звезды.

— Я хотела помочь Семену, — повторила я, — поверьте, пожалуйста, не брожу по улицам с шапкой.

— Можете сколько угодно твердить о желании избавиться от гостей, но сразу видно — вы добрый человек, — улыбнулся Феликс Жанович.

— Так уж и видно!

Маневин поманил официанта, заказал еду и продолжил прерванную беседу:

— Характер всегда написан на лице.

— Прямо большими буквами! — я засмеялась.

Профессор начал вертеть в руках вилку.

— Вы часто смеетесь, о чем свидетельствуют морщинки-лучики, уходящие к вискам. Нет бороздки между бровями, значит, вы редко сердитесь, и вам не свойственно поучать других людей. У вас нет пигментных пятен, что говорит о хорошем здоровье, в частности, об отсутствии проблем с печенью. Неглубокие носогубные складки выдают человека, который не склонен печалиться, вы привыкли не причитать над проблемами, а решать их. Еще они говорят, что подчас вы бываете беспечной. Вы склонны доверять людям и иногда обжигаетесь на этом? Узкая ладонь повествует о ваших предках — они не занимались тяжелым физическим трудом, а вы натура эмоциональная, творческая. Продолжать?

— Спасибо, не надо, — пробормотала я. — Но уж извините, ваши слова сильно смахивают на мое недавнее «гадание». Они очень общие и подходят для многих.

— Все проявления эмоций остаются на лице и на теле, — терпеливо объяснял ученый. — Если человек скептически относится ко всему — к сорока годам уголки рта у него ползут вниз. Коли часто гневается — слегка увеличиваются ноздри. Внимательному глазу ваш внешний вид сообщит все, вплоть до того, чем вы зарабатываете на жизнь, ведь почти у каждого есть профессиональные деформации. Ступня балерины изуродована мозолями, лодыжки хоккеиста покрыты шрамами от коньков противника. И можно распознать привычки. Пожелтевшая кожа на верхней фаланге среднего пальца правой руки? Стопроцентно человек курит дешевые сигареты. Мозоли на внутренней части ладошки светской девушки говорят об ее увлечении фитнесом. У теннисистов правая сторона тела мускулистее левой. На эту тему можно говорить долго. Поверьте, Дашенька, я редко ошибаюсь в отношении профессии и характера незнакомого человека. Хотя разглядывая лишь лицо и руки, трудно дать абсолютно точную оценку, нельзя подметить все.

— Например, ноги балерины, — съязвила я.

— Профессиональную танцовщицу выдает редкая для современных женщин прямая спина, хорошо развитая шея, походка с сильно развернутыми наружу ступнями, — как ни в чем не бывало продолжил Маневин. — Подчас я узнаю чужие тайны, тщательно закопанные и похороненные.

— Встречаетесь с духами? — улыбнулась я. — Наверное, вам будет легко найти общий язык с Вадимом Сперанским, тот тоже постоянно толкует о мистических силах.

— Я ученый, — мягко произнес Феликс Жанович, — и не верю в потустороннее. Но мне хватило пары секунд, чтобы понять сущность вашего работодателя. Хитер, жесток, умеет затаиться, пытается изображать интеллигентного, пасующего перед бытовыми проблемами растяпу. Но на самом деле Сперанский ни перед чем не остановится, если идет к цели. Жаден, деньги имеют для него первостепенное значение, переполнен сознанием собственного величия, считает себя недооцененным гением, хамоват, но держит себя в узде. Если женится на более наглой, чем сам, особе, будет до поры до времени ей подчиняться. Потом внезапно взбрыкнет и живо найдет супруге замену. Не способен любить, у него отсутствуют некоторые душевные качества. Верит исключительно себе, может быть мстителен, злопамятен, эпилептоидный тип личности. Я говорю не об эпилепсии. Понимаете?

— Угу, — бормотнула я. — И изумлена до крайности. Вы меня не обманываете?

— В чем? — засмеялся профессор.

— Наверное, вы знакомы со Сперанским не один год. Все перечисленное вами присутствует в характере моего хозяина. Но мне потребовалось время, чтобы понять, каков Вадим на самом деле. Более того, если бы не несчастье с Ниной, не внезапный приезд Нади, я бы продолжала считать его наивным чудаком.

— Еще у него интересная биография, — добавил Маневин задумчиво. — Что он говорит о своих родителях?

— Мать скончалась от рассеянного склероза, — ответила я.

— Она была европейкой? — задал странный вопрос профессор.

Я, немало удивленная, уточнила:

— Москвичкой по фамилии Жрачкина.

— Видели ее когда-нибудь? Можете описать ее внешность?

Я вспомнила снимок, показанный мне Ибрагимовой.

— Сама я с Ксенией не встречалась, но, судя по фотографии, которую хранит ее лучшая подруга, она была хрупкой женщиной со светлыми глазами, тонкими чертами лица, прямыми волосами. Внешность обычная, таких женщин в Москве много.

— Значит, у него отец иностранец, — вдруг заявил ученый.

— Врете! — выпалила я. — Немедленно говорите, откуда вы знаете историю Вадима!

— Вру? — заморгал Маневин. — В чем обман?

— Вы сказали, что видели Сперанского всего пару минут, — ответила я. — Кто вы? Зачем рылись в биографии Вадима? Каким образом раскопали тайну Ксении? А, наверное, тоже пообщались с Лейлой Ахатовной. Ибрагимова спит и видит, как бы отомстить сыну покойной подруги за ее смерть. Значит, я не первая, с кем бывшая оценщица разоткровенничалась.

— Я не знаком с госпожой Ибрагимовой, — вздохнул мой собеседник. — Дашенька, я антрополог, поэтому и говорю: ваш работодатель — белый негр.

— Кто? — подпрыгнула я на стуле.

Маневин отодвинул от себя пустую тарелку из-под спагетти.

— Нынче принято высказываться политкорректно «афророссиянин». Но я считаю, что в слове «негр» нет ничего оскорбительного, это всего лишь указание на негроидную расу. Иногда еще ее называют австралоидно-негроидная или экваториальная. Для нее характерны темная пигментация кожи, волос и глаз, нос обычно широкий, маловыступающий, нижняя часть лица чуть выдается вперед. Тут следует иметь в виду, что каждая раса подразделяется на антропологические типы. Возьмем, к примеру, монголоидов. Среди них есть южноазиатский, арктический, североазиатский и...

— Погодите! — прервала я лекцию. — У негров очень темный цвет кожи.

— Верно, — согласился Маневин. — Оттенок варьируется от светло-кофейного до почти угольного.

— Вадим белый! — выпалила я.

Профессор облокотился на стол.

— Если светлокожая женщина родит ребенка от африканца, то почти всегда малыш будет либо смуглым, либо целиком пойдет в отца. Мулаты в своем большинстве сохраняют признаки негроидной расы. Более того, если, скажем, мулатка вступит в брак с коренным москвичом, то у их потомства тоже, вероятно, цвет кожи будет не такой, как у шведов или прибалтов. Но бывают случаи, когда дети от смешанных браков появляются на свет белокожими, с голубыми глазами, светлыми волосами, и никто не догадывается, что один из их родителей африканец. Никто, кроме специалиста-антрополога, который видит признаки негроидной расы. В сороковых, пятидесятых и даже шестидесятых годах прошлого века, когда в Америке на многих дверях магазинов и кафе висели таблички «Неграм и собакам вход воспрещен», было несколько позорных судебных процессов. На скамье подсудимых оказались белые мужчины, которых их жены, родившие негритят, обвиняли в расовом преступлении. Мужья не рассказывали супругам, что происходят от смешанных браков, сами имели белую кожу, и ничто не напоминало в них африканцев. Но генетику не обмануть — их дети родились темнокожими. Белый негр не такое уж уникальное явление.

— Габриэль... — пробормотала я. — Вот почему Ксюша перед смертью просила Вадика никогда не заводить детей и придумала сказку о наличии в ее роду «синдрома русалки». Она боялась появления на свет темнокожего внука. И вот по какой причине Ксения всегда плакала, когда смотрела кинофильм «Цирк», в особенности на той сцене, где зрители в зале баюкают темнокожего сына главной героини. Ксения ассоциировала себя с Марион Дэвис, роль которой играла Любовь Орлова. Вот только картина была лживой. Советские обыватели, несмотря на громкие заявления властей об интернационализме, могли тыкать пальцами в маленького мулата, обзывать его мать проституткой. Родить ребенка без отца в СССР было стыдно, многие женщины старались зарегистрировать брак «по залету», а потом развестись. Статус разведенки лучше имиджа женщины, которая забеременела невесть от кого. Но связаться с чернокожим! Представляю, с каким ужасом Ксюша ждала родов. Стебунков черноволосый, смуглый, и жена могла в принципе ему сказать: «Мальчик целиком и полностью пошел в тебя». Но это если на свет появился бы не совсем темный малыш. А вдруг ребенок получился бы типичным африканцем? Теперь уже не узнать, что творилось в голове и на душе у супруги Стебункова, пока та вынашивала плод, но мальчик родился абсолютно белым. Ксения предпочла скрыть от сына правду. Вот по какой причине она ни разу не произнесла при нем имя Габриэль. Сколько иностранцев приезжало за год в то время в затрапезный институт, где училась девушка? Пять? Десять? Вряд ли больше. Вадим легко мог найти папашу. Отнимаем девять месяцев от даты рождения, идем в архив и узнаем: в том году вуз посещало четыре студента из-за рубежа. Габриэль один, и вот вам фото... африканца.

— Дашенька, вы выглядите ошеломленной, выпейте еще кофейку, — заботливо предложил Феликс Жанович.

— А ведь Вадим расист! — выдохнула я. — Нанимая меня на работу, он сразу спросил о моей национальности. Услышал, что я русская, и обрадовался.

— Вообще-то, если учесть трехсотлетнее татаро-монгольское иго, то вопрос о чистоте русской крови можно не обсуждать, — усмехнулся Маневин. — Но я даже больше скажу. На данном этапе развития человечества все люди продукт смешения национальностей. Нет аптекарски чистых французов, немцев, англичан, шведов. Если б люди сидели на одном месте, никогда не путешествовали, не нанимали к своим детям иностранных гувернанток, англичане не колонизировали бы Индию, а французы Алжир, не приди Европа в Африку с целью порабощения местного населения, не устраивай государи войны, не ходи церковь крестовыми походами, вот тогда жители, допустим, Москвы, запертые в своем социуме, рожали бы исключительно русских и... вымерли бы спустя энное количество лет от генетических болезней. Чтобы жить, человечество должно избегать браков, заключенных только среди своих. Кстати, многие аристократические фамилии это понимали, поэтому подчас графини-княгини рожали детей от садовников, камердинеров и прочих «неблагородных» людей. Отпрыски аристократов носили звонкие фамилии, никто не знал, чьи они на самом деле дети. Таким образом, знать пыталась пресечь развитие некоторых родовых болезней, таких, например, как синдром Патау, болезнь

Дауна, муковисцидоз. Конечно, в веке семнадцатом никто и не подозревал, что последний недуг, как, впрочем, и ряд других заболеваний, наследуется по аутосомно-рецессивному типу. Знаете, каждый человек является носителем трех-пяти аутосомно-рецессивных генов тяжелых наследственных заболеваний, но не знает об этом. И, дай бог, никогда не узнает. Но, если мужчина с геном, например, муковисцидоза заключит брак с женщиной, которая имеет ту же генетическую картину, то риск появления у них больного ребенка резко возрастает. Наши предки не разбирались в генетике, но понимали: если в семье регулярно появляются нездоровые дети, следует освежить кровь. И тогда бабки, кормилицы, верные служанки приводили тайком в спальню хозяйки крепкого простолюдина. Короче, нет на земле людей со стопроцентно чистой, несмешанной кровью. Ну, разве что они живут в непроходимых местах на берегах Амазонки и не общаются с внешним миром. Да и это сейчас, в двадцать первом веке, сомнительно.

— Разве наследуется только плохое? — уточнила я.

— Почему? Хорошее тоже, — сказал Маневин. — Есть ряд болезней, которые обходят стороной представителей монголоидной расы. Существуют яды, которые не могут навредить африканцам. Итальянец спокойно выпивает стакан вина каждый день и не превращается в алкоголика, а эскимос после пары таких бокалов спивается. Почему? Ответ прост: у народов Севера отсутствует фермент, расщепляющий спирт.

— Очень интересно. А вирусы? Есть такие, что навредят европейцу и не тронут африканца?

— Вероятно, да. Однако я не обладаю глубокими познаниями в этой области. А вас так взволновала эта тема?

— Очень! — откликнулась я.

Профессор вынул телефон.

— У меня есть приятель, Георгий Яковлевич Рох, он заведует лабораторией, занимающейся изучением всяких экзотических недугов. Могу попросить его проконсультировать вас.

— Хотелось бы поговорить с ним прямо завтра! — обрадовалась я. — С утра пораньше!

Глава 31

Ровно в восемь утра я позвонила Вадиму и, услышав из трубки сонное: «Кто там?» — спросила:

— Можно мне сегодня получить выходной?

— Ладно, — зевнул хозяин, — так и быть, можешь не приходить. Отработаешь в воскресенье.

Не спросив, что у меня случилось, и не поинтересовавшись, не нужна ли мне помощь, Сперанский бросил трубку. Удивляться черствости работодателя я не стала. Несмотря на его пылкие заверения в нашей стихийно возникшей дружбе, я понимаю: дражайшему господину Сперанскому плевать на всех, его интересуют лишь собственные проблемы.

Георгий Яковлевич встретил меня вопросом:

— Вы журналист?

— Нет, — удивилась я. — А что, я похожа на представительницу прессы?

Рох показал рукой на глубокое кожаное кресло, подождал, пока я устроюсь в нем, сам сел напротив и недоверчиво сказал:

— Значит, не из газеты... Прекрасно. Я согласился поговорить с вами исключительно ради Феликса.

Я пожала плечами.

— Зачем мне врать?

— Я не общаюсь с господами борзописцами, — поморщился Рох. — Глупые дилетанты, имеющие доступ к печатному слову, крайне опасны. Лет десять назад я, будучи тогда очень наивным, дал интервью одному хлыщу, который готовил материал о гриппе. Мы побеседовали об эпидемии, потом разговор стал перетекать от одной темы к другой. Я довольно обстоятельно обрисовал, чем занимаюсь. И появилась статья. Чего только не понаписал дурак! В Москве без охраны содержатся вирусы смертельно опасных болезней; если отключат электричество в хранилище, возбудители разлетятся по столице; сотрудники лаборатории умирают от неизвестных инфекций... Ну и так далее в том же духе. Я и предположить не мог, что журналист так переврет мои слова, выдернет их из контекста и лишит первоначального смысла. Мне здорово влетело от академика Мукина, который в ту пору заведовал нашим центром, и я с тех пор стараюсь держаться подальше от «золотых» и прочих перьев. Вас положительно рекомендовал Феликс. Надеюсь, Дарья, вы не обвели вокруг пальца эмоционального Маневина, не солгали ему о причине, по которой вам весьма срочно потребовалось проконсультироваться со мной?

— Я не имею ни малейшего отношения к прессе! — повторила я.

— А если я проверю? — прищурился Георгий Яковлевич.

— Пожалуйста, — согласилась я. — Но как? Вы же не станете обзванивать все СМИ? Или у вас в компьютере хранятся списки сотрудников всех изданий?

— Есть способ попроще, — сказал Рох.

Ученый встал, открыл сейф, вынул оттуда бутылку «Горной капли», налил воды в стакан и протянул мне.

— Пейте.

— Зачем? — насторожилась я. — Не испытываю жажды и никогда не употребляю газированные напитки, у меня от них желудок болит.

— М-да, углекислота не самая полезная вещь, — согласился Георгий Яковлевич. — Но вам придется сделать хотя бы глоток. Это настойка дерева правды, которое растет в Бразилии. Действует очень просто: когда человек лжет, у него повышается содержание адреналина, а растение — антагонист этого гормона. Если вы врете, через секунду ваше лицо покроют красные пятна. Говорите правду — все будет в порядке. Хочу предупредить: если откажетесь, я решу, что вы нечестный человек, и, несмотря на все просьбы Феликса, не стану с вами общаться. Так как?

Я одним махом опрокинула в себя настойку и уставилась на ученого.

Тот рассмеялся.

— Успокойтесь, это обычная минералка. Сыпи не будет, и нос у вас, как у Пиноккио, не отрастет.

— Вы меня разыграли... — протянула я. И приложила руку к животу: — Очень смешно, но у меня действительно начинает болеть желудок.

— Знаете, сколько людей, пытавшихся взять интервью, приходило в мой кабинет под разными личинами? — осведомился Рох. — И все они отказывались пробовать настойку «дерева правды». Я несу чушь — конечно, такого растения на свете не существует, — но мне верят. Вы, кстати, тоже не усомнились.

— Вы так торжественно доставали бутылку из сейфа, — пробормотала я. — Сразу стало понятно — там некая ценная жидкость. Думаю, вам следует...

Я быстро прикусила язык. Нельзя советовать исследователю обратиться к психотерапевту, который попытается избавить его от страха общения с прессой. Интересно, как именуется эта фобия? Газетобоязнь? Синдром трясучки при виде диктофона? И что за детское поведение! Надо же, что придумал, предлагает посетителям отведать элик-сир «дерева правды»!

— Зато теперь я вам верю, — улыбнувшись, заявил Рох. — Можете задавать вопросы.

— Куда надо поместить вирус, чтобы убить че-ловека? — выпалила я. — Имею в виду продукты питания. Допустим, мясо. Контакт с ним не ли-шит силы возбудителя болезни?

Брови Георгия Яковлевича резко поползли вверх.

— Зачем убивать людей? Мы, наоборот, зани-маемся их спасением.

— Речь не о вас, — остановила я ученого, — а о преступнике. Какую еду он должен отравить, что-бы вирус не потерял своих свойств?

Заведующий лабораторией набрал полную грудь воздуха, а я приуныла. Сейчас услышу обстоятель-ную лекцию на тему: «Дарья, вы дура». И точно, хо-рошо поставленным голосом ученый завел:

— Вот уж не понимаю, как вам ответить. Раз-решите мне беседовать с вами, как с неофитом, человеком... э... не разбирающимся в сути пробле-мы. Вирусы бывают разные: пикорнавирусы, калицивирусы, тогавирусы, флавивирусы и так далее. И все они не похожи друг на друга. Живут и погибают при разных условиях. Ну, грубо говоря, одному в кипятке хорошо, а другой испустит дух, если температура станет чуть выше нуля. Нельзя сказать: все вирусы гибнут в молоке. Или: они поголовно боятся мыла. Необходимо точно знать, с чем мы имеем дело. Извините за примитивное объяснение, но я полагаю, что вы лучше поймете суть дела именно в такой форме.

— СМИ сообщали, что возбудитель болезни, которая уже убила нескольких человек, никому не известен. Такое может быть?

— Конечно, — кивнул Рох.

— А еще утверждают, что зараза губительна только для европейцев, африканцу она не навредит. Это верно?

— Да, — снова согласился Георгий Яковлевич, — правильно. Кое к каким возбудителям у жителей Черного континента есть иммунитет, а у нас его нет.

Я хотела задать следующий вопрос, но в эту минуту дверь кабинета распахнулась, и появилась женщина лет пятидесяти с черным платком на голове, одетая в темное платье и без малейшего признака макияжа на лице. На секунду мне показалось, что я вижу мусульманку, но через секунду заметила ярко-голубые глаза и светлую прядь волос, выбившуюся из-под платка, который ошибочно приняла за хиджаб.

— Прошу прощения, Георгий Яковлевич, — смутилась она. — Анна Михайловна сказала, что у вас на утро не назначено встреч, только поэтому я ворвалась в кабинет.

— Всегда рад вас видеть, — приветливо произнес Рох, — и готов прерваться. Дарья, извините, вам придется немного подождать.

— Да, конечно, — ответила я.

— Что у нас там? — поинтересовался ученый, обращаясь к вошедшей.

— Заявка на оборудование, — сообщила сотрудница. И добавила: — Денежное дело.

Георгий Яковлевич взял со стола очки, посадил их на нос и пробурчал:

— Ох уж эти казначейские билеты... Современный мир отравлен алчностью, думает исключительно о золотом тельце. Люди забыли про любовь, ревность, совесть, жалость, страсть, вообще про все чувства. Родись Шекспир в нашем веке, он бы не написал ни «Отелло», ни «Ромео и Джульетту», ни «Макбета». Похоже, современники озабочены только, как говорит наш уборщик Саша, баблом. Куда подевались другие чувства, а? Я способен понять человека, уничтожившего из мести своих врагов, отнявших у него мать, отца, детей, но преступника, убивающего друга ради денег, — нет, и еще раз нет. А вокруг нас сейчас толпы подобных экземпляров! Юношам и девушкам нужны лишь ассигнации. Очень печально. Человечество духовно вырождается.

— Вы слишком пессимистичны, — возразила дама. — В прежние века люди тоже жаждали богатства, и нынешняя молодежь не так уж плоха. Например, моя Вера прекрасная девочка, умница, много читает. Правда, сейчас она взяла академический отпуск, ну да вы знаете наши обстоятельства.

Георгий Яковлевич захлопнул папку и вернул ее сотруднице.

— Марина Леонидовна, ваша дочь замечательный человек. Такой она выросла, потому что была воспитана в достойной семье. Поверьте, нам всем очень не хватает Егора Семеновича. И я рад, что вы вернулись на работу. Жизнь наладится!

— Вероятно, вы правы, — прошелестела Марина Леонидовна и удалилась.

Георгий Яковлевич проводил ее взглядом, дождался, пока она захлопнет дверь, и с горечью произнес:

— Марина Никифорова доктор наук, работает здесь много лет, отменный специалист, владеет тремя европейскими языками и несколькими африканскими наречиями, что позволяет ей напрямую общаться с коренным населением, завоевывать у него авторитет и узнавать много интересного о разных местных болезнях. Марина неутомимый исследователь, и ее муж Егор был таким же. Экспедиции в Африку очень тяжелое мероприятие, а они на Черный континент несколько раз в год ездили.

— Наверное, интересно так путешествовать, — вздохнула я. — Слоны, милые бегемоты...

Георгий Яковлевич вытащил электронную сигарету.

— Ну да, ну да... Расхожее мнение... Только «милый» бегемотик разорвет вас в секунду, а «добрый» слоник растопчет и не заметит. Наши сотрудники не живут в шикарных отелях, не ограничиваются посещением, допустим, Найроби, столицы Кении, причесанного, обустроенного для туристов города. Впрочем, даже в окультуренном Найроби гостю континента не рекомендуется ходить одному без гида или, как в Париже, заглядывать в любую местную забегаловку. Африка опасна даже в глянцево-сахарном варианте, а мои сотрудники живут в естественной среде — в хижинах, палатках, рядом с коренным поселением. Они исследуют дикие места, а это вам не променад по Елисейским Полям. Очень жаль, что Егор трагически погиб.

— Он умер в Африке? — предположила я.

— Нет, — помрачнел Георгий Яковлевич, — в Москве. Попал в ДТП вместе с дочерью. Вера, к счастью, отделалась несколькими царапинами, а вот отец получил тяжелые травмы. Говорят, Егора можно было спасти. Его погрузили в «Скорую» живым, но машина задержалась в пути — как водится, ради кого-то, власть имущего, перекрыли шоссе, и карета с красным крестом застряла в пробке. Егор скончался, не доехав до клиники, умер на руках у Веры, которая сопровождала отца.

— Мне недавно рассказывали похожую историю, — протянула я, вспомнив, что шофер «Скорой», везший Надю, говорил о медицинском оснащении автомобилей и о пробках. И он тогда упомянул о своем приятеле, тоже водителе мини-вэна неотложной помощи, у которого умер в салоне мужчина, жертва ДТП. Вроде рядом с пострадавшим находилась девушка, которая потом подняла бучу в Интернете, выложила фото черной иномарки с мигалкой, хотела выяснить, кому она принадлежит.

— Вера впала в депрессию, прервала учебу в институте, — вздохнул Георгий Яковлевич. — Марина Леонидовна очень тяжело переживает и гибель мужа, и ситуацию с дочерью. На мой взгляд, Вере следует подумать о матери и не доставлять ей дополнительных страданий. Но девушка оказалась крайне эгоистична. Лекции посещать она перестала, просиживала часами у Марины на работе, я ее пристыдил: «Возвращайся на студенческую скамью, получи диплом, и милости прошу к нам. Займешься научной работой вместе с мамой. Что за дурь тебе в голову влетела? Прекращай балбесничать! Марине достаточно смерти любимого мужа, не хватало еще, чтобы ты ее нервировала и заставляла переживать!» Вера пообещала вернуться к занятиям и, надеюсь, сдержит слово. Полагаю, жизнь Никифоровых войдет в нормальную колею.

— Марина Леонидовна тоже бросила работу? — спросила я.

Рох поджал губы.

— Нет. Она допустила оплошность, за которую, по идее, увольняют. Но, учитывая ее безупречную службу, гибель Егора, депрессию Веры, я решил не обострять ситуацию и оформил Никифоровой творческий отпуск на несколько месяцев с сохранением зарплаты. Марина легла в кризисный центр, справилась с нервным срывом и позавчера вернулась на работу, чему я очень рад. Теперь только осталось Вере за ум взяться. Однако мы отвлеклись от темы нашей беседы... Задавайте свои вопросы.

— Вы пьете «Горную каплю»? — тут же поинтересовалась я. — Никогда ранее не пробовала эту воду из-за ее сильной газированности, и сейчас она мне показалась совершенно безвкусной. Даже, извините, просто противной.

Рох посмотрел на бутылку.

— Ну да, потому что напиток магниевый, без натрия, который придает воде чуть солоноватый вкус. «Горная капля» уникальна по своему составу, можете мне поверить, мы ее анализировали. Это не столовая вода, а лечебная. Она должна храниться в темном месте, на холоде, и перед употреблением необходимо удалить пузыри. Я не понимаю, по какой причине хорошую минералку газируют. Очень глупо. Кстати, первой о «Горной капле» узнала Марина Леонидовна. Она же нам всем о ней и рассказала. Отличное средство, но многих отвращает от нее отсутствие выраженного вкуса. Моя секретарь именует «Горную каплю» ватной и наотрез отказывается ее принимать. Вероятно, из-за этого в воду и решили добавлять углекислоту, забыв, что у многих она вызывает рези в желудке. Так вы пришли поговорить о воде?

— Нет, — заверила я профессора.

— Тогда давайте о деле, — приказал Рох.

Глава 32

Лабораторию Георгия Яковлевича я покинула через час. Глянула на мобильный, увидела четыре звонка от Феликса Жановича, но решила пока не соединяться с ним и поспешила к своей тарантайке. В голове роились разные мысли, в основном не очень веселые.

Минут через сорок я притормозила у блочной пятиэтажки, вошла в подъезд, позвонила в квартиру под номером семнадцать, не услышала никакого ответа, спустилась во двор, села в свой драндулет и просидела там некоторое время. Потом увидела, как на скамеечке у дома устроилась худенькая старушка в серой ветровке, направилась к ней и села рядом.

Пару минут мы провели в молчании, потом я сказала:

— Хорошая погода сегодня.

— Тепло, — согласилась бабуля.

— Надеюсь, дождь не начнется, — продолжила я.

— Откуда ему взяться? Небо голубое, — под-хватила разговор пенсионерка.

— Красивый у вас двор. Небось жильцы хоро-шие, обустроили вон садик, — вкрадчиво произ-несла я.

Бабка нахмурилась.

— Если узнать чего хочешь, спрашивай прямо, не подползай лисой.

— Вы очень проницательны, — я не упустила шанса подлизаться к старухе.

— Поживи с мое, народ насквозь увидишь, — чинно ответила она.

— Меня зовут Даша, — представилась я.

— Фаина Марковна, — назвалась собеседни-ца. — Так что тебе надо?

— Знаете Ирину Львовну Зимину? — спросила я.

— Из семнадцатой? Конечно, — оживилась Фаина Марковна.

— Мне посоветовали нанять ее няней к ново-рожденному, — защебетала я, — вот я и прибыла на разведку. Рекомендации от бывших хозяев у Ирины хорошие, но я не очень доверяю бумаж-кам, их легко можно подделать, вот и надумала ос-торожно расспросить соседей.

— Слушай внимательно, — сказала бабуль-ка. — Ирина не пьет, не курит, по мужикам не таскается. Положительная женщина. Но я тебе не советую ее к ребенку звать.

— Почему? — удивилась я.

Фаина Марковна крякнула.

— Своей семьи у Ирки нет, детей она не роди-ла, опыта обращения с ними не имеет, работала помощницей по хозяйству, не няней. Такую можно в дом впустить, она у тебя ничего не сопрет, полы помоет, приготовит вкусно, постирает, погладит, но ребенок — это не для нее. Поищи лучше медсестру или кого из ясель, воспитательницу бывшую.

— Не знаете, где Зимина служит? Дома ее нет, — задала я главный вопрос. — Она в Москве?

— Куда ж Ирке деться? — удивилась Фаина Марковна. — Пристроилась в парикмахерскую уборщицей. Заведение тут рядом, на проспекте, называется «Магнолия».

Старуха не ошиблась, Зимина действительно работала в салоне красоты. Юная девушка на ресепшен, услышав, что я разыскиваю поломойку, скорчила недовольную гримасу, но все же крикнула:

— Ира!

Крепко сбитая, полноватая женщина вышла в холл и тихо спросила:

— Звали?

— К тебе пришли, — высокомерно заявила девица. — Имей в виду, у нас не клуб! Если человек не клиент, то ему незачем здесь топтаться.

— Злая вы, Светлана, потому и замуж выйти не можете, — огрызнулась Зимина. — Мне обед положен, вернусь через час!

Девушка за стойкой приоткрыла рот, но Ирина быстро вытолкнула меня на улицу и там горько спросила:

— Слышали? Всякая соплюшка хочет власть свою показать. Вы кто?

— Давайте пойдем в «Быстроцыпу», — предложила я, — там и поговорим.

Мы устроились за шатким пластиковым столиком, и Ирина развернула гамбургер со словами:

— Очень вредная, но вкусная еда.

— И кофе у них ничего, — одобрила я, попробовав напиток из картонного стаканчика. — Сколько лет вы проработали у Стебункова?

Зимина замерла и положила недоеденную булку с котлетой на тарелочку.

— А вам какое дело? Откуда вы взялись? Чего хотите?

— Меня зовут Дарья Васильева, — представилась я.

Ирина уставилась на меня, прищурилась, поперхнулась и закашлялась.

— Я тезка той женщины, которая умерла, поев крокодилятины, — быстро добавила я. — Совсем на нее внешне не похожа, совпадают лишь имя с фамилией.

Ирина наконец-то справилась с приступом кашля.

— Ага, — чуть слышно сказала она, — понятно. Так чего вы хотите?

— Не стану делать долгих вступлений, просто ответьте на пару вопросов, — попросила я.

— Зачем? — опустив голову, поинтересовалась Зимина.

— Затем, что если не поговорите со мной, я дождусь, когда Стебунков вернется в Россию, встречусь с ним и посоветую подумать над тем, по какой причине домработница Зимина бросила службу, — спокойно сказала я. — Вы ненавидели хозяина?

Ирина схватилась за щеки.

— Нет! Что вы! Иван Гаврилович прекрасный человек, добрый, интеллигентный!

— Значит, не поладили с покойной Викторией Николаевной? — предположила я. — Экономка вас шпыняла за плохую уборку?

Зимина выдернула из вазочки бумажную салфетку и промокнула вспотевший лоб.

— Виктория подслеповата, у нее зрение за последние два года сильно ослабло, но она в этом признаваться не хотела. Один раз экономка чуть не упала, споткнувшись о порог в туалете. Хорошо, я ее поймала! Держу под локти и советую: «Сходите к окулисту». А Вика в ответ: «Прекрати чушь нести. Я не старуха, чтобы очки носить». Не глупо ли? Молодых полно в очках ходит, и можно линзы заказать. Но Виктория считает, что проблемы со зрением бывают только у старух. Так что пыли она в упор не замечала. Скорее бы Степан замечание сделал. Он хозяина обожал, считал его квартиру родным домом. Мы с ним дружили. Но я очень тщательно убирала, мне совесть не позволяет накосячить, в самые дальние уголки с тряпкой лезу, так что к моей работе нельзя придраться. Постойте, почему вы сказали: «Покойная Виктория Николаевна»? Гости хозяина и Степан умерли, а она жива.

— Уже нет, — мрачно объяснила я. — Ваша бывшая коллега скончалась, события в доме Стебункова до сих пор волнуют журналистов. О смерти экономки сообщили по радио в программе «Преступления в городе», сегодня утром я услышала новость в машине.

— Ой, мама! — прошептала Ирина, поежившись. — О господи, как же так? Вика не молодая, но здоровая, у нее давления не было, сердце не болело.

Я побарабанила пальцами по липкому пластику.

— Интересное кино получается. Гости Стебункова мертвы. Умерла Виктория Николаевна, в тяжелом состоянии лежат в больнице Нина и Надя Сперанские.

— Это кто такие? — жалобно пропищала Ирина Львовна.

Я, проигнорировав ее вопрос, продолжала:

— И все смерти случились после того, как домработница Зимина покинула дом.

— Я ни при чем, — в ужасе прошептала женщина.

— Думаю, Стебунков будет иного мнения, — пожала я плечами. — Он далеко не глупый человек, может сложить два и два, чтобы получить четыре. А складывать есть что: вы уволились с прекрасного места, и ладно бы ушли из-за того, что вам предложили оклад в миллион, так ведь нет, вы моете полы в парикмахерской, где платят намного меньше, чем у Стебункова, нет приятных бонусов в виде бесплатной еды в рабочее время, подарков к Новому году и на день рождения... Ирина Львовна, извините за бестактность, но вам не двадцать лет, а ближе к пятидесяти, в этом возрасте сложно устроиться на хорошую зарплату, но все же вы ушли от Ивана Гавриловича. Напрашивается простой вывод: кто-то вас попросил уйти, чтобы в дом Стебункова проник убийца. Сколько вам заплатили?

— Боже, нет! — подскочила бывшая домработница. — Все не так!

— А как? — быстро поинтересовалась я.

Ирина опустила голову.

— Я не брала денег. Я не такая! Ко мне домой неожиданно приехала девушка, назвалась Аленой Ротовой, предложила мне уволиться и устроить ее на мое место. Я согласилась.

— Да ну? — поразилась я. — Вот так просто решили отдать свою должность? Из каких побуждений? Хотели помочь девице? Неужели не подумали, как будете жить дальше? У Стебункова были прекрасные условия, а вы бросили работу. Не врите мне сейчас!

— Да, я ушла и порекомендовала вместо себя Алену. Сказала Виктории, что заболела, а Ротова, мол, моя хорошая знакомая, — чуть слышно произнесла Ирина.

— Прелестно! — восхитилась я. — Проложили в дом хозяина дорогу человеку, с которым встретились впервые?

— Да, — шепнула Зимина.

— Вы сумасшедшая?

— Нет, — пролепетала Ирина. — Поверьте, нет.

Я начала загибать пальцы.

— Замечаний вам не делали, деньги платили без задержки, с остальными служащими вы в дружбе, хозяин уважителен, рук не распускает, в доме много техники: посудомоечная и стиральная машины, суперутюг и все прочее, способное облегчить ваш труд. И что, вы бросили прекрасное место работы из-за того, что некая девица захотела мыть вместо вас полы? Сами-то себе вы верите?

Ирина молчала.

— Вас шантажировали? — продолжала я. — Чем? Что знала Алена Ротова? Как она вас нашла?

— Понятия не имею. — Зимина заплакала. — Но мерзавка... гадюка... Ой, мне так стыдно!

— Придется рассказать правду, — сказала я. — Иначе вас могут обвинить в соучастии в убийстве.

— Нет! — всхлипнула Ирина. — Я ж не знала, что так случится!

— В один далеко не прекрасный день Ротова опять материализуется на вашем пороге и принудит сделать для нее нечто новенькое. С шантажистами всегда так: один раз подчинишься подонку, он снова к тебе обратится. Рассказывайте лучше сами. Не захотите — я сама докопаюсь до правды. Пусть не сразу, но все узнаю, — сказала я.

Зимина схватила салфетку, высморкалась и начала раскрывать свои тайны.

...До того, как попасть к Стебункову, Ирина работала у банкира Николая Павлова. В доме жил еще Андрей Иванович, отец финансиста, омерзительный старик, вечно пытавшийся зажать домработницу в каком-нибудь углу. Несмотря на преклонный возраст, старший Павлов был крепким мужчиной, и чем больше горничная сопротивлялась сластолюбцу, тем сильнее тот распалялся.

Беда случилась летом, когда Николай с женой уехали отдыхать. Хозяин попросил горничную:

— Поживи у нас, не хочу, чтобы отец ночевал один.

Зимина сначала отказалась, но Николай назвал сумму, которую заплатит ей, и она сдалась. Решила, что днем сможет постоять за свою честь, а на ночь крепко задвинет на двери спальни засов.

Лето выдалось жаркое, однако старик не разрешал включать в доме кондиционеры. Ирина была вынуждена спать с открытым окном. Дед вел себя прилично, с объятьями не лез, и Зимина успокоилась. А потом ей ночью приснился страшный сон — на грудь навалилась тяжелая плита... и памятник, который шарит по ее телу руками, дышит ей в лицо, сопит...

Зимина проснулась и в ужасе поняла: на ней лежит старший Павлов, который влез в ее спальню через открытое окно.

Как ей удалось сбросить с себя насильника, Ира помнит плохо. Вытолкав подонка в коридор, она позвонила хозяевам.

— Только не вызывай милицию! — взмолился Николай. — Я тебя озолочу.

Банкир сдержал слово — хорошо заплатил Ире, дал ей прекрасную характеристику и устроил на работу в дом Ивана Гавриловича Стебункова.

Через некоторое время Ирина почувствовала недомогание и отправилась к гинекологу. Диагноз чуть не убил ее: сифилис! В том, что ее заразил папенька Николая Павлова, она не сомневалась — больше просто некому, Зимина давно не имела дел с мужчинами.

В полной панике Ирина бросилась к бывшему хозяину и услышала от него:

— Отличная идея, чтобы срубить с нас еще денег. Но ты сменила место работы, так что мой отец ни при чем. Небось спала со всеми без разбора.

— Андрей Иванович меня изнасиловал, — напомнила Ира.

— Да? — усмехнулся Николай. — Докажи. Где синяки? Ссадины? Следы спермы?

— Так уж я сто раз вымылась, — растерялась Ирина, — и отметины сошли.

— Ступай вон, — приказал Павлов. — Еще раз явишься, я тебе устрою фейерверк!

Ирина ушла ни с чем. Лечилась она частным образом у врача, который установил диагноз. Болезнь поймали на ранней стадии, Зимина от нее благополучно избавилась, доктор обещал хранить молчание. Ирина верила, что он непременно сдержит слово, поскольку получил немалую сумму — все отложенные горничной деньги. Медик явно давно подрабатывал такими услугами, а лечение сифилиса в частном порядке запрещено, и Ира не боялась, что ее тайна вынырнет наружу. Она уже успела забыть про венерическое заболевание, как вдруг к ней явилась Алена Ротова.

Каким образом девчонка узнала правду, Ирина понятия не имела. А шантажистка совершенно спокойно предложила:

— Вы подумайте над моим предложением. Если покинете дом Стебункова, порекомендовав меня на свое место, ваша грязная тайна останется нераскрытой, да еще вы получите в придачу немалые деньги. Откажетесь мне помочь — Иван Гаврилович мигом узнает про сифилис. Представляете реакцию Стебункова? Славная ситуация: по его квартире разгуливает женщина с опасным заразным заболеванием, моет посуду, готовит еду, стелет хозяину постель. Слышали, что сифилис передается бытовым путем?

— Я давно вылечилась, — холодея от ужаса, пролепетала Зимина.

— Не знаю, не знаю, — протянула Алена. — Конечно, Стебунков взбесится, отправит вас на анализы, выяснит правду о состоянии вашего здоровья, а потом выгонит с позором. Вы уверены, что до того, как вылечились, не заразили хозяина?

— Иван Гаврилович не жаловался на здоровье, — прошептала Ира.

Ротова противно захихикала.

— Ваша глупость сродни тупости пещерного человека. Неужели вы не полазили по Интернету, не поинтересовались информацией о своем заболевании? Болезнь в самом начале проявляет себя в виде небольшой язвы, и, как правило, зараженный не беспокоится. Ну, подумаешь, нарыв! Потом язвочка проходит, и дальше возможны варианты. У кого-то появляется сыпь, а кто-то живет себе, не подозревая, что инфицирован, болезнь дремлет в его организме, чтобы проявиться, иногда спустя несколько лет. Вдруг у Стебункова подобный случай? Что он сделает с вами, узнав, какой «подарок» вы принесли в его дом?[1]

Ирина настолько перепугалась, что потеряла сознание. Когда Зимина очнулась, ей на секунду показалось, будто она спала и видела дурной сон. Но нет, подлая Ротова сидела на диване и улыбалась.

Глава 33

Бывшая домработница Стебункова замолчала, а я решила избавить ее от продолжения исповеди.

— И вы подчинились шантажистке?

Зимина затряслась.

— Да. Ужасно испугалась. Вдруг она права, я заразила Ивана Гавриловича, и болезнь у него протекает незаметно...

— Ирина, вам следовало сразу поставить хозяина в известность о случившемся, — сказала я. — Вы жертва изнасилования, получили заразу не из-за образа жизни или занятий проституцией.

Зимина всхлипнула.

— Я все равно потеряла бы это место. Мало того, меня бы точно отправили в диспансер, поставили на учет. Как потом жить? С позором! Без работы! Вы впустите в дом прислугу, которая лечилась от венерической болезни?

— Наверное, нет, — честно ответила я.

— В том-то и дело! — Ира заплакала.

Я возмутилась:

---

[1] Врачи полагают, что заразиться сифилисом бытовым путем сложно. Как правило, сифилис передается половым путем.

— Поэтому вы предпочли скрыть правду, воспользоваться услугами врача тайно и в то же время хлопотали по хозяйству, рискуя заразить других? Ладно, я еще могу понять, что вы не хотели огласки. Ну так уволились бы тихо, соврали: «Устала с тряпкой бегать, хочу переменить род деятельности». Надо было сидеть дома, ограничив общение с людьми, и лечиться.

— Хорошо вам советовать. А где денег на жизнь взять? — огрызнулась собеседница.

Я отвернулась к окну. Какой смысл объяснять Ирине, как нужно было поступить? Лучше мне попытаться выяснить хоть что-нибудь об Алене. Я посмотрела на зареванную Зимину.

— Отчества шантажистки вы, конечно, не знаете?

— Львовна, как у меня, — зашмыгала носом любительница гамбургеров.

Я снова глянула в окно. В кромешной тьме этой истории блеснул тонкий луч света. Виктория Николаевна, вызывая горничную, крикнула: «Алена!» А еще экономка посетовала, что нынче трудно найти хорошую прислугу, вокруг одни косорукие лентяйки, которые хотят получать большую зарплату, имея минимум обязанностей. Ирину шантажировала Алена Ротова. Если вспомнить, что случилось в доме Стебункова вскоре после того, как девица там появилась, то Ротова становится основной подозреваемой. Похоже, шантажистка рвалась в квартиру Ивана Гавриловича, чтобы отравить его, но допустила оплошность — яд достался друзьям олигарха.

Но теперь возникает масса новых вопросов. Где девчонка взяла никому не известный вирус? Чем ей насолил бизнесмен? Неужели она устроилась на работу под собственным именем? Алена настолько глупа, что не подумала о полицейском расследовании, которое неминуемо начнется в случае странной гибели людей? Не сообразила, что ее могут вычислить, прогнав ее данные через компьютер? Имя где-нибудь да и всплывет. В базе данных московской прописки или какого-то учебного заведения, среди тех, кто долго лежал в больнице, преступил закон, не заплатил штраф за нарушение правил дорожного движения, в списке доноров... Мест, где остаются анкетные данные человека, много. В конце концов, можно порыться в социальных сетях.

— Надеюсь, шантажистка москвичка, — пробормотала я, — и будет несложно выяснить ее местожительство.

— Знаю ее адрес, — прошептала Зимина.

Я вздрогнула.

— Откуда?

— Рекомендацию ей писала по всей форме, — всхлипнула бывшая горничная, — с указанием паспортных данных. Она мне документ дала. А потом я еще с Викторией разговаривала, нахваливала девицу: «Она живет в столице на бульваре Матросова, дом один, квартира один».

Я не поверила своим ушам.

— Ротова показала удостоверение личности?

Ирина кивнула. Я недоумевала. Преступница редкостная идиотка? Или невероятно наглая, самоуверенная барышня, считает, что может выкрутиться из любой патовой ситуации, и полагает, будто весь мир состоит из дураков? Впрочем, скорей всего паспорт фальшивый. Но все равно надо съездить на бульвар Матросова. И лучше мне отправиться туда ближе к вечеру — навряд ли Ротова сидит днем дома. Правда, я думаю, по указанному адресу не найдется никакой Алены.

Я встала, сухо попрощалась с Ириной и хотела направиться к выходу, но Зимина схватила меня за руку.

— Дашенька, погодите!

Я вырвала ладонь из ее цепких пальцев, машинально провела рукой по юбке и спросила:

— Чего вы хотите?

— Вы мною брезгуете? — плаксиво заканючила Зимина. — Видела, как сейчас ладошку-то вытирали. Пожалуйста, умоляю, никому не говорите про сифилис! Я сдаю анализы регулярно, ничего у меня нет, я здорова. Хотите на колени встану? Не ломайте мне жизнь!

— Не сомневаюсь, что от сифилиса вы излечились, — сказала я. — В наше время эта болезнь не фатальна, хорошо поддается лечению, не пятнадцатый век на дворе. Но куда деть моральную сторону вопроса? Вы должны были пообещать Алене содействие и тут же кинуться к Ивану Гавриловичу с рассказом о том, что в его дом с непонятной целью рвется дурной человек. Однако вы предпочли поступить иначе — впустили, образно говоря, лису в курятник.

— По-вашему, я виновата в том, что они все умерли? — закричала Ира, забыв про посетителей кафе.

— Неужели вы думали, что Алена хочет попасть в дом Стебункова из нежной любви к нему? — усмехнулась я.

Ирина опустила голову, а я почти бегом поспешила к выходу. Продолжать беседу с Зиминой категорически не хотелось.

Мой мобильный ожил, едва я села за руль.

— Слушаю, — буркнула я.

И тут же разозлилась на себя. Ну, когда я приучусь смотреть на экран, чтобы сначала узнать, кто желает со мной общаться, и уж потом принимать вызов?

— Добрый день, — проворковал Феликс Жанович. — Как дела?

— Прекрасно, — бодро ответила я, — лучше не бывает.

— Сегодня изумительная погода, — зачирикал Маневин, — можно съездить на пикник.

От последнего слова меня передернуло и вдруг накатило раздражение. По какой причине милейший Феликс Жанович усиленно пытается завязать дружбу с не очень симпатичной, не богатой, не знаменитой женщиной? Он вроде бы случайно столкнулся со мной во дворе дома Вадима, почти сразу пригласил в дорогой ресторан, в «Библиотеку», и в итальянскую тратторию, а сегодня намерен отвезти меня на природу. Что ему надо?

— Предлагаю воспользоваться солнечным деньком, — пел антрополог. — Московская погода капризна, а по выходным она, похоже, за что-то мстит жителям мегаполиса. Едва приближается вечер пятницы, как начинаются нудные дожди, которые прекращаются лишь в ночь с воскресенья на понедельник. Давайте сейчас поведем себя, как школьники-прогульщики? Возьмем и сбежим с работы подышать свежим воздухом? Предлагаю на выбор: Архангельское или Царицыно.

— Отличная идея, — тщательно скрывая раздражение, произнесла я, — но у меня полно работы.

— Не хотите в лесопарковую зону? — неправильно понял меня Маневин. — Есть другой вариант — трактир на берегу Москвы-реки. Один мой знакомый открыл ресторацию вблизи Северного речного вокзала. Любите рыбу? Креветки? Давайте через полтора часа я встречу вас на Ленинградском шоссе...

— Спасибо, но я не успею, — решительно отвергла я любезное предложение. — Спешу на бульвар Матросова, там у меня неотложная встреча, которую я не смогу завершить быстро.

— Бульвар Матросова? А какой дом? — полюбопытствовал профессор.

— Номер один, — не подумав, выпалила я и тут же осеклась. Зачем Феликсу Жановичу понадобился точный адрес?

— Великолепно знаю эту улицу, — обрадовался антрополог, — у меня на ней живет... э...

Мое терпение лопнуло.

— Только не говорите, что матушка-старушка вместе со своим веселым пуделем перебралась на вышеназванный бульвар!

— Чья мама? — растерялся собеседник.

— Ваша, — ехидно уточнила я.

— Она живет в центре, — ляпнул он.

«Вот те на! А как же Чапаевский проезд, куда вы спешили после посещения магазина для животных?» — хотела спросить я, но чудом удержала язык за зубами.

— На Матросова живет ее дальняя родственница... — нашелся Феликс.

Я поняла, что не могу вежливо разговаривать с прилипчивым мужиком, и воскликнула:

— Ох, простите, въезжаю в туннель, сейчас связь оборвется!

И тут же выключила мобильный.

Жаль, я не знаю фамилии инженера, придумавшего сотовый телефон, но от всей души хочется ему сказать большое человеческое «спасибо». Теперь легко можно избавиться от утомительной беседы или избежать встречи, сказав: «Рад бы увидеться, но я на совещании», а потом, заблокировав трубку, продолжать наслаждаться кинофильмом. Мобильный очень облегчил жизнь лгунам!

В дверь квартиры на бульваре Матросова я позвонила, уверенная, что не услышу никакого ответа — хозяева сейчас точно находятся на работе. Но ничего, я их подожду.

И вдруг створка распахнулась безо всяких предварительных вопросов.

— Вы ко мне? — удивилась девушка, сидящая в инвалидной коляске. — Мы договаривались о встрече?

— Простите за беспокойство, я ищу Алену Ротову, — смутилась я.

— Уже нашли, — весело сообщила девушка. — Проходите в комнату.

Я быстро скинула туфли, поспешила за хозяйкой, очутилась в большой студии и не удержалась от восклицания:

— Какой оригинальный интерьер — вместо окна большая балконная дверь!

Алена подъехала к длинному столу, на котором стояло несколько компьютеров.

— После аварии, усадившей меня в инвалидное кресло, я впала в депрессию. Почти год рыдала и жалела себя, сидела взаперти. Вкусила все прелести существования инвалида: в лифт не въехать, из дома не выбраться, пандуса-то у подъезда нет, друзья разбежались, жених быстро испарился, денег пшик, государство колясочникам платит медные гроши... Дошло дело до мыслей о самоубийстве. А потом такая злость меня взяла! Что я, совсем рохля? Научилась пользоваться компьютером, переехала сюда, на первый этаж, поставила вместо окна дверь. Много времени потребовалось, пока БТИ разрешение на переделку выдало, пришлось на взятку чиновницам раскошелиться. Зато теперь я ни от кого не завишу, сама езжу в магазин.

— Не проще ли было поставить рельсы на подъездном крыльце? — вздохнула я.

— Я пыталась, да жильцы воспротивились, — объяснила Алена. — Устроили собрание, все, как один, заявили: «Нам это ни к чему, мы о съезд спотыкаться будем».

— Какие жестокие и равнодушные люди! — возмутилась я.

— Обычные, — пожала плечами Ротова. — Думают, что навсегда останутся здоровыми, поэтому безразличны к нуждам инвалидов. Сама такой была, пока в то такси не села. Но вы же не о моей биографии болтать пришли? О чем поведем речь? Магазинчик? Офис?

— Что? — не поняла я.

— Дизайн-проект какого объекта вы решили заказать? — спросила Ротова. — Не ожидали увидеть дизайнера-колясочницу? Не беспокойтесь, ноги у меня отказали, но руки и голова на месте. Давайте спокойно обсудим ваши предпочтения. Я всегда отталкиваюсь от желаний заказчика, свои ему не навязываю.

— Извините, у вас случайно не пропадал паспорт? — спросила я.

Алена положила руки на колени.

— Некоторое время назад в книжном магазине вор разрезал мою сумку, стащил кошелек и паспорт. Постойте, вы из полиции? Неужели нашли грабителя? Когда я заявление о краже писала, дознаватель предупредил: «Щипачей практически невозможно изловить. Ну, разве что повезет, и схватишь его за руку в момент ограбления. Работают мерзавцы, как правило, вдвоем, один режет ридикюль и передает добычу другому, тот живо смывается». Я, честно говоря, не надеялась на возврат кошелька, но не собиралась еще и штраф платить за утерю паспорта, поэтому накатала заявление. Хотите чаю? У меня есть замечательный сорт, один заказчик привез в подарок из Англии. И еще печенье овсяное. Вы его любите?

— Обожаю с детства, — подтвердила я. — Но только российское, не импортное. Простое, без всяких добавок.

— Наши вкусы совпадают, — обрадовалась Алена и покатила в зону кухни.

Глава 34

— Не имею отношения к полиции, — сказала я, отхлебывая очень вкусный чай.

— Почему тогда спросили про паспорт? Откуда узнали о его потере? — насторожилась Алена.

— Вы смотрите «КримТВ»? — спросила я.

— Не люблю детективные сюжеты, и в обыденной жизни хватает жестокости, — поморщилась Ротова. — Я предпочитаю романтические комедии. Использую телик как экран DVD-проигрывателя, в основном для просмотра таких лент.

Я вкратце рассказала Алене историю, случившуюся со Стебунковым.

— Вот жуть! — поежилась она. — Значит, мой паспорт попал в руки преступницы?

— Похоже на то, — кивнула я. — Теперь понятно, почему шантажистка столь смело показала его Ирине Зиминой.

— А вы приехали сюда с желанием найти убийцу? Смелый поступок! — восхитилась Ротова.

— Если честно, я предполагала, что здесь живет кто-то, никогда не слышавший об Алене, — призналась я, — думала, документ поддельный. Но на всякий случай решила проверить, увидела вас...

— Сообразили, что девушка-инвалид не способна прикидываться горничной, и сделали вывод: Ротова потеряла удостоверение личности, — перебила меня Алена.

— Верно, — кивнула я.

Дизайнер пересекла комнату, открыла шкаф, достала оттуда папку и потрясла ею.

— Хотите посмотреть? Здесь заключение врачей, снимки, исследования на томографе — подтверждение того, что я не могу ходить.

— Зачем мне бумаги? — не поняла я.

— Чтобы удостовериться, что я не обматываю вас, — серьезно пояснила Ротова. И с грустью добавила: — На самом деле я не могу встать. К великому сожалению.

— Не думала, что вы лжете, — растерялась я. — При одном взгляде на вашу квартиру становится ясно: в ней живет несходячий человек, тут все устроено для колясочника.

— Если вы не имеете отношения к полиции, то почему занялись расследованием? — полюбопытствовала Алена. — Ой, знаю, вы частный детектив!

— Разве я похожа на сыщика? Нет, не имею никакого отношения к разыскным структурам, ни к государственным, ни к коммерческим, — заверила я. — Просто...

На подоконнике зазвонил телефон, Алена, находившаяся в противоположном конце комнаты, замешкалась, разворачивая коляску, и не успела поднять трубку, включился автоответчик.

— Аленка, подойди! — зазвенел высокий девичий голос. — Это Вера Никифорова. Ау, ты где? Макс оставил для тебя билет на входе, как всегда, на мою фамилию. Надеюсь, ты ее не забыла? А то, похоже, мой номер телефона выкинула из памяти, неделю уж не звонишь. Все работаешь? Выбери время поболтать со мной. Бай-бай!

Раздались гудки. Дизайнер подъехала к подоконнику, взяла трубку, зачем-то засунула ее в кресло под подушку и посчитала нужным дать объяснения:

— Я дружу со многими заказчиками. Сдам работу, а потом поддерживаю отношения. За Верой сейчас ухаживает актер, а я обожаю театр. Вот Макс и снабжает меня контрамарками. Давайте еще по кружечке выпьем? Заварю ройбуш. Пробовали его?

— Не довелось, — призналась я. — Это чай?

— Кустарник, — начала вводить меня в курс дела Алена, открывая одну за одной банки. — Вкус обалденный! Так, чуток корицы, немного кардамона... Я не люблю готовый сбор, предпочитаю сама составлять. Пряности лучше брать свежие, хранить их в стекле... Ну, пробуйте!

Я взяла протянутую кружку и сделала большой глоток.

— Потрясающе!

— Не понравилось, — расстроилась Алена, — чуть отпили и отставили.

Чтобы не обижать гостеприимную хозяйку, я почти залпом проглотила ароматный напиток и повторила:

— Потрясающее.

— Какая у вас квартира? — вдруг спросила Ротова.

— Маленькая, однокомнатная, — ответила я.

— Хотите, посмотрю на нее и подскажу, как изменить интерьер, чтобы она стала больше? — предложила Алена.

— Навряд ли можно раздвинуть стены, — грустно сказала я и схватилась руками за стол.

— Что с вами? — забеспокоилась хозяйка. — Вы сильно побледнели.

Я с трудом встала. Пол закачался под ногами, стены стали складываться вместе, потолок поехал вниз.

— Плохо, да? — как сквозь вату, донесся голос Ротовой. — Вероятно, аллергия на ройбуш, вам надо прилечь. Пройдите к дивану.

Перед моими глазами затряслась серая дымка, воздух из комнаты начал исчезать с катастрофической скоростью.

— Вера, — громко сказала Алена, — немедленно приезжай! Брось все!

Имя петардой взорвалось в моей голове. Вера! Вера Никифорова! Откуда-то из черноты возник баритон Георгия Яковлевича Роха: «Вера поступила эгоистично. У Никифоровой и так горе, любимый муж погиб, так еще и дочь взбрыкнула». Затем снова прозвучали слова из автоответчика Ротовой: «Это Вера. Никифорова... билет на мою фамилию...»

Я сделала шаг в сторону. Мысли путались. Они казались очень важными, но никак не желали выстраиваться в четкую линию. Погиб в машине... украли документы... люди теперь думают лишь о деньгах... сейчас бы Шекспир не написал «Отелло»... Марина совершила должностное преступление... Вадим — белый негр... сафари... шашлык из крокодила... «Горная капля»...

— Дарья, идите скорей к дивану, вы сейчас потеряете сознание! — оглушительно заорала Алена.

Ее крик пронзил голову, как топор. На секунду дурнота отступила, я кинулась в прихожую.

— Куда? Стойте! Вам нельзя на улицу, вы попадете под машину! — завопила Ротова.

Но я уже вертела ручкой, пытаясь открыть входную дверь. Теперь меня облепила невидимая клейкая масса. Наверное, такое ощущение испытывает муха, тонущая в варенье. Кто-то вцепился в мою ногу... Я из последних сил лягнула противника, увидела ступеньки, побежала по ним, налетела на столб, который почему-то сильно пах одеколоном, и неожиданно он произнес:

— Даша, Дашенька... господи... сюда, осторожно...

Меня подняло, перевернуло, шлепнуло лицом в пахнущий табаком мох, и все исчезло. Последней пришла в голову мысль: «Тону, и никто не поможет...»

В нос проник аромат кофе, я приоткрыла один глаз, увидела поднос с чашкой, изумилась, попыталась сесть и услышала приятный баритон:

— Как самочувствие?

Желудок противно сжался, в горле будто зацарапали когтями кошки, в висках медленно поворачивались два штопора.

— Совсем плохо? — заботливо осведомился мужской голос.

— Нормально, — прохрипела я, не понимая, как это я ухитрилась так напиться, что ничего не помню.

Вообще-то я не злоупотребляю спиртным, но было в моей биографии несколько случаев жестокого похмелья. И сейчас, похоже, произошел еще один.

— Выпейте эспрессо, — не отставал незнакомец.

— Уберите, — прошептала я, еле-еле ворочая шершавым языком, — я хочу сесть.

Чашка исчезла, появилось лицо... Феликса Жановича. От удивления у меня даже слегка прояснилось в голове.

— Вы? Как вы попали в мою квартиру?

— Извините, Дашенька, — смутился Маневин, — но это вы в моей.

Я рывком села, поняла, что раздета до нижнего белья, взглянула на смятые подушки широкого ложа и в ужасе спросила:

— Что я тут делаю? Вы напоили меня в ресторане? Привезли к себе?

Маневин сел на край постели.

— Конечно, нет. Я случайно столкнулся с вами на бульваре Матросова — вы выскочили из подъезда, налетели прямо на меня, причем выглядели безумной, едва держались на ногах. Я испугался, привез вас к себе, вызвал Ангелину Федорову. Она опытный врач. Лина сказала, что, судя по анализу крови, вы приняли очень сильный транквилизатор. Очевидно, вы никогда ранее не употребляли подобные, поэтому вас буквально сбило с ног. Добавьте сюда еще ваш малый вес. На сколько вы тянете? Пятьдесят кило?

— Сорок пять, — призналась я.

— М-да... — крякнул профессор. — Стандартная пилюля рассчитана на то, что ее проглотит человек от шестидесяти до восьмидесяти килограммов. Вам надо все медикаменты делить пополам. Помните, что произошло?

— Нет, — ответила я. И на всякий случай отодвинулась от Маневина к стене. — В голове звенит.

— Не пугайтесь, — попытался приободрить меня Феликс Жанович, — Ангелина предупреждала о таком эффекте. Память скоро вернется, вы вспомните, по какой причине очутились на бульваре Матросова.

— Ага, — забубнила я, завертываясь поплотнее в одеяло. — А вы туда зачем порулили? Только не врите! Ваша мать не живет в Чапаевском проезде, я видела, как вы спустя пять минут после того, как отправились навестить старушку, пошли в метро.

— Представляю реакцию Глории, услышь она из ваших уст слово «старушка», — усмехнулся антрополог.

Я прислонилась к стене спиной, на всякий случай положила на колени подушку и, стараясь казаться спокойной, произнесла:

— Кто вам велел следить за мной? Что вам надо? Почему преследуете меня?

— Дашенька, пожалуйста, не цепляйтесь так за подушку, не дай бог, порвете, — попросил ученый. — Я не насильник, не преступник, не сотрудник спецструктур, а профессор-антрополог.

— Знаю, — кивнула я, все же не выпуская из рук край подушки. — Но очень часто разные органы прибегают к помощи дилетантов. Так кто вас пустил по моему следу? Откуда вы узнали номер моего домашнего телефона? Я никогда его не сообщаю, только мобильный. Как выяснили, куда я хожу? Зачем постоянно меня подстерегали? Дайте ответ хоть на один вопрос!

Феликс Жанович протянул мне чашку.

— Сделайте глоточек.

— Нет! — гордо отказалась я.

— Это просто смешно, — вздохнул Маневин. — Вы провели здесь ночь, находясь в совершенно беспомощном состоянии. Зачем мне ждать вашего пробуждения, чтобы навредить вам? Я мог обидеть вас, пока вы спали. В кружке просто кофе.

Я стукнула кулаком по подушке и упрямо повторила:

— По какой причине вы меня преследуете?

Маневин потер лоб.

— Вы мне просто понравились. Влетели в «Лабораторию», попросили сделать анализ. Смешная ситуация — заявиться в музей с желанием узнать состав настойки. До сих пор никто так не поступал.

— Надо было сразу указать на мою оплошность, — фыркнула я.

Феликс Жанович улыбнулся.

— Вы в тот момент напоминали боевого цыпленка — глаза горят, волосы торчком, адреналин зашкаливает. Я даже позавидовал, подумал: «Женщине не двадцать лет, а в глазах огонь. И жизнь кажется ей страшно увлекательной». Вы меня очаровали. Совершенно не похожи на серьезных, скучных научных дам, с которыми я общаюсь ежедневно. Вот и решил поухаживать за восхитительно яркой женщиной. Взял у вас пузырек и позвонил приятелю с просьбой изучить его содержимое. У меня много друзей. Мне нужен был повод для новой встречи. Что касаемо вашего домашнего телефона и адреса, я легко узнал их через Интернет. Есть же специальная программа — вбиваешь цифры мобильного и узнаешь, на кого он зарегистрирован. Этот прием срабатывает не всегда, подчас люди используют чужие документы. Но вы добропорядочная гражданка, поэтому проблем не возникло.

— Подрабатываете хакером? — окончательно разозлилась я.

— О нет! — запротестовал Маневин. — Я весьма скромный пользователь, просто обратился к приятелю.

— Друг номер два? — уточнила я.

— Верно, — подтвердил Феликс Жанович. — Что касается слежки, то вы сами назвали мне адрес Сперанского и рассказали про бульвар Матросова. Я просто вас там поджидал.

— Хотите уверить меня, что взрослый человек, профессор, автор множества книг, стал вести себя, как глупый мальчишка? — нахмурилась я.

— Ага! Вы читали обо мне в Интернете! — обрадовался Феликс. — Понимаете... Ну... не знаю, как это объяснить...

— Словами! — воскликнула я. — Простым русским языком! Увы, я не владею иностранными, плохо образована.

— М-м-м, — пробормотал профессор. — Ладно, попытаюсь. Я всю жизнь учился. Меня воспитали так: сначала дело, потом отдых. Я рос под сильным влиянием мамы, не спорил с ней, получал свои пятерки, ходил в музыкальную школу, поступил в университет, всегда был нацелен на карьеру. Я состоялся как ученый — занимаюсь любимым делом, более того, в отличие от большинства российских исследователей не нуждаюсь в средствах, свободно читаю лекции на нескольких языках, работал по приглашению в Сорбонне, Кембридже, Оксфорде, Йеле. Упаси бог, не подумайте, что я хвастаюсь, просто объясняю, как обстоит дело. Глория, моя мама, умная женщина. Она меня к юбке не привязывала, наоборот, повторяла: «Феля, тебе надо устраивать личную жизнь».

Я не жил монахом, но ни одна женщина не вызывала у меня желания связать с ней судьбу. Вроде все хорошо, у нас полное понимание, общность взглядов, и вдруг дама произносит фразу, ну что-то вроде: «Феликс, может, нам в квартире ремонт сделать?» И все! Я тут же представляю, что она здесь навсегда поселится. Утром встал: она рядом. Вышел на кухню: суетится у плиты. Вернулся со службы: смотрит телевизор.

— Ага. «Придешь домой, там ты сидишь. Обидно, Зин!» — процитировала я известную песню Высоцкого.

— Вроде того, — кивнул Маневин. — Потом я все-таки пошел в загс с балериной Настей Кругловой. Очень красивая, умная, замечательная женщина. Детей она не хотела — танцовщицы редко отваживаются рожать, боятся повредить карьере. Я тоже не чадолюбив, меня плач младенцев раздражает. Вроде никаких трений в браке не возникало. Настя танцевала, я занимался своим делом. А потом, ну просто как в дурном анекдоте! Я должен был вернуться домой поздно, так как собирался на конференцию антропологов, которая начиналась после обеда, приехал на работу, провел семинар, полез в портфель — нет моего доклада, забыл дома. Ну и вернулся в квартиру в неурочный час. А там Настя с любовником... Глупее ситуации не придумать.

Глава 35

— Малоприятная встреча, — тихо произнесла я. Профессор пересел в кресло.

— На тот момент наши отношения с супругой превратились почти в соседские. Мы не ругались, были вежливы друг с другом, иногда ложились в одну постель. Настя просила шубку, машину, другие женские радости — я их покупал. В свободное время мы ходили на премьеры или в гости, но это было общение посторонних, хорошо воспитанных людей, никаких чувств. Я очень удивился, когда неожиданно испытал обиду, застав жену в пикантный момент. Поймите меня правильно, я не ревновал, не хотел убить жену или ее любовника, а... Очень трудно объяснить возникшие у меня эмоции. Представьте, что много лет вы владеете удобной, красивой обувью. Это ваша собственность, которую вы аккуратно чистите, чините, бережете, не надеваете в грязь. И вдруг кто-то без спроса натягивает ваши туфли на свои грязные ноги и идет в них к помойному баку. Обувка перестала быть только вашей, она запачкана и уже не любима. Примерно так.

Феликс Жанович на секунду умолк, потом продолжил:

— Я не стал закатывать скандал, не видел в этом ни малейшего смысла, просто прошел в кабинет. Минут через пятнадцать туда вошла Настя. Помнится, я расстроился, когда ее увидел. Подумал: сейчас она начнет плакать, просить прощения, оправдываться. Но я не из тех людей, кто способен донашивать грязные ботинки за другими. Нам предстояла неприятная беседа, хотя по большому счету выяснять нечего, все предельно ясно. Необходимо решить исключительно бытовые и финансовые вопросы. Я хотел предложить Насте купить ей квартиру... Но не успел рта открыть! Потому что жена налетела на меня с упреками. Я выслушал массу «комплиментов». Мол, я тюфяк. Не эмоционален. Не умею делать сюрпризы. Не романтичен. Не люблю ее и сейчас доказал это своим поведением — мне следовало выбросить соперника в окно и побить Настю, а я тихо удалился. Дальше — больше. Я рохля, гнилой интеллигент. Со мной невозможно даже поругаться. Моя мать фальшиво-приветлива, от нее не добиться искренности. Свекровь должна ненавидеть невестку, а Глория прикидывается любезной, ни разу не сделала Насте замечания и не вмешивается в нашу жизнь. Вывод: мы с матерью равнодушные скоты, я использовал жену, как резиновую·куклу. Ни разу не совершил глупого поступка, например, не карабкался к ней в спальню по стене дома с букетом в зубах. А вот любовник способен на эксцентричные поступки, он горячий, живой человек в отличие от холодного червяка, коим являюсь я, ее законный супруг.

Маневин вздохнул и опять замолчал.

— Короче, Анастасия сделала доклад на тему моей бездушности и ушла. Хлопнула дверью. Убежала и больше не вернулась. При разводе ничего не потребовала, переехала к любовнику. Тот оказался вполне обеспечен, и случился хеппи-энд — Настя вышла за него замуж. Сейчас она счастливая мать двоих детей, у нас с ней сохранились вполне приятельские отношения. В гости мы друг к другу не ходим, чай совместно не пьем, но при встречах мирно здороваемся. Год назад я столкнулся с бывшей женой на юбилее у общего знакомого, Настя подошла ко мне и спросила: «Все холостяком живешь?» Я отшутился, произнес что-то вроде: «Жена дорогое удовольствие, не каждому по карману». А Настя сказала: «Феля, ты хороший человек, но слабому полу нужно демонстрировать чувства. Знаешь, почему мы так часто попадаемся в лапы профессиональных соблазнителей? Они отлично разбираются в женском характере. Пальто, брошенное в лужу, чтобы дама не замочила ноги, букет, доставленный ровно в полночь с наступлением дня рождения с запиской «Хотел поздравить первым», неожиданная покупка копеечной игрушки в киоске на улице... Все это воспринимается как проявление ярких чувств. А ты заранее предупреждал: «Двадцатого декабря поедем в ювелирный, я куплю тебе кольцо». И действительно мы отправлялись в лавку, и ты делал мне очень дорогой подарок. Но тридцать первого декабря я ничего не получала. Лучше бы ты сюрпризом клал под елку плюшевую собачку, тогда бы у меня не появилось уверенности, что ты преподносишь мне презент, поскольку так принято, а не по велению сердца».

Маневин встал и начал расхаживать по комнате.

— Загадочная, нелогичная женская душа... Не хочу изумруд заранее, вручите мне спонтанно пустой фантик! И, оказывается, вам нравятся слова типа: «Твои глаза горят, как звезды, ты прекраснее всех». Но у меня язык не поворачивается, я не способен на подобные речи, считаю, что свое отношение демонстрируют делами, а не пошлыми, затасканными глупостями. Кроме того, я категорически не верил в любовь с первого взгляда. Как можно испытать чувства к человеку, которого не знаешь? Бред! Мне не четырнадцать лет! И тут появились вы. Трогательная, смешная, смахивающая на воинственного зайца.

Маневин снова опустился в кресло.

— Я захотел понравиться вам. Подумал: вероятно, Настя права, я излишне сух, не романтичен. Вот и решил вас обаять. Разузнал домашний телефон, специально подстерегал на улице. Смешно, да? А вы избегали общения, отчего нравились мне все больше, потому что были по-детски непосредственны, ничего из себя не корчили. Вошли в шкаф и выбрались наружу с лисой... выбежали из подъезда в тапках... пели на улице под шарманку... искренне сердились и от души смеялись, не думая, какое впечатление производите... Никто из моих знакомых дам на такое не способен. Знаете, очень часто женщина старательно делает вид, что она вас внимательно слушает, а сама косит глазом в зеркало: ну, и как я выгляжу? Это не ваш вариант. Я себе поражался, не ожидал, что способен вот так, в минуту, влюбиться. В моем-то возрасте! И я хорошо понимал: вы в опасности, от кого-то скрываетесь. Мне хотелось вас защитить.

— Глупости! — фыркнула я. — Кому нужна простая москвичка?

Феликс Жанович хлопнул ладонью по коленям.

— Я ученый, и у меня внимательный взгляд, занятия антропологией приучают замечать мельчайшие детали. Когда мы с вами впервые встретились в холле «Лаборатории», туда выскочили мои собаки. Помните свою реакцию? Что вы сказали?

— Затрудняюсь ответить точно, — пробормотала я. — Вероятно, призналась в любви к животным.

— И на вопрос, есть ли у вас мопс, ответили отрицательно, — подхватил профессор. — Дескать, мечтаете о четвероногом друге, но квартира маленькая и работы много.

— Верно, — подтвердила я.

— Но вы сразу верно назвали породу животных, а потом взяли на руки Кису, — продолжал Маневин. — Причем очень правильно подхватили собачку — подставили ладонь ей под задние ножки и держали псинку столбиком. Обычно люди, не имеющие комнатных собак, хватают их обеими руками под передние лапы и тянут вверх, доставляя животному неудобство, или берут его поперек спины, под живот. Многие спрашивают: «Как ухватить-то?» — и действуют с опаской. А вы поступили уверенно, как человек, который привык общаться с мопсами. Киса чихнула вам в лицо и попыталась облизать, а вы засмеялись, не поморщились брезгливо, сказали: «Косметика не для тебя, налижешься всяких средств красоты и проснешься на следующий день с прыщом под глазом». Мопсы очаровательны, но они аллергичны, и часто именно под глазами у них появляются высыпания. Об этой их особенности хорошо известно только владельцам таких собак. Но откуда женщина, всего лишь мечтающая о мопсе, владеет исчерпывающей информацией об этой породе? Я понял: у вас есть или был мопс. Странно делать секрет из этого факта. Не так ли? Теперь о волосах на руках.

— О чем? — подпрыгнула я.

Феликс Жанович чуть склонил голову.

— У людей есть растительность на руках. Вы смуглая брюнетка с густыми широкими бровями, а такие дамы страдают от излишнего оволосения. И по идее ваши руки должны быть покрыты темной порослью. Только не говорите об эпиляции, потому что у вас на предплечьях пух, смахивающий на шубку новорожденного цыпленка. Вот!

Феликс Жанович быстро встал, взял мою правую руку, чуть повернул ее и спросил:

— Видите? Тонкие-тонкие волоски, почти не видные глазу. Даша, вы от природы блондинка.

Я растерялась. Маневин сел на кровать.

— И уши!

— А с ними что не так? — пролепетала я.

— Наверное, вы пользуетесь автозагаром, — улыбнулся профессор, — мажетесь особым кремом, и он придает вашей коже темный оттенок. Знаете, какую ошибку совершают все, кто прибегает к такой косметике? Люди забывают про ушные раковины. У смуглянки уши под цвет ее кожи, а у вас они розовые. И завершая эту тему... Помните, мы зашли с вами в ветеринарный магазин?

Я кивнула.

— И сразу наткнулись на некролог, — продолжал Феликс. — Магазин скорбел о кончине Дарьи Васильевой, спонсора приюта. Было и фото дамы, не совсем удачное, сделанное в профиль. Мне в глаза сразу бросилось ухо покойной — с большой дорогой серьгой. Понимаете, Дашенька, уши, как отпечатки пальцев, нет людей с одинаковыми ушными раковинами, говорю вам как специалист. Я, наверное, уже надоел, напоминая вам, что являюсь антропологом? Так вот, Даша, на снимке было ваше ухо, я это понял сразу по ряду примет. И тут сотрудница магазина сказала, что в лавке находится дочь усопшей, она приехала устроить судьбу бездомного кота. Мы услышали голос девушки, и вы кинулись в туалет с такой поспешностью, словно за вами гнался голодный медведь.

Маневин взял с подноса чашку, отхлебнул холодного кофе и продолжил:

— А ваши губы... Чудовищная красота! Вы маленькая, хрупкая, с небольшими глазами, аккуратным носом и — этакая пасть. Конечно, бывают уродства, но, полагаю, клюв у вас из силикона? Вы практически не пользуетесь косметикой, но помады перебор — ярко-бордовой, жуткой. Что она должна скрыть? След от неудачной инъекции? Я сложил все вместе, зашел в Интернет, прочитал про госпожу Васильеву из поселка Ложкино, владелицу многих собак, среди которых имеется мопс Хуч, узнал о трагедии, произошедшей с друзьями Ивана Гавриловича Стебункова, и сообразил: вы испуганы, боитесь того, кто убил ваших друзей, поэтому прикинулись мертвой. Вот почему вчера, увидев вас невменяемой, я не повез больную в больницу, а вызвал на дом Ангелину. Я хочу вам помочь. Ведь трудно одной бороться с бедой. Может, расскажете, что случилось?

Я аккуратно потрогала рот пальцем.

— Это не силикон, а специальные накладки. Сначала неудобно, затем привыкаешь. Помада прячет приклеенные края и заодно отвлекает от лица, приковывает внимание ко рту. Про волосы на руках и уши никто не подумал, но в целом грим весьма удачен. Вы правы, цвет кожи — это автозагар, в глазах цветные линзы, брови нарощены, волосы покрашены, я их мою оттеночным шампунем и остаюсь шатенкой. Операцию под названием «Смерть Дарьи Васильевой» подготовил полковник Дегтярев, а он в таких делах человек опытный, настоящий профессионал.

— Ваш любимый человек? — быстро уточнил Феликс.

— В Интернете много неверной информации, — вздохнула я. — Мы с Александром Михайловичем дружим много лет, он мне как брат, но мы никогда не состояли в любовной связи. Со Стебунковым я работала в советские годы в одном вузе, все, что сообщалось про моего бывшего мужа Макса Полянского и его отношения с Иваном, — правда. Иван Гаврилович пришел в заштатный институт, где я вбивала в студенческие головы азы французской грамматики, после развода с Ксенией. Никаких подробностей о своей личной жизни он не сообщал. Ни я, ни Олег Барсуков, ни Игорь Мамонов никогда не слышали о Жрачкиной. Иван после разрыва с женой сменил не только работу и место жительства, но и круг общения. Я узнала его тайну случайно, не так давно. Ваню положили на операцию — чистая ерунда, требовалось удалить несколько родинок, — но Стебунков очень боится боли, да и врачей тоже, поэтому потребовал общий наркоз и попросил меня посидеть с ним в палате, пока он не очнется. Клиника платная, желание богатого клиента закон. Ваню погрузили в сон, благополучно провели операцию, положили в кровать, а я села в кресло с книгой. Через час Иван вроде очнулся, увидел меня и воскликнул: «Ксения? Жрачкина? Зачем ты явилась? Надеюсь, не привела Вадима? Что тебе надо?» Я опешила. Потом поняла, что приятель еще одурманен наркозом, и вызвала медсестру. Девушка взглянула на Стебункова и пошла звать врача. Тот замешкался, явился минут через десять. За это время я успела узнать всю историю брака Ивана, а также про Вадима и про то, что Стебунков, заплатив деньги сотруднице загса и служащей паспортного стола, убрал из своих документов все упоминания о женитьбе и ребенке. Иван Гаврилович побоялся официально отрекаться от сына Ксении, проделал все тихо. А потом случилась перестройка, началась полнейшая неразбериха, загсы, отделения милиции претерпевали изменения, Стебунков спокойно стал указывать в анкетах: «Женат не был, детей не имею». И он знал, что Ксюша, несмотря на свой обман, очень порядочный человек, она не станет требовать алименты и не расскажет Вадику, кто его официальный отец. Правда, думаю, окончательно он успокоился, лишь когда Ксения умерла.

Я подсунула под спину подушку и продолжила:

— Под влиянием наркоза некоторые люди могут разболтать все. Ваня оказался из их числа. Он говорил со скоростью пулемета, сидел с остекленевшими глазами. «Патологическое возбуждение, — сказал врач, — случается как реакция на наркоз. Человек словно впадает в гипнотическое состояние». Успокоился Иван лишь после пары уколов, проспал часов девять. Я никогда даже не намекнула ему, что знаю его историю. У меня много знакомых, но очень близких друзей можно по пальцам пересчитать. Иван не делился со мной своей тайной, и если бы догадался, что она стала мне известна, наши отношения могли дать трещину. Поэтому я хранила молчание, вы первый, с кем я поделилась правдой. Но теперь ее уже можно сообщить, потому что в доме Ивана Гавриловича совершено убийство, и секрет вылезет наружу. Я понятия не имела, что Вадим, найдя свою метрику, встретился со Стебунковым, а тот выгнал парня. Мне о попытке пообщаться с человеком, которого он считал родным отцом, совсем недавно рассказал сам Сперанский.

Я перевела дух и поправила сползающее с плеч одеяло.

— Иван действительно угощал всех шашлыком из крокодила. Но я не ем экзотических продуктов и не притронулась к деликатесу. Когда Олег, Игорь и Степан умерли, Дегтярев испугался. И, хотя эксперт твердил о неизвестном африканском вирусе, Александр Михайлович сказал мне: «Чует мой нос скверный душок. Плохое у меня предчувствие». Полковник профессионал, не верит в экстрасенсов, гадалок, предсказателей будущего, однако иногда, вопреки своей же логике, произносит фразу: «Точно чувствую: этот человек виноват. Ни улик, ни доказательств, правда, нет, но он преступник». В общем, Дегтярев всполошился и придумал план: Дашу Васильеву тоже объявят жертвой отравления. Якобы ее спешно увезли лечить в Париж и там похоронили. На самом же деле полковник поселил меня в одной из конспиративных квартир, специально оборудованных для таких операций. Паспорт мне сделали на имя Даши Васильевой — Дегтярев опасался, что, получив документ, где будет, например, указана «Екатерина Петровна Николаева», я забудусь и представлюсь настоящим именем. Дарья Васильева не редкое сочетание, в одной социальной сети я нашла более двух тысяч своих полных тезок. Александр Михайлович приказал мне сидеть тихо, не общаться ни с родными, ни со знакомыми, читать детективы, смотреть кино и не привлекать к себе внимания, потому что убийца на свободе и, если он догадается, что потерпел неудачу, может предпринять новую попытку устранить меня. Стебунков улетел за границу и тоже не знает, что я жива. Мне дали машину, внешне раздолбанную, но отлично работающую, и сказали: «Жди, пока разберемся».

— Странно, что тебя на самом деле не отправили во Францию, — удивился Феликс, как-то естественно перейдя на «ты».

— Париж недалеко, всего три с половиной часа лету, — пояснила я, — рейсов каждый день много, преступник легко может попасть на бульвар Сен-Жермен и увидеть Дашеньку в ее любимой кондитерской «Паул».

— Ох, думаю дело в другом, — погрозил мне пальцем Маневин. — Небось ты уперлась, наотрез отказалась покидать Россию, пообещала не высовываться, а сама задумала провести расследование.

Я смутилась.

— Я очень старалась не выпасть из образа. Ела по утрам геркулес на воде, не позволяла себе тратить деньги, постоянно вела внутренний монолог: «Я малоимущая, никому не нужная Даша Васильева, сирота, неудачница без образования». Боялась, что в какой-то момент выдам себя, Вадим сообразит, что его новая помощница совсем даже не бедная и не несчастная. Я действительно нанялась на пару дней в службу «секс по телефону», чтобы иметь возможность сказать Сперанскому: «Хватаюсь за любую службу, пыталась работать в системе интимных развлечений, но не преуспела. Готова пахать на вас за любые деньги». Вдруг бы Вадим оказался осторожным и спросил: «И где вы сидели? Скажите адрес офиса». Я вознамерилась предусмотреть все, но Сперанский лишь глянул мельком на паспорт, уточнил мою национальность, знак Зодиака и сделал меня своей помощницей. Можно было не краснеть у телефонной трубки, выслушивая речи озабоченных мужиков.

— Зачем ты вообще устроилась к Вадиму помощницей? — взвился Маневин. — Как попала к этому мошеннику, наживающемуся на людской глупости? И почему Дегтярев, вовсе не дурак, оставил свою излишне активную подругу без присмотра?

Я отползла от стены к спинке кровати.

— Дала ему честное-пречестное слово, что буду сидеть смирно. Я хорошо изображаю испуг. Да и кто не затрясется от страха, узнав, что за ним охотится преступник? Александр Михайлович мне поверил.

— А ты, значит, его обманула? — нахмурился профессор.

— Прибегла к тактической хитрости, — поправила я. — И вообще, я хозяйка своему слову, хочу — даю его, хочу — назад забираю! И у Дегтярева в работе не одно дело, ему как раз пришлось отправиться в город Иваново, где что-то стряслось, полковника пока нет в Москве. Мне велено тихо ждать его возвращения.

Феликс снова открыл было рот, и я поспешила оправдаться:

— Я не могла рассказать Дегтяреву о Вадиме. Считала, что тайна Ивана — не моя, не мне ее и открывать. Но в голове сложилась версия. Что, если убийца по непонятной причине решил убрать всех близких Стебункова? Тогда есть шанс, что киллер придет к Вадику. Да, да, я помню, никому не известно о наличии у бизнесмена сына. Но все же вдруг существует человек, разнюхавший этот секрет? Вот я и подумала: если внедриться в дом Вадима, есть шанс поймать преступника. А найти парня оказалось нетрудно — помог один мой приятель, компьютерный гений. Он поискал Жрачкина, узнал, что тот сменил фамилию на «Сперанский», выяснил, чем он зарабатывает на жизнь, добыл сведения о его окружении, в частности, о помощнице Майе. Я подала срочное объявление — точно текст не помню, что-то вроде «Нужен секретарь, женщина», — поехала к Майе и предложила ей денег, чтобы та покинула фэншуиста-амулетчика-психолога.

— Стоп! — внезапно произнес Маневин. — Все окружающие считали Дашу Васильеву мертвой.

Полковник тщательно организовал все таким образом, чтобы комар носа не подточил — у тебя другая внешность, биография, квартира. Как понимать твои слова «помог один мой приятель, компьютерный гений»? Ты обратилась к специалисту? Позвонила знакомому?

— Кузя и Семен Собачкин[1] замечательные люди, — зачастила я, — они мне часто помогают, а я им. Прекрасные профессионалы, умеют хранить тайны. Они меня никогда не выдадут.

— Надеюсь, полковник Дегтярев, вернувшись из командировки, поставит тебя в угол, — пробормотал Феликс. — Ты проявила редкостное безрассудство!

— Мне хотелось поймать убийцу, — парировала я. — Не сидеть же сложа руки!

— Категорически не понимаю, как Александр Михайлович поверил твоему обещанию не высовываться, — вздохнул Маневин. — Полагаю, он хорошо знает особенности твоего характера. Вероятно, в Иванове случилось нечто экстра форс-мажорное.

Я сделала вид, что не слышу профессора, и продолжала:

— Все сложилось как нельзя лучше, Майя уже подумывала уйти от Сперанского — ее достала придирками и грубостью Нина, поэтому договориться с помощницей удалось легко. По моей просьбе Майя сообщила хозяину о своем уходе накануне выхода издания с объявлением. А наутро я заявилась к Сперанскому, дескать, наткнулась на призыв о помощи, готова служить верой и правдой. Нина не растерялась и предложила мне оклад

---

[1] К у з я и С е м ё н С о б а ч к и н — одни из действующих лиц книги Дарьи Донцовой «Тормоза для блудного мужа», издательство «Эксмо».

в три раза ниже того, что получала моя предшественница. Но я согласилась.

Маневин мерно кивал в такт моим словам, и я рассказала все, что мне удалось узнать про Вадима от Лейлы Ахатовны Ибрагимовой, изложила историю с энергетической лампочкой и подвела итог:

— Мне стало ясно: Вадим ненавидел человека, которого считал своим отцом, хотел лишить его жизни и получить наследство. Сперанский жаден, эгоистичен, злобен, двуличен. И вообще крайне неприятный человек. Но! Фэншуист твердо уверен в своих магических способностях, не сомневается в действенности созданного им антиоберега и надеялся именно с его помощью избавиться от Стебункова. Смешно, конечно, но это факт. Я на какой-то момент заподозрила Сперанского, думала, что это он непонятно как сумел отравить гостей Ивана, однако вскоре поняла: нет, Вадим тут ни при чем. Но ведь кто-то лишил жизни Игоря, Олега и Степана, навредил здоровью Нины с Надей и убил Викторию Николаевну? У Стебункова гости ели мясо крокодила. А что употребили в пищу женщины?

Я взяла одну из подушек и оперлась на нее.

— Все дело в воде! Когда мы пришли в квартиру Стебункова, экономка была очень любезна. Она не налетела на Вадима, а вполне интеллигентно объяснила ему: «Похоже, вы стали жертвой розыгрыша».

— Ты пошла в квартиру Ивана Гавриловича? — поразился Феликс. — Не побоялась, что экономка тебя узнает?

— Не забудь про грим, — напомнила я. — И потом, Виктория Николаевна подслеповата, а очки не носит, поэтому никак не отреагировала на меня. А вот бывшая горничная Ирина Зимина, с которой я позже встретилась, сразу сообразила, что к чему. Как она меня опознала? Понятия не имею.

Ирина переполошилась, поняв, что я ищу убийцу и могу обвинить ее, поэтому была предельно откровенна, рассказала, как ее вынудила покинуть дом Стебункова некая Алена Ротова. Кстати, эта новая горничная Алена, увидав Сперанского с компанией, любезно предложила нежданным визитерам попить воды, чем удивила экономку. Девушка ушла за бутылкой и отсутствовала слишком долго, а потом принесла «Горную каплю». Виктория Николаевна неодобрительно покосилась на минералку, но снова промолчала. И я внезапно вспомнила мелкие подробности того рокового пикника. Все, кроме меня, ели шашлык. Но я не принадлежу к числу людей, которые, придя в гости, начинают портить настроение присутствующим заявлениями типа: «Фу, я не ем мяса, не пью вина! Ваше шампанское кислое!» Нет, я молча взяла пару кусков крокодилятины и не стала спорить, когда Алена налила мне минералки. Девушка действовала непрофессионально — не спросила у гостьи, какую воду та предпочитает. Я же отвлеклась, разговаривая с Иваном, и только потом увидела бокал с газировкой. Естественно, не стала пить из него, молча взяла пустой и налила себе сока. Никто не обратил на меня внимания. Кстати! Важный факт! Стебунков терпеть не может простую воду, употребляет исключительно колу, поэтому и он не пил «Горную каплю».

В этом месте моего рассказа Маневин, и так внимательно слушавший, невольно придвинулся ближе.

— Спустя некоторое время я пошла на кухню, чтобы попросить у Виктории чаю, и услышала, как экономка отчитывает горничную: «Откуда у нас российская минералка? Кто купил?» — «Я, — ответила Алена, — когда в магазин по вашему поручению ходила, промоутеры бесплатно ее раздавали». — «Не смей больше так поступать! — разозлилась Виктория. — Перед людьми стыдно, подали дешевку... Запомни, в нашем доме употребляют только импортные дорогие напитки. Чтобы я эту чертову каплю больше не видела!» Пустяковый эпизод, я о нем сразу забыла. Но потом начала складывать кубики. Почему Алена ослушалась и снова купила, а потом подала неожиданным посетителям «Горную каплю»? И по какой причине девушка, якобы собиравшая подписи для выдвижения кого-то кандидатом в президенты, подарила Наде бутылку той же воды? «Студентка» не зашла более ни в одну квартиру. И я подумала, что Дегтярев и его команда ошиблись, отравлен был не шашлык, а минералка, которую Алена столь заботливо всем наливала. В общем, я вычислила убийцу! Это Вера Никифорова, которая воспользовалась документами Ротовой, чтобы устроиться на работу к Ивану. Она применила ту же уловку, что пришла в голову мне, — убрала из дома Ирину и велела ей порекомендовать на свое место ее, лже-Алену. Только я хорошо заплатила Майе за устройство к Сперанскому, а Вера с подружкой использовали шантаж. Очень ловкие девицы, прямо два Шерлока Холмса! Как-то они разузнали про Вадика и тайну Ирины Зиминой. Ей-богу, не понимаю, как они нарыли эту информацию. Знаешь, если б у дизайнера Алены не сработал автоответчик и оттуда не донеслось: «Это Вера Никифорова», я бы могла уйти, думая, что у бедной девушки и вправду просто сперли паспорт. Надо отдать должное Ротовой — она сразу оценила опасность, предложила мне новую порцию чая и незаметно подбросила в чашку таблетку. Учитывая физическое состояние Алены, думаю, у нее в аптечке полно транквилизаторов. Уж не знаю, что бы девицы сделали со мной, но я сумела выбежать на улицу.

— Где налетела на меня, — подхватил Феликс. — Есть масса вопросов по сути услышанного!

— Задавай, — снисходительно разрешила я.

— Воду пили Нина, Надя и Вадим, но он-то жив-здоров. Вероятно, ты ошиблась, газировка не была отравлена, — выпалил Феликс.

Я кивнула.

— Я тоже долго не могла понять, в чем дело, пока не узнала, что Вадим имеет африканские корни. Вирус не трогает представителей негроидной расы, об этом говорил по телевизору доктор и сообщил мне твой приятель, заведующий лабораторией Георгий Яковлевич Рох. Вот почему Сперанский выжил. Ротова и Никифорова ничего не знали о его биологическом отце Габриэле, они открыли много тайн, но вот то, что создатель амулетов по крови чужой Стебункову, не выяснили. Думаю, Алена была сильно удивлена, увидев Сперанского в холле апартаментов Ивана. Она планировала его убить, небось уже разработала историю с вручением бутылки за подпись, а фэншуист сам явился в квартиру Ивана. Вот почему она предложила ему воды и исчезла — побежала доставать припрятанную бутылку с отравой.

— Зачем лжегорничная отравила Викторию Николаевну? — не утихал Маневин.

— Не знаю, — призналась я. — Может, это случайно вышло?

— А к чему ей было тащить «Горную каплю» домой к Вадиму? — продолжал Феликс. — Горничная ведь уже угостила амулетных дел мастера водичкой.

— Экий ты невнимательный, — укорила я. — Вспомни мой обстоятельный рассказ. Когда домработница принесла питье, Вадим находился в санузле, устанавливал свое изделие. На подносе стоял один стакан, Нина наполнила его и осушила. И что было делать убийце? Не отнимать же его у Нины. Но она живо предложила минералки Вадиму, когда он вернулся в холл. Однако тот отказался.

— Она рисковала, — вздохнул Феликс, — фэншуист мог и не хлебнуть из дармовой бутылки.

Я пожала плечами.

— И тем не менее он воду пил. Причем в немалом количестве. И даже не чихнул после.

— А почему Вера подсовывала всем именно «Горную каплю»? — воскликнул Маневин.

— Георгий Яковлевич Рох очень нахваливал этот напиток, говорил, что в нем нет натрия. Рискую предположить, что вирус, при помощи которого Вера убила много людей, не выносит соседства натрия, а вот магний ему подходит. Отсюда и выбор минералки.

— Где она вообще взяла никому не известную заразу? — изумился Маневин. — Вирусы не продают на рынке.

Я осторожно потрогала нещадно ноющую голову.

— Мать Веры, Марина Леонидовна, занимается изучением разных экзотических болезней, часто ездит в экспедиции в Африку. Думаю, она много рассказывает дочери о своей работе. Девушка пошла по стопам родителей — учится в институте, по окончании которого Рох обещал взять ее к себе. Правда, сейчас младшая Никифорова оформила академический отпуск. Она некоторое время толкалась у матери в лаборатории, а потом, как решил Георгий Яковлевич, взялась за ум и перестала бездельничать. Марина же Леонидовна как раз в тот период совершила нарушение, за которое ее следовало уволить. Но Рох замял дело, уложил свою лучшую сотрудницу в кризисный центр и, в конце концов вернул ее в коллектив. Что сделала Марина, заведующий мне не сообщил, но я уверена — она потеряла пробирку с привезенным из очередной поездки вирусом, исследованием которого занималась. А пробирку украла Вера. Именно ее дочь отравила столько людей.

— Господи, зачем ей это было нужно? Где мотив? — изумился Феликс.

Я легла на подушку.

— Егор Никифоров, отец Веры, стал жертвой ДТП. Девушка, находившаяся с ним тогда в машине, не получила ни одной царапины, а Егора погрузили в «Скорую». Вероятно, он мог бы выжить, но мини-вэн с красным крестом застрял в пробке — дорогу перекрыли из-за какого-то важного лица, ехавшего с мигалкой. Вера выскочила на шоссе, сняла автомобиль с проблесковым маячком на сотовый и выложила фото в Сеть со словами: «Помогите узнать, чей экипаж!» Я пока не проверяла свои предположения, но у Стебункова на «Мерседесе» стоит мигалка. Ваня постоянно везде опаздывает, вот и купил себе спецсигнал. Более того, у него есть очень высокопоставленный приятель, который по его просьбе может перекрыть движение на магистрали. Иван порой пользуется его услугами, а потом в знак благодарности приглашает чиновника с семьей в свой дом в Испании на все лето. Я несколько раз говорила другу: «Ваня, это отвратительно, из-за тебя народ мучается в пробке, перестань тормозить движение». А он отвечал: «Ерунда, я всего раз или два в год это проделываю, когда позарез надо». Возможно, именно Стебунков тогда и спешил куда-то.

— Вирус содержался в минералке, гости выпили и умерли в мучениях... — задумчиво перечислял факты Феликс. — Вера под именем Алены служила у Стебункова горничной... Она что, не выяснила его вкусы? Ты сказала, Иван Гаврилович употреблял исключительно колу. Бизнесмен не притронулся бы к «Горной капле». Весь Верин тщательно выстроенный план пошел насмарку. Пострадали невинные люди!

Я отвернулась к стене.

— Я задала себе тот же вопрос. А разгадку мне совершенно случайно подсказали Надя Сперанская и Рох. Она в одной из наших бесед, размышляя о недругах, сказала: «Лучше врагов не убивать». По мнению «доброй» Надюши, чтобы отомстить своему врагу, надо навредить его родственникам, а тот пусть видит, как им плохо, как они болеют и умирают у него на глазах, а сам живет долго и мучается, зная, что близкие погибли из-за него.

— Ужасно! — передернулся Феликс.

— Согласна, — кивнула я, — иезуитская жестокость. Мне вспомнились слова Нади, когда Рох воскликнул: «Сейчас все думают лишь о деньгах». Георгий Яковлевич сетовал, что в современном мире забыты все чувства: месть, ревность, любовь. В почете лишь ассигнации. И я вдруг подумала: а что, если дело не в капиталах Стебункова, не в желании завладеть его бизнесом, а в мести? Вера хотела, чтобы Иван Гаврилович мучился остаток жизни в одиночестве, вспоминал умерших друзей, страдал, чтобы он испытал все те чувства, которые охватили ее после смерти отца. Отправить Стебункова в могилу просто, но физическое устранение его показалось студентке недостаточно жестоким. Ивану Гавриловичу, по ее замыслу, нужно жить долго, думая о том, что именно он отправил своих друзей на тот свет. Нет, девушка хорошо изучила привычки Стебункова, знала о его страсти к сафари и о том, что он привозит из Африки съедобные «сувениры», которыми угощает друзей.

— Откуда у нее такая информация? — перебил меня Феликс. — Как она выяснила, что Стебунков полетит на сафари и притащит оттуда крокодилятину?

— Иван ведет блог в Интернете, — пояснила я, — вывешивает там снимки, хвастается трофеями, рассказывает, как, вернувшись в Москву, варит суп из хвоста зебры или запекает какую-нибудь другую экзотику. Да, в Россию нельзя ввозить туши животных, но Стебунков летает частными рейсами, а VIP-пассажиров вообще не досматривают. Чем больше ты платишь денег, тем неприкосновеннее становишься. В Сети у Стебункова много виртуальных приятелей, таких же, как он, сумасшедших охотников. Ваня никогда не скрывает своих планов, честно пишет: «Народ, улетаю на сафари, цель охоты — слон. Непременно привезу филе элефанта. Кто-нибудь его ел? Сделать шашлык или лучше жарить стейки на гриле?» И начинается обмен мнениями. Вера легко могла выяснить планы бизнесмена, она чувствует себя в Интернете, как дома. Понимаешь замысел Никифоровой? Что должен был думать Иван, когда один за другим стали умирать в мучениях *его друзья*, а специалисты заговорили о неизвестном африканском вирусе? Кто виноват в гибели Олега, Игоря, Степана и Дарьи? Сам Стебунков. Вот почему Вера взяла у матери на работе пробирку с неизученным возбудителем смертельной болезни родом из Африки. А уж то, что вирус уничтожал человека не сразу, действовал медленно, оказалось для нее приятным бонусом.

Феликс протянул мне телефон.

— Полагаю, ты сейчас должна позвонить полковнику. Расскажи ему о своих поисках и открытиях, изложи собственную версию. Действовать надо оперативно, медлить нельзя. Убийцы могут сбежать.

Я кивнула и потянулась к трубке. Вдруг профессор спросил:

— Ты ведь не сообщила Дегтяреву, что у Стебункова есть сын, не только из желания сохранить его тайну? Полагаю, решила сама докопаться до истины, опередить Александра Михайловича, обыграть полковника на его поле, ведь так?

Я схватила телефон и молча набрала знакомый номер.

Эпилог

Веру Никифорову задержали в тот момент, когда она пыталась сесть в самолет, отправляющийся в Турцию. Она не стала сопротивляться и сразу выложила в кабинете Дегтярева правду об убийстве друзей Стебункова. Все мои предположения, выстроенные без каких-либо веских доказательств, подтвердились. Она решила отомстить за смерть отца, выбросила в Сеть фото «Мерседеса» с мигалкой и довольно скоро получила от некоего анонима сообщение с паспортными данными и адресом Стебункова. Почти наверняка это был кто-то из полицейских, и скорее всего — гаишник. Потому что информацию завершал пассаж: «Надоели такие гады, хозяева жизни. Носятся, как хотят, давят детей, стариков, рулят по встречке, а остановить их нельзя — неприкасаемые! Так бы и расстрелял сволочей! Смеется такой на своей бронированной машине, а народ на сотрудника ДПС собак спускает. Наслушаешься оскорблений, обматерят по полной. Положи, девочка, этому хрену дерьмо в почтовый ящик или зайди на сайт «otomsti», там написано, какие феньки можно сделать с чужими машинами». Кстати, этого полицейского обнаружить не удалось.

О том, где раздобыла сведения о болезни Ирины Зиминой, Вера не рассказала. Но я думаю, и

344 .... Дарья Донцова

тут не обошлось без Интернета. Вспомним, что, почувствовав недомогание, домработница, не думая ни о чем плохом, пошла в поликлинику. А доктор, поставив диагноз, стал лечить женщину частным образом. Вероятно, Алена Ротова, которая просиживает у компьютера сутками, каким-то образом узнала о визите Зиминой к врачу и стала разматывать клубок. Но это лишь мои предположения.

Никифорова постаралась вывести подругу-инвалида из-под удара, твердила:

— Алена ни при чем, я украла у нее паспорт, унесла тайком.

Ротова приехала к Дегтяреву на допрос в сопровождении адвоката и врача. Первый не дал клиентке раскрыть рта, второй предоставил кучу справок о ее тяжелом состоянии. Алена, похоже, выскочит из этой истории безнаказанной. А Вера спокойно во всем призналась.

Викторию Николаевну девушка трогать не собиралась, экономка стала случайной жертвой. После того как Вадим, Нина и я покинули квартиру Стебункова, она отчитала горничную:

— Почему ты своевольничаешь? Было сказано: никакой российской минералки. А ты опять ее купила!

Вера попыталась оправдаться, дескать, осталась в кладовке пара бутылок, не выбрасывать же их. Нормальная, даже вкусная вода.

Последняя фраза вконец разозлила экономку, она схватила не допитую Ниной бутылку, вылила остатки в кружку, быстро глотнула из нее и скривилась:

— Гадость. Никакого вкуса! Специально на твоих глазах попробовала, чтобы убедиться: это барахло, а не вода. Запрещаю ее в доме использовать.

Почему Вера держала при себе пробирку с вирусом и не покинула дом Стебункова, отравив его друзей? Где она раздобыла сведения о Вадиме?

Сперанский после многих попыток подстерег Ивана Гавриловича на улице, назвался его сыном, выдвинул материальные претензии. Стебунков прогнал его и в бешенстве обратился к своему адвокату — захотел решить вопрос с наследством, сделать так, чтобы Вадим никогда не получил даже гроша из его состояния. Ваня не желал шума, ему не хотелось, чтобы стародавняя история попала в прессу. Адвокат предлагал разные варианты завещаний, бизнесмену не нравились все.

Возникшую проблему Иван Гаврилович обсуждал дома в своем кабинете. Как многие богатые люди, живущие в окружении прислуги, Стебунков привык не замечать ни экономку, ни горничную, ни даже верного охранника. Виктория Николаевна никогда не интересовалась личными делами хозяина. Степан знал много тайн Ивана, но никогда не раскрывал рта. У Веры тоже имелись уши, и она вовсю использовала их, скользила тенью по комнатам, слышала беседы с адвокатом, узнала о существовании Вадика. Вот только Никифорова считала Сперанского родным сыном бизнесмена и подумала: «Сейчас Стебунков зол на сына, хочет оставить его нищим. Но когда Вадим умрет, отец будет очень переживать». Поэтому она стала разрабатывать план устранения Сперанского, придумала историю со сборщицей подписей, заготовила воду. И вдруг Вадим сам приехал к Ивану Гавриловичу... Далее все известно.

А службу у Стебункова Вера после пикника не бросила потому, что хотела выяснить, куда уехал бизнесмен, в какой стране живет. Никифорова предполагала, что рано или поздно Иван Гаврилович даст о себе знать Виктории Николаевне, и тогда Вера узнает, где тот поселился. На вопрос Дегтярева: «Зачем вам адрес бизнесмена?» — убийца ответила: «Мне хотелось напоминать ему о случившемся, выяснить, куда можно послать письмо. Он никогда не должен был забывать роковой пикник и постоянно чувствовать свою вину».

Сейчас Вера проходит психиатрическую экспертизу, и врачи склоняются к мысли о том, чтобы признать ее невменяемой.

Галина и Сеня, прихватив шарманку с Петяшей, уехали в Макаровку.

Марина Никифорова уволилась из лаборатории Роха.

Что поделывают Лейла Ахатовна Ибрагимова и Ирина Зимина, я не знаю.

К сожалению, даже выяснив правду о вирусе, врачи не смогли помочь ни Наде, ни Нине, сестры Сперанские умерли, не приходя в сознание.

А вот Вадим оседлал птицу удачи. Несмотря на все попытки Дегтярева скрыть подробности дела от прессы, информация попала к журналистам. Представляете, с какой радостью борзописцы принялись живописать события? Правду смешали с ложью, то, чего не знали, додумали. Как только в газетах появились первые статейки, я сразу уехала в Париж, Иван Гаврилович тоже не появлялся в России, и никто, включая меня, не знает, где сейчас находится Стебунков. А вот Вадим начал щедро раздавать интервью. Он, правда, сразу сообщил, что не является родным сыном Ивана, а потом... Можно я не буду пересказывать всего вранья, которое вылилось из уст фэншуиста-психолога, напрочь забывшего о своих расистских взглядах?

Назову только самую малость. Оказывается, Вадим — отпрыск самого известного колдуна Африки и владеет наиболее полными знаниями об амулетах... Ну и так далее. Сперанскому предложили вести телепрограмму на кабельном канале, ныне он частый гость всяческих шоу. Короче, наконец-то у него жизнь удалась!

Перед тем как улететь во Францию, я поехала в лес и отпустила лягушечку на волю. Феликс ждал меня в машине. Когда я вернулась с пустой банкой, профессор спросил:

— Надеюсь, квакушка поблагодарила тебя за избавление от смерти?

— Конечно, — засмеялась я. — Пообещала мне богатого жениха.

— Лучше поехали, выпьем кофе, — сменил тему антрополог. — В скором времени я прилечу в Париж — взял курс лекций в Сорбонне.

Мы устроились в кафе.

— Представь себе гипотетическую ситуацию, — неожиданно сказал Маневин, — есть очень одинокий мужчина. Ну, совсем одинокий, вроде как Робинзон на шести сотках.

Мне стало смешно:

— Насколько помню, у Робинзона был целый остров.

Феликс опустил глаза:

— Ну, остров у него был очень маленький. И я тебя попросил — представь себе гипотетическую ситуацию: одинокий Робинзон на маленьком клочке земли совсем-совсем один...

Я не выдержала:

— Просто плакать хочется...

Маневин посмотрел на меня и продолжил:

— И вот этот Робинзон очень хочет найти себе жену, Пятницу.

Я опять не удержалась от замечания:

— Вроде Пятница был мужчиной.

— Как бы ты отнеслась к предложению Робинзона выйти за него замуж?

Я постаралась не рассмеяться:

— Это гипотетическая ситуация?

— Да, — кивнул Феликс.

— Значит, есть Робинзон, очень одинокий, и у него имеется шесть соток, так?

Феликс снова кивнул.

— Ну, он мог бы мне, наверное, понравиться, — тихо ответила я, — чисто гипотетически, мне было бы его жаль и потом, шесть соток... Я всегда мечтала иметь собственный огородик.

В этот момент к нашему столу подошла официантка и Феликс начал делать заказ.

За соседним столиком небольшая компания праздновала день рождения. Виновник торжества, мужчина лет сорока, нервничал и все спрашивал:

— Слушайте, а где мама? Она никогда не опаздывает!

— А вот и торт! — радостно закричал метрдотель.

Посетители кафе повернули головы в его сторону.

— Ничего себе! — восхитился Феликс. — Неужели несколько человек могут съесть такого монстра?

Два официанта везли на громадной тележке нечто огромное, похожее на колесо от многотонного самосвала, украшенное кремом и засыпанное шоколадом.

— Вот это бисквит! — качал головой профессор.

— Может, он бутафорский? — предположила я. — Низ картонный, а сверху немного настоящего крема. Сомнительно, что многокилограммовое безумие заказано на столь малочисленную компанию.

— Хеппи бездей! — хором заорали парни, толкавшие столик на колесах.

— А где все-таки моя мама? — окончательно испугался виновник торжества. — И я не оплачивал этот... этот...

Именинник не успел договорить — официанты захлопали в ладоши, верхушка кондитерского чудовища свалилась набок, и из недр сладкой горы выскочила полная тетушка, одетая в розовый купальник, усыпанный стразами.

— Мама! — ахнул мужик. — Ты с ума сошла?

— Ну и ну... — разинул рот Феликс. — Ай да мамаша! Дама без комплексов. Как она, со своим немалым размером, уместилась в торте?

Остальные посетители кафе, похоже, онемели, в зале стало тише, чем в полночь на кладбище.

— Послушай, — тихо сказала я, — если Робинзон, тот самый, с шестью сотками все же сделает мне предложение, то я точно не захочу такую свадьбу. Уж лучше по-тихому уехать в Париж, как считаешь?

Маневин заулыбался:

— Думаю, Робинзон будет согласен, ему тоже не нравится подобное торжество.

Тем временем женщина в розовом купальнике успела выбраться из кондитерского изделия, огляделась по сторонам и ринулась вперед:

— Сыночка! — завопила она, подбегая к оторопевшему мужчине. — Вешаю тебе на шею амулет.

Его сделал сам Вадим Сперанский, лучший на свете колдун!

— Ольга Тимофеевна... — опешила я.

— Ты ее знаешь? — поразился Маневин.

— Ага, — зашептала я. — Она — клиентка Сперанского, хочет для сына невесту с капиталом. Вадик велел ей надеть на шею деточки талисман и предупредил, что сделать это надо при ярком свете, непременно одевшись в розово-блестящий наряд, причем максимально открытый, ну и чтобы был торт, и чем он больше, тем жирнее окажется приданое невесты.

— Судя по всему, парень поведет к алтарю владелицу копей царя Соломона, — усмехнулся Феликс, наблюдая, как Ольга Тимофеевна вешает на отпрыска цепь с мешком. — Глазам своим не верю. Надеюсь, смелость дамы принесет плоды, ее сын найдет подходящую, по мнению матери, жену.

Я опустила взгляд в тарелку с пирожными. Лично у меня нет знакомых мужчин, чья спутница жизни целиком и полностью нравилась бы их матушкам. Не стоит мечтать, чтобы свекровь обожала невестку. Сие так же невозможно, как появление пингвина в пирамиде Хеопса. Лучше думать о том, как счастливо жить с мужем.

Я схватилась за эклер. Чтобы брак оказался долгим и удачным, надо держать супруга под контролем, а для этого в первую очередь нужно уметь контролировать себя.

Литературно-художественное издание

ИРОНИЧЕСКИЙ ДЕТЕКТИВ

Донцова Дарья Аркадьевна

ШЕСТЬ СОТОК ДЛЯ РОБИНЗОНА

Ответственный редактор *О. Рубис*
Редакторы *И. Шведова, Т. Семенова*
Художественный редактор *В. Щербаков*
Технический редактор *О. Лёвкин*
Компьютерная верстка *Л. Панина*
Корректор *В. Назарова*

Иллюстрация на обложке художника *В. Остапенко*

ООО «Издательство «Эксмо»
127299, Москва, ул. Клары Цеткин, д. 18/5. Тел. 411-68-86, 956-39-21.
Home page: **www.eksmo.ru**   E-mail: **info@eksmo.ru**

Подписано в печать 05.06.2012. Формат 80x100 $^1/_{32}$.
Гарнитура «Таймс». Печать офсетная. Усл. печ. л. 16,3.
Тираж 200 000 (1-й завод 45 000) экз. Заказ 8826.

Отпечатано в ОАО «Можайский полиграфический комбинат»
143200, г. Можайск, ул. Мира, 93
www.oaompk.ru, www.оаомпк.рф тел.: (495) 745-84-28, (49638) 20-685

ISBN 978-5-699-55148-4

Оптовая торговля книгами «Эксмо»:
ООО «ТД «Эксмо». 142702, Московская обл., Ленинский р-н, г. Видное,
Белокаменное ш., д. 1, многоканальный тел. 411-50-74.
E-mail: **reception@eksmo-sale.ru**

По вопросам приобретения книг «Эксмо»
зарубежными оптовыми покупателями
обращаться в отдел зарубежных продаж ТД «Эксмо»
E-mail: **international@eksmo-sale.ru**

International Sales: International wholesale customers should contact
Foreign Sales Department of Trading House «Eksmo» for their orders.
international@eksmo-sale.ru

По вопросам заказа книг корпоративным клиентам,
в том числе в специальном оформлении,
обращаться по тел. 411-68-59, доб. 2299, 2205, 2239, 1251.
E-mail: **vipzakaz@eksmo.ru**

Оптовая торговля бумажно-беловыми
и канцелярскими товарами для школы и офиса «Канц-Эксмо»:
Компания «Канц-Эксмо»: 142700, Московская обл., Ленинский р-н,
г. Видное-2, Белокаменное ш., д. 1, а/я 5.
Тел./факс +7 (495) 745-28-87 (многоканальный).
e-mail: **kanc@eksmo-sale.ru**, сайт: **www.kanc-eksmo.ru**

Полный ассортимент книг издательства «Эксмо» для оптовых покупателей:
В Санкт-Петербурге: ООО СЗКО, пр-т Обуховской Обороны, д. 84Е.
Тел. (812) 365-46-03/04.
В Нижнем Новгороде: ООО ТД «Эксмо НН», ул. Маршала Воронова, д. 3.
Тел. (8312) 72-36-70.
В Казани: Филиал ООО «РДЦ-Самара», ул. Фрезерная, д. 5.
Тел. (843) 570-40-45/46.
В Самаре: ООО «РДЦ-Самара», пр-т Кирова, д. 75/1, литера «Е».
Тел. (846) 269-66-70.
В Ростове-на-Дону: ООО «РДЦ-Ростов», пр. Стачки, д. 243А.
Тел. (863) 220-19-34.
В Екатеринбурге: ООО «РДЦ-Екатеринбург», ул. Прибалтийская, д. 24а.
Тел. +7 (343) 272-72-01/02/03/04/05/06/07/08.
В Новосибирске: ООО «РДЦ-Новосибирск», Комбинатский пер., д. 3.
Тел. +7 (383) 289-91-42. E-mail: **eksmo-nsk@yandex.ru**
В Киеве: ООО «РДЦ Эксмо-Украина», Московский пр-т, д. 6.
Тел./факс: (044) 498-15-70/71.
В Донецке: ул. Артема, д. 160. Тел. +38 (062) 381-81-05.
В Харькове: ул. Гвардейцев Железнодорожников, д. 8.
Тел. +38 (057) 724-11-56.
Во Львове: ул. Бузкова, д. 2. Тел. +38 (032) 245-01-71.
Интернет-магазин: www.knigka.ua. Тел. +38 (044) 228-78-24.
В Казахстане: ТОО «РДЦ-Алматы», ул. Домбровского, д. 3а.
Тел./факс (727) 251-59-90/91. RDC-Almaty@eksmo.kz

Полный ассортимент продукции издательства «Эксмо»
можно приобрести в магазинах «Новый книжный» и «Читай-город».
Телефон единой справочной: 8 (800) 444-8-444.
Звонок по России бесплатный.

В Санкт-Петербурге в сети магазинов «Буквоед»:
«Парк культуры и чтения», Невский пр-т, д. 46. Тел. (812) 601-0-601
www.bookvoed.ru